Le sexe
de la mondialisation

SCIENCES PO
Fait politique

Le sexe
de la mondialisation

Genre, classe, race et nouvelle division du travail

Sous la direction de
Jules Falquet, Helena Hirata,
Danièle Kergoat, Brahim Labari,
Nicky Le Feuvre, Fatou Sow

Cet ouvrage est publié avec le concours de
l'Université Paris 8-Vincennes-Saint-Denis,
du Cedref et du Sedet/Université Paris Diderot-Paris 7,
du Certop/Université Toulouse 2-Le Mirail
et du CRCEMC/Université Blaise Pascal-Clermont-Ferrand 2

SciencesPo.
Les Presses

Catalogage Électre-Bibliographie (avec le concours de la Bibliothèque de Sciences Po)
Le sexe de la mondialisation : genre, classe, race et nouvelle division du travail / Jules Falquet, Helena Hirata, Danièle Kergoat... [et al.] (dir.). – Paris : Presses de Sciences Po, 2010.
ISBN 978-2-7246-1145-8

RAMEAU :
– Mondialisation : Aspect social
– Rôle selon le sexe : Aspect économique
– Division sexuelle du travail
– Féminisme : Coopération internationale

DEWEY :
– 305.3 : Sexes – Les femmes dans la société – Féminisme
– 303.3 : Changements sociaux

Public concerné : public motivé

Couverture :
Mural de la coopérative de femmes d'artisanes des Chiapas *Kinal Antzetik*, réalisé par *El colectivo Rosa Luxemburgo et Djaya*

TABLE DES MATIÈRES

III - VIOLENCES ET RÉSISTANCES : MILITARISME ET MOUVEMENTS FÉMINISTES TRANSNATIONAUX

Ont contribué à cet ouvrage

Sous la direction de :

Jules FALQUET, sociologue, Cedref, Université Paris Diderot-Paris 7 (France).

Helena HIRATA, sociologue, Cresppa-GTM, CNRS, Université Paris 8-Vincennes-Saint-Denis (France).

Danièle KERGOAT, sociologue, Cresppa-GTM, CNRS, Université Paris 8-Vincennes-Saint-Denis (France).

Brahim LABARI, sociologue, Université d'Agadir (Maroc).

Nicky LE FEUVRE, sociologue, ISCM, Université de Lausanne (Suisse).

Fatou SOW, sociologue, CNRS, Sedet, Université Paris Diderot-Paris 7.

Martine SPENSKY, professeur de civilisation britannique, Université Blaise Pascal-Clermont-Ferrand 2 (France).

Les auteurs :

Paola BACCHETTA, sociologue, Université de Berkeley (États-Unis).

Paula BANERJEE, historienne, Université de Calcutta (Inde).

Lourdes BENERÍA, économiste, Université de Cornell (États-Unis).

Françoise BLOCH, sociologue, GRS, CNRS, Université Lumière-Lyon 2 (France).

Francine DESCARRIES, sociologue, Université du Québec à Montréal (Canada).

Uma DEVI, économiste, Université de Kerala (Inde).

Zillah EISENSTEIN, politologue, Ithaca College de New York (États-Unis).

Diane ELSON, économiste, Université d'Essex (Royaume-Uni).

Jules FALQUET, sociologue, Université Paris Diderot-Paris 7 (France).

Miriam GLUCKSMANN, sociologue, Université d'Essex (Royaume-Uni).

Jacqueline HEINEN, sociologue, Université de Versailles-Saint-Quentin-en-Yvelines (France).

Arlie R. HOCHSCHILD, sociologue, Université de Berkeley (États-Unis).

Lise Widding ISAKSEN, sociologue, Université de Bergen (Norvège).

Ruri ITO, sociologue, Université de Hitotsubashi (Japon).

Bruno LAUTIER, sociologue et économiste, Université Paris I-Panthéon-Sorbonne (France).

Lin LEAN LIM, économiste, OIT (Suisse).

Adelina MIRANDA, anthropologue et sociologue, Cresppa-GTM, Université de Naples (Italie).

Mirjana MOROKVASIC, sociologue, ISP, CNRS, Université Paris-Ouest-Nanterre-La-Défense (France).

Liane Mozère, sociologue, Université Paul Verlaine-Metz (France).

Saskia Sassen, sociologue, Université de Columbia (États-Unis).

Fatou Sow, sociologue, CNRS, Sedet, Université Paris Diderot-Paris 7 (France-Sénégal).

Fatiha Talahite, économiste, CEPN, CNRS, Université Paris 13-Nord (France).

Viviene Taylor, politologue, Université du Cap (Afrique du Sud).

Présentation

B ien qu'il existe un *corpus* relativement important de travaux français et francophones sur les enjeux de la mondialisation du point de vue du genre, rares ont été les occasions d'approfondir les analyses proposées au regard des recherches empiriques et des avancées théoriques produites ailleurs. Cet ouvrage cherche précisément à combler cette lacune, en faisant dialoguer économistes, sociologues, politistes et historiennes d'Afrique, d'Asie, d'Amérique du Nord et d'Europe.

Nous voulons démontrer ici que les femmes sont touchées de manière différente des hommes et que *le genre est un organisateur clé de la mondialisation néolibérale.* C'est effectivement le genre qui permet de comprendre les dynamiques de classe ou de « race » et les mouvements migratoires aujourd'hui à l'œuvre et sous les feux de l'analyse. Sans perspective de genre, tout reste opaque, tant les femmes sont à la fois une main-d'œuvre capitale pour le travail rémunéré, non rémunéré, une source de profit, et simultanément, l'un des groupes sociaux les plus actifs dans l'analyse et la mise en place de luttes et d'alternatives à cette mondialisation. Ainsi, ce recueil a pour ambition de progresser dans la critique et la déconstruction du concept souvent trop étroit de mondialisation, et dans la réflexion sur ce qu'il signifie pour le travail et l'emploi, mais aussi pour les mouvements sociaux et la pensée critique.

Trois parties rythment ce livre. La première, « Économie mondialisée : transformations de la division sexuelle et internationale du travail », aborde l'impact de ces transformations sur l'évolution des rapports sociaux de sexe – intimement mêlés aux rapports de classe et de « race ». Cette problématique propose un premier cadre de réflexion globale. Les économistes féministes ont déjà montré que les politiques de déréglementation et d'ouverture des marchés impliquaient des conditions de travail plutôt défavorables pour les femmes, accroissant l'offre de certains emplois, mais augmentant aussi leur charge de travail rémunéré et non rémunéré. Les textes réunis ici proposent une analyse plus approfondie du développement du travail informel et/ou de reproduction au

Sud et au Nord ; l'une des caractéristiques fondamentales du travail des femmes, souvent occultée dans les analyses courantes qui étudient plutôt les échelons supérieurs de la hiérarchie professionnelle et « l'hyper mobilité du capital » (Sassen, 1991).

Dans sa contribution, Saskia Sassen reprend ses analyses pionnières des nouvelles géographies du travail et du caractère stratégique du genre dans les villes globales. Fatiha Talahite tente de mieux cerner l'impact du genre dans l'analyse de l'économie néolibérale. Diane Elson traite de la main-d'œuvre féminine comme « avantage compétitif » utilisé par les entreprises dans la nouvelle concurrence mondiale, tandis que Lourdes Benería offre un premier regard sur l'imbrication du travail rémunéré et gratuit dans la mondialisation de la reproduction. Enfin, la contribution de Miriam Glucksmann illustre remarquablement les enjeux actuels de la division sexuelle et internationale du travail dans la production et la consommation alimentaire.

La deuxième partie, « Mobilités internationales : mondialisation du *care* et marché du sexe », analyse les migrations en tant que stratégies de survie des femmes, des ménages, mais aussi que stratégies des États, tant exportateurs qu'importateurs de main-d'œuvre. Le développement des villes globales, tout comme la privatisation des services, ont engendré de nouvelles migrations intérieures et internationales, en particulier féminines, pour réaliser les travaux de reproduction sociale non délocalisables. Parmi les « femmes de services » (Falquet, 2008) internationalisées, devenues, aux côtés des ouvrières des zones franches, emblématiques de la mondialisation, on trouve des femmes de ménage, des nounous et des infirmières, mais aussi des fiancées « sur catalogue », des artistes du « divertissement » et des femmes pratiquant diverses formes de prostitution. Sans entrer dans la question – hautement polémique – de savoir si la prostitution représente avant tout une violence contre les femmes (et les enfants) ou un « travail » comme un autre, il apparaît que de très nombreuses femmes se retrouvent aujourd'hui sur le « marché du sexe » (prostitution et pornographie), comme dans le travail de reproduction sociale en grande partie informalisé. Ces activités représentent des enjeux considérables, aussi bien sur le plan financier que sur celui de la mobilité et de la survie économique des femmes, mais aussi pour leurs proches, et surtout pour les États et les nombreux intermédiaires qui en profitent, par exemple via le tourisme sexuel ou les envois d'argent des femmes de ménage ou des infirmières migrantes.

Le chapitre de Mirjana Morokvasic sur le poids du genre dans les mobilités actuelles et les transformations des arrangements entre les sexes vient débuter cette partie. Deux articles abordent ensuite le thème du *care* [1] : Uma Devi, Lise Widding Isaksen et Arlie R. Hochschild analysent la crise globale du *care* et ses coûts cachés pour les migrantes et leurs enfants, tandis que Ruri Ito se penche sur les soins aux personnes âgées au Japon et sur l'organisation internationale des migrations. Pour sa part, Liane Mozère présente une réflexion sur la mondialisation comme ressource dans les stratégies de survie des femmes. Enfin, à la suite de son rapport sur le travail du sexe pour l'Organisation internationale du travail (OIT) en 1998, Lean Lin Lim propose une réflexion particulièrement stimulante sur le marché mondialisé du sexe, à la fois sous l'angle du trafic des femmes et sous celui de la demande mondiale de « services sexuels ».

La dernière partie, « Violences et résistances : militarisme et mouvements féministes transnationaux », analyse les relations internationales, le rôle des États et du nationalisme, ainsi que les alternatives mises en place par les mouvements de femmes. Dans sa dimension coercitive, la mondialisation repose non seulement sur les pressions économiques, mais aussi sur la violence physique directe. On observe une réorganisation de la violence, à la fois dans le contexte des guerres ouvertes et à travers des politiques de contrôle social « de basse intensité », incluant notamment la criminalisation de la migration, l'ethnicisation des conflits sociaux et la militarisation de la vie quotidienne. Dans cette reconfiguration de la violence, les femmes et le genre deviennent des enjeux centraux. Simultanément, la forte mobilisation de nombreuses femmes de différents secteurs, que ce soit dans des mouvements de résistance à la mondialisation, ou dans des organisations autonomes de femmes, montre bien leur conscience des enjeux de la mondialisation et de la nécessité d'alliances capables de transcender les clivages habituels. Pourtant, la mondialisation creuse les écarts, économiques notamment, non seulement entre Sud et Nord, entre « races » et entre classes, mais aussi entre femmes, rendant plus complexe la construction d'un mouvement international qui puisse représenter globalement les intérêts de l'ensemble du « groupe » ou de la « classe » des femmes.

---

1. *Le terme de* care *ne se laisse pas aisément traduire en français. Il englobe une série de pratiques matérielles et psychologiques qui consistent à apporter une réponse concrète aux besoins des autres – travail domestique, de soin, d'éducation, de soutien ou d'assistance, entre autres. Ces activités sont, dans les sociétés occidentales, réalisées de façon privilégiée par des femmes et/ou des personnes appartenant à des catégories subalternes en termes de classe, « race » ou nationalité (Molinier, Laugier et Paperman, 2009).*

Le chapitre de Zillah Eisenstein débusque les « leurres » de genre employés par l'Administration Bush pour tenter de légitimer sa politique – en l'occurrence, placer au pouvoir des femmes particulièrement misogynes. Viviene Taylor décrypte le nouveau discours de la « sécurité humaine » et le concept de justice du monde globalisé. Paula Banerjee présente les luttes des femmes des minorités ethniques du Nord de l'Inde prises entre deux nationalismes. Jules Falquet analyse les contradictions de l'État néolibéral (mexicain) envers les femmes, dont il déclare défendre les droits, tout en les réprimant brutalement. Fatou Sow dresse un panorama de l'apport des mouvements de femmes en Afrique dans la résistance à l'idéologie néolibérale. Enfin, Paola Bacchetta détaille les conditions nécessaires pour que des alliances féministes transnationales, véritablement constructives pour toutes, puissent voir le jour.

Bibliographie

ATTAC, *Quand les femmes se heurtent à la mondialisation*, Paris, Mille et une nuits, 2003.

BISILLIAT (Jeanne) (dir.), *Regards de femmes sur la globalisation. Approches critiques*, Paris, Karthala, 2003.

Chroniques féministes, « Féministes et altermondialistes », 93, 2005.

DRUELLE (Anick) (dir.), « Féminisme, mondialisation et altermondialisation », *Recherches féministes*, 17 (2), 2004.

EISENSTEIN (Zillah), *Against Empire. Feminisms, Racism and the West*, Londres, Zed Books, 2004.

FALQUET (Jules), HIRATA (Helena) et LAUTIER (Bruno) (dir.), « Travail et mondialisation. Confrontations Nord/Sud », *Cahiers du Genre*, 40, 2006.

FALQUET (Jules), *De gré ou de force. Les femmes dans la mondialisation*, Paris, La Dispute, 2008.

HIRATA (Helena) et LE DOARÉ (Hélène) (dir.), « Les paradoxes de la mondialisation », *Les Cahiers du Gedisst*, 21, 1998.

HOCHSCHILD (Arlie R.) et EHRENREICH (Barbara) (eds), *Global Woman. Nannies, Maids and Sex Workers in the New Economy*, New York (N. Y.), Metropolitan Books, 2003.

MOLINIER (Pascale), LAUGIER (Sandra), PAPERMAN (Patricia), *Qu'est-ce que le care ? Souci des autres, sensibilité, responsabilité*, Paris, Payot, coll. « Petite bibliothèque », 2009.

MOROKVASIC (Mirjana) *et al.* (eds), *Crossing Borders and Shifting Boundaries*, volume 1 : *Gender on the Move*, Opladen, Leske und Budrich, 2003.

LEAN LIM (Lin), *The Sex Sector. The Economic and Social Bases of Prostitution in Southeast Asia*, OIT, Genève, 1998.

SASSEN (Saskia), *The Global City : New York, Londres, Tokyo*, Princeton (N. J.), Princeton University Press, 1991.

SASSEN (Saskia), *La Globalisation. Une Sociologie*, Paris, Gallimard, 2009.

SASSEN (Saskia), *Critique de l'État*, Paris, Demopolis, 2009.

SPENSKY (Martine), ESPIET-KILTY (Raphaële) et WHITTON (Timothy) (dir.), *Citoyenneté, empires et mondialisation*, Clermont-Ferrand, Presses de l'Université Blaise-Pascal, 2006.

TAYLOR (Viviene) (dir.), *Marchandisation de la gouvernance*, Paris, L'Harmattan, 2002.

VERSCHUUR (Christine) et REYSOO (Fenneke) (dir.), « Genre, mondialisation et pauvreté », *Cahiers Genre et Développement*, 3, 2002.

WICHTERICH (Christa), *La Femme mondialisée*, Paris, Solin-Actes Sud, 1999.

I - ÉCONOMIE MONDIALISÉE: TRANSFORMATIONS DE LA DIVISION SEXUELLE ET INTERNATIONALE DU TRAVAIL

Introduction

Bruno Lautier

Les cinq textes de cette partie traitent de la relation réciproque entre mondialisation et division sexuelle du travail, dans une perspective qui relève de l'économie politique « à l'ancienne », c'est-à-dire de l'économie, de la sociologie, de la géographie et de l'histoire – beaucoup plus légitime au Royaume-Uni, aux Pays-Bas ou en Scandinavie qu'en France, et qui a fourni un terrain plus favorable au développement des « études genre » dans ces pays. Quatre grands points méritent une attention particulière.

La mondialisation ne crée pas mais exacerbe les dimensions spatiales de la division sexuelle du travail

Miriam Glucksmann développe cette question avec l'exemple du *ready made food*. Elle montre que, tout au long de la chaîne productive, la division sexuelle du travail a été modifiée : au Kenya, où les cultures vivrières impliquaient les deux sexes, ce sont désormais les femmes qui produisent et conditionnent les haricots destinés à l'exportation. Dans le transport et surtout le commerce, la division sexuelle du travail est réaménagée ; en bout de chaîne, le partage du travail entre la sphère domestique et la sphère marchande est affecté, de nombreuses tâches ayant été transférées vers les consommateurs, qui sont donc en quelque sorte incorporés dans le processus de travail (mais non rémunérés). Les multiples détails donnés par Miriam Glucksmann indiquent à quel point les rapports de genre sont inextricablement mêlés à des rapports de race, ou de nationalités. On s'aperçoit que les analyses naïvement causales (du type : la mondialisation rejette encore plus les femmes vers les travaux demandant de l'adresse, mal payés, précaires, etc.) sont très insuffisantes, puisque, par exemple, des immigrants polonais ou baltes, parfois, se mettent à occuper les postes où l'on attendrait « normalement » des femmes britanniques.

Alors, de quels instruments analytiques dispose-t-on pour affirmer que la mondialisation renforce la division sexuelle du travail ? Certes, cette dernière est « recomposée ». Mais, durant les Trente Glorieuses, de telles recompositions ont également été fortes et constantes. Les recompositions actuelles sont-elles « pires » qu'à cette époque ou y accorde-t-on plus d'attention ? Tous les textes de cette partie de l'ouvrage posent cette question.

La division internationale du travail n'est pas organisée par les avantages relatifs, mais par les avantages absolus, qui reposent sur les rapports de genre

Depuis deux siècles, l'économie politique soutient que ce sont les avantages relatifs qui organisent la division internationale du travail. Diane Elson affirme que ce sont plutôt les avantages absolus, ceux-ci reposant principalement sur les rapports de genre : l'accentuation de la relégation des femmes à des activités mal payées et précaires concerne particulièrement la production de biens destinés à l'exportation. La mondialisation a d'ailleurs, selon Diane Elson et Fatiha Talahite, augmenté la non-prise en compte du travail non marchand des femmes des pays du Sud.

Or, si Ricardo en 1817 et Heckscher, Ohlin et Samuelson au milieu du XXᵉ siècle ont montré que la théorie des avantages absolus était moins explicative que celle des avantages relatifs, cela est vrai dans le seul monde « parfait » des économistes dans lequel les marchés sont autorégulés, où l'information et les capitaux circulent parfaitement et où la discrimination n'existe pas, puisque les entrepreneurs, rationnels, savent préférer l'emploi des femmes, quand il est plus rentable. Mais si au moins une des conditions de la « perfection » des marchés fait défaut, tous ces raisonnements peuvent être mis à la poubelle. Dans un monde de marchés sauvages, le raisonnement d'Elson a finalement bien plus de pertinence que ceux des apologètes dogmatiques des « bienfaits » de la mondialisation [1]. Cependant, le plaidoyer d'Elson pour un retour à une économie « hétérodoxe » (Marx, Keynes, Kalecki) ne règle pas tout. En particulier, un important débat avait eu lieu au milieu des années 1970 sur la prise en compte du travail domestique non payé dans la théorie marxo-ricardienne de la valeur. Les femmes,

---

1. *Depuis une vingtaine d'années, nombre d'économistes, de Williamson à Stiglitz, se sont bâti une réputation d'hétérodoxie en pointant l'imperfection des marchés. Pourtant, cette « imperfection » ne comporte jamais de dimension de « genre ».*

effectuant ce travail domestique dans un cadre non salarial, fournissent l'essentiel du travail non payé, base de la plus-value. Mais où cette plus-value apparaît-elle ? On répond généralement que la force de travail engagée dans le salariat, reproduite dans le cadre domestique, est vendue en dessous de sa valeur (dont le travail domestique représente une part importante et non reconnue). Le raisonnement peut être étendu aux biens de consommation : les salarié(e)s français(es) ou britanniques profitent de la surexploitation des ouvrières chinoises ou des paysannes kenyanes. On ressuscite alors, paradoxalement, les théories léninistes de « l'aristocratie ouvrière », avec cette particularité que les femmes britanniques ou françaises sont à la fois « aristocrates » – bénéficiant de l'achat en dessous de leur valeur de biens produits par les ouvrières chinoises – et surexploitées – leur travail domestique n'est pas payé. La référence aux avantages absolus ne suffit pas pour échapper à ce paradoxe. Pour y parvenir, il faudrait une sorte de théorie de l'échange inégal qui reposerait sur les rapports de genre à l'échelle mondiale. Les vieilles questions des économistes féministes marxistes resurgissent ainsi avec acuité dans l'analyse de la mondialisation.

La « science économique » n'est pas faite pour analyser les rapports de genre dans l'économie réelle

Une façon d'échapper à l'aporie de l'analyse économique des rapports de domination-exploitation entre genres serait d'affirmer, comme Fatiha Talahite, que l'économie n'est pas faite pour analyser ce type de questions. Le débat est ancien. Mais Talahite lui offre une issue un peu provocatrice : peut-on séparer une revendication d'égalité *dans* le marché du travail, d'une revendication d'égalité *par* le marché – ce qui implique une généralisation de celui-ci, et donc la dissolution des rapports familiaux et des solidarités traditionnelles ? Ne faudrait-il pas aller plus loin que Polanyi et affirmer qu'il n'y a pas de marché du travail ? Doit-on alors prôner la généralisation de ce « marché du travail » qui existe puissamment dans l'imaginaire et la rhétorique, mais qui n'est pas un marché ? Il s'agit là d'un problème politique : la puissance de l'imaginaire du marché doit-elle être utilisée pour lutter contre les discriminations ? C'est ce qu'affirme en quelque sorte la Banque mondiale quand elle dit en substance : peu importe qu'il existe ou non un marché du travail ; pour lutter contre les discriminations, il faut aller jusqu'au bout de la logique du marché, la logique libérale.

Ou alors, faut-il abandonner le terrain de l'économie ? Ou encore, en proposer une autre conception, comme l'approche par les « capacités » (Sen, Nussbaum, Roybens) pour laquelle plaide ici Lourdes Benería ? Cette approche permettrait une prise en compte plus facile de la « perspective de genre » dans l'élaboration des politiques sociales, même si Benería avoue son pessimisme quant au succès de cette idée.

L'analyse systémique ouvre quelques pistes

Saskia Sassen plaide ouvertement pour « l'analyse systémique », non normative, qui privilégie la description raisonnée et la mise en rapport d'éléments analytiques situés dans des champs en général séparés. Son analyse se focalise sur le *strategic gendering* et la montée d'une catégorie de cadres et de spécialistes femmes dans le domaine de la finance, où se multiplient les « ménages professionnels sans épouse », base de son étude du développement de « circuits de survie » globaux dans les métropoles du Nord et du Sud. Certes, ce type d'analyse dévoile une autre face de la mondialisation. Mais la première face ne disparaît pas pour autant. Les millions de domestiques, infirmières, prostituées, etc. qui circulent d'un continent à l'autre pour satisfaire les besoins des ménages de cadres « sans épouse » ne doivent pas faire oublier les centaines de millions d'ouvrières immobilisées dans les usines chinoises, bangladaises, mexicaines, notamment, dont les bas salaires jouent un rôle important dans la contention des salaires au Nord.

Ceci pose un problème à la fois méthodologique, politique et éthique : en focalisant l'attention sur certains flux migratoires dirigés vers les métropoles du Nord, ne risque-t-on pas de naturaliser la situation des usines de sous-traitance chinoises ? Qu'est-ce qui, en sciences sociales, est significatif, ou simplement intéressant ? Ne doit-on plus s'intéresser au connu (ou supposé tel) et au banal ? Les études de genre ne s'exonèrent pas de cette interrogation.

Ce qui mène à une autre question, omniprésente dans toutes les recherches sur les domestiques : dans le rapport de domesticité comme dans beaucoup d'activités de *care*, c'est une femme qui en exploite, humilie, enferme une autre, même si cela procède de la naturalisation préalable de la division sexuelle des rôles. Lourdes Benería note que la disponibilité de services domestiques peu coûteux est un privilège qui n'est à la disposition que des classes moyennes et des classes aisées. Ce faisant, elle évacue le problème complexe des rapports entre patronnes et employées, ajoutant immédiatement que les femmes des classes «moyennes et aisées [...] sont précisément [...] les plus susceptibles de contribuer aux débats et à l'introduction des lois», comme si leur rôle dans l'évolution de la législation, en faveur des femmes, légitimait les relations de domination qu'elles ont avec leurs domestiques.

Enfin, si l'on note, comme Saskia Sassen, que la montée du travail qualifié des femmes-cadres a des retombées positives sur la totalité de l'économie des métropoles, et si l'on y ajoute les conséquences de l'abaissement du prix des biens de consommation, on en arrive au problème de la «solidarité objective» qui se pose souvent dans les analyses systémiques. Ce sont non seulement les femmes-cadres «libérées» du travail domestique, mais toute la population – hommes et femmes – des pays du Nord qui profitent des formes actuelles de la division sexuelle du travail à l'échelle mondiale. Cette solidarité «objective» relègue-t-elle alors la solidarité entre femmes à l'échelle mondiale dans le champ de la subjectivité, ou, du moins, hors du champ de l'économie ? La question est troublante, et peu abordée par les économistes féministes. Mais il faudra bien cesser de la contourner.

Chapitre 1 / MONDIALISATION ET GÉOGRAPHIE GLOBALE DU TRAVAIL [1]

Saskia Sassen

Les effets du genre se font sentir depuis longtemps dans les divers processus de développement historique et géographique du travail et du capital. De nombreuses structures de genre anciennes continuent d'exister, mais elles sont nourries par de nouvelles dynamiques, tandis que d'autres logiques de genre apparaissent (Lucas, 2005 ; Chant et Kraske, 2002 ; Falquet, Hirata et Lautier, 2006 ; Kothari, 2006 ; Poster, 2008). L'un des phénomènes les plus complexes de l'actuelle mondialisation est constitué par l'émergence de nouveaux circuits globaux du travail, au sommet et à la base du système économique. Je m'intéresse spécialement ici aux circuits du travail situés à la base du système économique, et plus précisément à ceux dans lesquels les femmes constituent une main-d'œuvre clé. Cette contribution porte sur deux sites d'intersection avec ces nouveaux marchés du travail, l'un dans le Sud global [2] et l'autre dans le Nord global.

Un de ces sites d'intersection est représenté par la ville globale : aujourd'hui, plus de quarante villes servent de plateforme organisationnelle à l'économie mondialisée. L'autre site d'intersection est constitué par un certain nombre de pays du Sud global soumis à un régime de restructuration économique et de remboursement de la dette qui rend difficile la survie des gouvernements, des entreprises et des ménages. S'insérer dans les migrations de travail globales devient chaque fois davantage une stratégie de survie pour les habitants de ces pays, pour leurs gouvernements à travers les transferts financiers des migrants et pour les « entrepreneurs » du trafic de personnes – surtout de femmes.

La question des femmes est centrale pour éclairer le débat actuel, car celles-ci apparaissent comme des actrices situées à l'intersection de phénomènes clés qui vont de l'hyperendettement des gouvernements des pays pauvres, au fonctionnement de différents marchés du

1. *Article traduit de l'anglais par Anissa Talahite.*
2. *Le Sud et Nord global se réfèrent, non à des régions géographiques, mais à des ensembles politiques.*

travail assurant les fonctions essentielles des villes globales. Le genre a pris un caractère stratégique (Sassen, 1996, 2009) : il ne s'agit pas uniquement d'une question d'inégalités, mais également de la féminisation de la survie, pas seulement des ménages mais aussi des gouvernements et des entrepreneurs.

Féminisation de la survie

Pour faire face à la mondialisation, les économies en voie de développement ont dû mettre en œuvre un ensemble de nouvelles politiques. Les plus importantes sont l'adoption souvent forcée des Programmes d'ajustement structurel (PAS), incluant l'ouverture aux entreprises étrangères (Banque mondiale, 2008), la suppression de nombreuses subventions de l'État aux secteurs vulnérables ou liés au développement (Programme des Nations unies pour le développement [PNUD], 2005 et 2008), et enfin, les quasi inévitables crises financières associées aux principales solutions avancées par le Fonds monétaire international (FMI).

Dans la plupart des pays concernés – Mexique, Thaïlande ou Kenya par exemple –, ces politiques ont entraîné d'énormes coûts pour certains secteurs de l'économie et pour la majorité de la population : augmentation du chômage, fermeture d'un grand nombre d'entreprises des secteurs traditionnels orientées vers le marché local ou national, promotion de cultures marchandes d'exportation remplaçant l'agriculture vivrière, et enfin, la lourde et éternelle dette gouvernementale.

Or, quels liens systémiques observe-t-on entre la présence croissante de femmes de pays en voie de développement dans différents circuits de migration globale et de trafic, et l'augmentation du chômage et de la dette dans ces économies ? Des données importantes existent pour chacun de ces deux processus, mais guère sur le rapport entre les deux. C'est exactement l'objet des recherches récentes centrées sur les femmes (Buechler, 2007 ; Ehrenreich et Hochschild, 2003 ; Pyle et Ward, 2003 ; Zlolniski, 2006).

Des stratégies inédites de survie des ménages, des entreprises et des gouvernements ont pris une importance croissante dans de nombreux pays en développement soumis aux programmes du FMI et de la Banque mondiale. Elles relèvent d'une combinaison de conditions : a) la baisse des possibilités d'emploi masculin, b) la régression des formes traditionnelles de profit, ces pays acceptant de plus en plus d'entreprises étrangères et se voyant contraints de développer des industries d'exportation, c) la chute des revenus des gouvernements, en partie liée à ce qui précède et au paiement des intérêts de la dette. Par divers aspects, ces trois conditions ne sont pas nouvelles (Safa, 1995 ; Morokvasic, 1984 ; Sassen, 1988), mais elles s'internationalisent et s'institutionnalisent rapidement.

Ces trois conditions contribuent à induire une « nouvelle » économie politique. Celle-ci résulte en partie des interventions du Nord global dans les pays en développement et s'étend finalement à ces mêmes pays du Nord par différents circuits, comme le trafic des femmes notamment. Les femmes des pays en voie de développement jouent un rôle croissant dans la création de cette nouvelle économie politique alternative, même si cela n'est pas toujours visible, entre autres parce que la recherche traditionnelle sur le développement néglige les femmes en tant qu'actrices à part entière. Les chercheuses féministes ont analysé ce rôle et l'ont fait connaître [3].

Le chômage des femmes, mais aussi celui des hommes qui partagent leur foyer, a accentué pour elles la contrainte de trouver des moyens d'assurer la survie du ménage (Buechler, 2007 ; Lucas, 2005), notamment par la production de denrées de subsistance, le travail informel, l'émigration et la prostitution.

Une dette lourde et un chômage élevé ont conduit non seulement les populations, mais aussi les gouvernements et les entreprises, à rechercher d'autres moyens de survie. Le rétrécissement de l'économie formelle dans un nombre croissant de pays pauvres a poussé les entreprises et les organisations à adopter des pratiques de profit illégales. En augmentant la dette, les Programmes d'ajustement structurel (PAS) ont joué un rôle important dans la formation de contre-géographies de la survie, du profit et des revenus gouvernementaux.

La première phase des PAS fut imposée dans les années 1980, soi-disant pour rendre ces économies plus efficaces et les ouvrir à l'investissement étranger afin d'éliminer la dette gouvernementale. Or, la dette des pays pauvres du Sud s'est accrue, passant de 507 milliards de dollars en 1980 à 1 400 milliards en 1992. Le paiement de la dette à lui seul a augmenté de 1 600 milliards, plus que la dette elle-même. Néanmoins, en 1990, une deuxième phase étendit les PAS à d'autres pays. De 1982 à 1998, les pays endettés ont payé quatre fois la valeur

3. *J'étudie ailleurs les analyses clés qui rendent visible le rôle des femmes dans les processus économiques internationaux (Sassen, 2006).*

de leur dette originelle. Dans de nombreux pays très endettés, le rapport entre le paiement de la dette et le Produit national brut (PNB) a depuis longtemps dépassé un niveau soutenable – comme celui des États d'Amérique latine lors de la crise des années 1980, que l'on considérait comme immaîtrisable (Oxfam, 1999)[4].

C'est dans ce contexte que naissent des circuits alternatifs de survie. L'interaction entre un chômage élevé, la pauvreté, les faillites fréquentes des entreprises locales et l'amenuisement des ressources de l'État (ou la moindre volonté politique) pour répondre aux besoins sociaux ont notamment entraîné une féminisation des stratégies de survie qui va bien au-delà de la situation des ménages et s'étend aux entreprises et aux gouvernements. D'autres possibilités de profits et de revenus pour les gouvernements s'instaurent aux dépens des migrants et surtout des migrantes.

Parallèlement, la mondialisation économique a fourni une infrastructure institutionnelle aux échanges à travers les frontières et pour les marchés globaux, facilitant la formation et la globalisation de ces nouveaux circuits alternatifs. Les utilisations alternatives, non prévues, des infrastructures institutionnelles de la mondialisation peuvent être conçues comme des contre-géographies de cette même mondialisation. On s'aperçoit ainsi que les systèmes de transports globaux et d'envoi d'argent sont également maintenant utilisés par les trafiquants. L'observation des transferts de fonds globaux des migrants permet de mieux comprendre les marchés du travail globalisés et la formation d'économies politiques alternatives.

Exportation du travail et transferts de fonds : un autre moyen de survie

Grâce aux fonds qu'ils envoient dans leur pays d'origine, les migrants, apparaissent à l'échelle macro-économique des stratégies de développement. Ces fonds, bien que minimes au regard de la circulation massive et quotidienne des capitaux sur les marchés financiers mondiaux,

---

4. *Le ratio dette/PNB est particulièrement important pour l'Afrique : 123 % dans la fin des années 1990, comparé aux 42 % en Amérique latine et 28 % en Asie. Généralement, le FMI demande aux pays pauvres très endettés de verser entre 20 et 25 % de leurs bénéfices d'exportation pour le paiement de la dette. Pourtant, en 1953, les Alliés annulèrent 80 % de la dette de guerre de l'Allemagne et pour le service de la dette, ils prélevèrent 3 à 5 % des bénéfices d'exportation. Des conditions relativement favorables furent également offertes aux pays d'Europe centrale dans les années 1990.*

représentent une source capitale de devises pour de nombreux gouvernements. La Banque mondiale (2006) estime que les transferts de fonds à travers le monde ont atteint 70 milliards de dollars en 1998 ; 230 en 2005 (dont 168 pour les pays en développement) et 317 en 2007 (dont 240 pour les pays en voie de développement) (Orozco et Ferro, 2008) [5].

En réalité, plus qu'à la circulation mondiale des capitaux, ces chiffres doivent être rapportés au PIB et aux réserves de devises des pays concernés. Ainsi, aux Philippines, un des principaux pays exportateurs de migrants, dont beaucoup de femmes pour l'industrie du divertissement, les transferts de fonds figurent au troisième rang des sources de devises de ces dernières années.

Selon les pays, l'enjeu économique que représentent les transferts de fonds peut être très variable, ce qui souligne la particularité de la géographie de la migration. Cette spécificité est cruciale pour ma propre recherche en raison de ses implications politiques, car d'une manière générale, la majorité des individus ne souhaite pas émigrer à l'étranger. Les données agrégées montrent que les transferts de fonds représentent 0,2 % du PIB pour les pays de l'Organisation de coopération et de développement économiques (OCDE) à revenus élevés, 3,7 % pour les pays à revenus moyens, et 4,1 % au Moyen-Orient et en Afrique du Nord. Cependant, les chiffres changent radicalement lorsqu'on observe les pays un à un : dans certains pays pauvres, les transferts de fonds peuvent représenter plus du quart du PIB, comme aux îles Tonga (31,1 %) ou à Haïti (24,8 %) (Banque mondiale, 2006).

Le tableau est encore différent si l'on classe les pays selon la valeur des transferts reçus : on trouve alors en haut de la liste, après l'Inde, la Chine ou le Mexique, des pays riches comme la France, l'Espagne, l'Allemagne et le Royaume-Uni, qui reçoivent des sommes considérables (FMI, 2004). Ceci indique l'existence de circuits de migration professionnelle, les pays recevant le plus de devises étant ceux où se mêlent les migrations professionnelles et celles à bas revenus (Sassen, 2009b).

Certains pays ont mis en place des programmes formels d'exportation de travail depuis les années 1970, dans le cadre de la réorganisation

---

5. *Même Wall Street en tire des bénéfices. Selon la Banque interaméricaine de développement, en 2003, les 35 milliards envoyés au pays par les Hispaniques vivant aux États-Unis ont généré 2 milliards de dollars en frais de transfert. Les transferts de fonds dépassent la somme de tous les investissements étrangers directs et le montant net de l'assistance officielle au développement pour l'Amérique latine et les Antilles en 2003. Voir également le trimestriel du* Migration Policy Institute, Migrant Remittances.

de l'économie mondiale, les exemples les plus marquants étant la Corée du Sud et les Philippines (Sassen, 1988). La Corée du Sud a maintenant rejoint les principales économies industrialisées, tandis que les Philippines sont le pays possédant le programme d'exportation de travail le plus développé, avec 14,3 milliards de dollars transférés par les Philippins travaillant à travers le monde en 2007 (Orozco et Ferro, 2008). Les Philippines ont signé des contrats avec, entre autres, le Japon et les États-Unis – 80 % des infirmières étrangères autorisées à venir exercer aux États-Unis par l'*Immigration Nursing Relief Act* de 1989 étant originaires de ce pays (Yamamoto, 2008).

De façon moins institutionnalisée, le Bangladesh organisait déjà dans les années 1970 de vastes programmes d'exportation de travail vers les pays de l'OPEP du Moyen-Orient. Ces efforts, ainsi que les migrations individuelles, se poursuivent vers ces pays et vers d'autres, notamment les États-Unis et le Royaume-Uni, représentant 1,4 milliard de dollars de transferts annuels dans la deuxième moitié des années 1990, et 5 milliards de dollars pour 5 millions de travailleurs bangladais à l'étranger en 2007 (Orozco et Ferro, 2008).

Un mouvement circulaire: la demande de travailleurs à bas salaires dans les villes globales

Les centres économiques les plus développés et les plus stratégiques du Nord global créent aujourd'hui un grand nombre d'emplois à bas salaires et reçoivent une grande partie des migrations de travail, légales ou non, du Sud global. Les villes globales comprennent les secteurs économiques les plus avancés, qui contiennent à la fois les emplois les mieux payés et certains des emplois parmi les moins bien payés. Ainsi, une partie des emplois à faible rémunération font précisément partie des secteurs économiques les plus avancés, et non de secteurs retardataires, comme on le prétend si souvent. Ces tendances apparaissent également dans les villes globales du Sud, y compris l'arrivée de travailleurs migrants. Ces phénomènes, à leur tour, accentuent le climat général d'insécurité et les nouvelles formes de pauvreté chez les travailleurs, même salariés (Fernández-Kelly et Shefner, 2005 ; Hagedorn, 2006 ; Kofman *et al.*, 2000 ; Munger, 2002 ; Ribas-Mateos, 2005 ; Roulleau-Berger, 2003). Racisme, colonialisme et résistance sont à l'œuvre au Sud comme au Nord (Bonilla-Silva, 2003 ; «Inmigracion, Estado y Ciudadania», 2006).

Dans ces centres économiques stratégiques, trois processus au moins ont émergé dans les années 1980 et ont amené à de nouvelles formes d'inégalités, notamment à la demande croissante de travailleurs à bas salaires, surtout de femmes nées à l'étranger. Bien qu'ils ne s'excluent pas mutuellement, il est utile de les distinguer analytiquement. Ces processus sont : a) le développement d'entreprises et de ménages réalisant des gains extrêmement élevés, parallèlement à l'augmentation du nombre d'entreprises et de ménages à faibles revenus, b) des tendances à la polarisation socio-économique résultant de l'organisation des industries de services ainsi que de la précarisation de la relation d'emploi, c) la création d'une marginalité urbaine, causée notamment par de nouveaux processus structurels de croissance économique – et non par des processus de déclin et d'abandon.

Stratégies de genre dans la ville globale

La différenciation stratégique de genre dans la ville globale est produite à la fois par la sphère productive et par celle de la reproduction sociale (Sassen, 2001, 2006). Il faut bien comprendre que ces villes sont centrales dans l'offre des divers services spécialisés – financiers notamment – nécessaires à la gestion des processus économiques mondiaux : tous les éléments clés de cette infrastructure doivent fonctionner avec une grande précision.

Les professions supérieures constituent un de ces éléments. Le genre devient stratégique pour une fonction spécifique des entreprises globalisées, celle de la médiation culturelle. Au sein des professions qualifiées, les femmes se révèlent indispensables car on estime qu'elles peuvent favoriser la naissance d'un climat de confiance permettant de faire disparaître les frontières et les différences culturelles (Fisher, 2006 ; Hindman, 2007). Mondialiser les opérations d'une entreprise implique d'ouvrir certains domaines (secteurs, pays, consommateurs) à de nouvelles pratiques et des normes, obligeant à surmonter méfiance et résistances.

Dans la ville globale, le genre devient également stratégique pour la reproduction sociale de la main-d'œuvre hautement qualifiée. Il y a au moins deux raison à cela : la demande croissante de femmes dans les professions hautement qualifiées et le choix, chez les professionnels des deux sexes, de s'installer en ville, en raison des longues journées de travail et du poids des responsabilités professionnelles. On voit ainsi proliférer ce que j'appelle des « ménages professionnels sans "épouse" ».

Pour effectuer le travail domestique, l'absence de personne traditionnellement conçue comme l'«épouse», est déterminant dans l'organisation
des ménages professionnels, qui doivent fonctionner avec efficacité,
tout comme les villes globales, au sein desquelles ils sont essentiels. Je
soutiens d'ailleurs l'idée que l'on doit repenser ces ménages comme
faisant partie de cette infrastructure des villes globales et leurs employés
de maison à bas salaires comme étant des travailleurs de maintenance
de cette infrastructure stratégique. Cela permet de dégager ces ménages
à la fois du paradigme classique de définition des foyers centré sur le
système patriarcal, et du nouveau paradigme des «classes serviles»,
constituées en majorité de migrants et de migrantes, qui se reforme-
raient dans les villes globales (Parreñas, 2001 ; Ribas-Mateos, 2005 ;
Ehrenreich et Hochschild, 2003). Le patriarcat et le retour des classes
serviles font bel et bien partie du scénario. Mais mon objectif consiste
ici aussi à montrer que ce travail domestique et les personnes qui le
réalisent sont véritablement stratégiques pour le système. En effet, les
exigences envers les professions supérieures et les *managers* des villes
globales sont telles que les moyens traditionnels mis en œuvre pour
organiser leurs tâches domestiques et leur train de vie sont inadaptés.

L'essentiel de la recherche sur les travailleurs et travailleuses domestiques à bas salaires a porté sur leurs – indéniables – mauvaises conditions
de travail, leur exploitation et leurs diverses vulnérabilités. Cependant,
d'un point de vue analytique, ce qui importe ici c'est bien le rôle stratégique des ménages professionnels organisés avec précision dans les
secteurs globalisés de pointe de ces villes, et donc, l'importance de
ce nouveau type de classe servile. Les femmes migrantes et issues de
minorités, citoyennes minorisées, constituent – examinées ailleurs
pour diverses raisons (Sassen, 2001) – une composante privilégiée de
ce type de travail. Leur mode d'intégration économique rend leur rôle
invisible, bien qu'il soit crucial. Ce rôle doit être analysé plus en détail,
j'y reviendrai.

L'inégalité dans les profits et les revenus

L'inégale capacité des différents secteurs de l'économie à faire du
profit et l'inégale capacité des différents types de travailleurs à gagner
un revenu a longtemps caractérisé les économies avancées. Néanmoins, ces tendances sont aujourd'hui plus aiguës qu'après guerre. Par
ailleurs, les systèmes qui génèrent ces inégalités créent de grandes distorsions dans le fonctionnement de divers marchés, de l'investissement
au logement, en passant par le travail.

Parmi les pays développés, c'est aux États-Unis que ces tendances structurelles sont les plus facilement identifiables. Les 10 % d'individus les plus riches concentrent toujours davantage les revenus (en dehors des revenus du capital, très inégalement distribués) : on est passé de 30 % des revenus durant la période keynésienne, des années 1940 aux années 1970, à 45 % en 2005. La croissance économique de 2002 à 2005 fut élevée, mais ses fruits ont été très inégalement redistribuée : 1 % des ménages – au sommet de l'échelle – a gagné 268 milliards de dollars alors que les 50 % des ménages qui sont situés au bas de l'échelle ont perdu 272 milliards de revenus (Mishel, 2008).

Dans de nombreuses industries de services de pointe, la grande capacité à produire des bénéfices est le résultat complexe de tendances combinées que sont les technologies qui permettent l'hypermobilité du capital à l'échelle mondiale, la dérégulation du marché qui maximise la mise en pratique de cette hypermobilité, et enfin les interventions financières comme la titrisation qui liquidifie le capital et lui permet de circuler plus rapidement et donc de faire plus de profits. Cependant, la tendance la plus significative est la demande croissante de services (juridiques, comptables, communications, assurances, services industriels variés) dans toutes les industries : mines, usines, hôpitaux, etc. Il s'agit selon moi d'une tendance structurelle profonde de l'économie – nationale, régionale ou mondiale (Sassen, 2001, 2009a : ch. 3 ; l'étude la plus complète est celle de Bryson et Daniels, 2006). La mondialisation rend ces services plus complexes car ils deviennent stratégiques pour les entreprises et pour les marchés mondiaux, ce qui augmente leur prestige et leur survalorisation – d'où des profits et des revenus particulièrement élevés pour les firmes et les professionnels concernés.

Ce phénomène a également contribué à dévaluer de nombreuses autres activités économiques et la personne même de travailleurs souvent perçus comme n'étant pas nécessaires à une économie avancée. Comme j'ai tenté de le montrer en détail ailleurs (Sassen, 2001 ; 2009a), beaucoup de ces travailleurs et de leurs activités font en réalité partie intégrante des secteurs économiques globalisés, bien qu'ils ne soient pas représentés ni valorisés en tant que tels. Cette situation produit à la fois un grand nombre de ménages à faibles revenus et de ménages à revenus très élevés (Lardner et Smith, 2005 ; Mishel, 2008).

Les données indiquent une tendance à la polarisation non seulement des revenus salariaux mais aussi de la qualité de l'emploi. L'examen des emplois nouvellement créés est central pour mon analyse de la capacité des secteurs de croissance émergents à produire à la fois des emplois hautement qualifiés et des emplois de très piètre qualité, comme conséquence du capitalisme avancé. Or, dans les années 1960, l'économie des États-Unis a enregistré une croissance de l'emploi pour chacun des niveaux, alors que la décennie 1990 a vu la croissance de l'emploi se concentrer sur les 20 % d'emplois subalternes et sur les 20 % d'emplois supérieurs (Wright et Dwyer, 2007 ; Milkman et Dwyer, 2002). Lorsque l'on étudie ces résultats par sexe, un schéma encore plus complexe apparaît.

Les questions clés concernent les types d'emploi créés et les tendances systémiques qui sous-tendent le secteur des services, car ce secteur sert de référence à l'emploi actuel et à venir. Il apparaît que le type d'emplois disponibles et les modes d'organisation du travail se recoupent et s'influencent mutuellement. Néanmoins, ils ne se rejoignent pas complètement : les marchés de l'emploi associés à un contexte technologique donné peuvent varier considérablement et inclure des trajectoires de mobilité différentes pour les travailleurs. Cependant, aujourd'hui, l'organisation sectorielle, les types d'emplois et l'organisation du marché du travail renforcent la tendance à la polarisation. Ce modèle explique en grande partie la demande de travailleurs à bas salaires dans les entreprises des secteurs économiques avancés et dans les ménages de professionnels hautement qualifiés. Les villes globales constituent un carrefour où se rencontrent nombre de ces nouvelles tendances d'organisation et où l'on trouve précisément une concentration disproportionnée des emplois de type supérieur et inférieur.

Les conditions socio-économiques et politiques que l'on conceptualise généralement en termes micro-économiques interagissent en réalité de manière complexe avec des processus macro-économiques de restructuration particuliers. Ainsi, les migrations de travail ne sont pas simplement une stratégie de survie des migrants et des ménages. Elles sont aussi une réaction micro-économique à de plus vastes processus de restructuration économique dans les pays d'émigration et d'immigration, notamment des programmes du FMI et de la Banque mondiale qui ont dévasté les économies traditionnelles du Sud global et contraint ces États à allouer une part croissante de leur revenu au paiement de la dette. Ces transformations incluent également la demande croissante d'une grande variété d'emplois à très bas salaires dans certains secteurs économiques les plus avancés – plutôt que dans ceux en déclin – des pays développés.

Le genre joue un rôle stratégique dans l'émergence et le fonctionnement de certains de ces processus de restructuration et dans les économies partielles qu'ils génèrent. Citons le cas du trafic de femmes : il n'implique pas seulement les trafiquants et leurs victimes, il s'insère à des niveaux clés, micro et macro, de ces économies restructurées. Le trafic de femmes dans l'industrie du sexe alimente plus largement l'économie politique, en créant des opportunités entrepreneuriales pour les petits et les grands trafiquants, et partant, pour de nombreuses composantes de l'industrie du tourisme et des services. Ce trafic augmente les revenus des gouvernements surendettés. De façon plus générale, les transferts de fonds des migrants représentent une source importante de devises étrangères pour un certain nombre de pays pauvres.

Je pose en principe le fait que l'on voit apparaître une économie politique alternative résultant de la combinaison de ces principales tendances globales qui se concrétisent dans nombre d'économies sous-développées en difficulté et dans les villes du Nord global. On assiste notamment à la formation de circuits alternatifs de survie pour les personnes, les entreprises et les gouvernements, principalement aux dépens de femmes pauvres et sous-valorisées. L'autre versant de ce processus est constitué par la féminisation de la demande d'emploi dans le Nord global.

Le rôle stratégique du genre dans les villes globales est manifeste, tant dans la sphère de la production que dans celle de la reproduction sociale des secteurs avancés de l'économie urbaine. À l'échelle macro-économique, ces villes sont des infrastructures clés pour les services, les finances et la gestion des processus économiques mondialisés. Dans cette infrastructure, tout cela doit fonctionner efficacement, y compris la main-d'œuvre professionnelle. Le genre devient stratégique dans la sphère de la production, car les femmes excellent dans la médiation culturelle et les relations de confiance, permettant ainsi de gommer les frontières et les différences culturelles, notamment les différentes cultures économiques. La médiation culturelle se révèle cruciale car les entreprises et les marchés globalisants font continuellement leur entrée dans de nouveaux environnements ayant chacun leur spécificité, dans leur propre pays comme à l'étranger.

Dans la sphère de reproduction sociale, le genre devient stratégique pour la main-d'œuvre professionnelle hautement qualifiée pour deux raisons. D'abord, la disparition de la travailleuse domestique qu'était l'« épouse » dans ces ménages, compte tenu des longues journées de travail à fournir, et ensuite, du fait des nouvelles exigences profes-sionnelles. On observe dans les villes globales une prolifération de ce que l'on pourrait appeler le « ménage professionnel sans "épouse" », précisément au moment où ces ménages doivent présenter un mode de vie à la pointe du progrès. Je propose de reconceptualiser ces ménages comme faisant partie de l'«infrastructure» stratégique des villes globales, et les travailleurs domestiques à bas salaires comme des travailleurs de maintenance stratégiques pour cette infrastructure. Les systèmes sociaux que constituent ces ménages ne peuvent pas être entièrement compris à partir des thèses contemporaines que sont le patriarcat, le retour des classes serviles et l'exploitation. Ces trois perspectives peuvent dévoiler des aspects cruciaux de ces ménages. Cependant, d'un point de vue analytique, elles ne permettent pas de cerner leur importance capitale pour les secteurs globalisés de pointe des villes globales et le fait que les travailleurs domestiques de ces ménages (mais pas de tous) maintiennent en réalité une infrastructure stratégique. Ces travailleurs de maintenance stratégique travaillent au cœur de l'économie capitaliste globale d'entreprise : ils doivent être reconnus en tant que tels.

Les femmes migrantes et minorisées constituent une source de main-d'œuvre privilégiée pour ce type de travail domestique, à l'intersection clé entre les conditions de vie des pays du Sud global et des villes globales du Nord et du Sud. En outre, être une femme migrante ou minorisée contribue à couper le lien entre le fait d'occuper une fonction importante dans l'économie capitaliste mondiale et la possibilité de devenir une force, comme cela a été le cas dans l'histoire des économies industrialisées. En ce sens, la catégorie de femme migrante se révèle être l'équivalent systémique du prolétariat expatrié.

Bibliographie

Banque mondiale, «Increasing Aid and its Effectiveness», *Global Monitoring Report : Millennium Development Goals : From Consensus to Momentum*, Washington (D. C.), Banque mondiale, 2005, p. 151-187. http://siteresources.worldbank.org

Banque mondiale, *Global Economic Prospects : Economic Implications of Remittances and Migration*, Washington (D. C.), Banque mondiale, 2006.

BONILLA-SILVA (Eduardo), *Racism Without Racists : Color-blind Racism and the Persistence of Racial Inequality in the United States*, Lanham (Md.), Rowman and Littlefield, 2003.

BRYSON (John R.) et DANIELS (Peter W.) (eds), *The Handbook of Service Industries*, Cheltenham, Edward Elgar, 2006.

BUECHLER (Simone), «Deciphering the Local in a Global Neoliberal Age: Three Favelas in Sao Paulo, Brazil», dans Saskia Sassen (ed.), *Deciphering the Global*, Londres, Routledge, 2007, p. 95-112.

CHANT (Silvia) et KRASKE (Nikki), *Gender in Latin America*. Rutgers (N. J.), Rutgers University Press, 2002.

EHRENREICH (Barbara) et HOCHSCHILD (Arlie R.), *Global Woman: Nannies, Maids, and Sex Workers in the New Economy*, New York (N. Y.), Metropolitan Books, 2003.

FALQUET (Jules), HIRATA (Helena) et LAUTIER (Bruno) (dir.), «Travail et mondialisation. Confrontations Nord/Sud», *Cahiers du Genre*, 40, 2006.

FERNÁNDEZ-KELLY (Patricia) et SHEFNER (Jon), *Out of the Shadows*, College Station (Penn.), Penn State University Press, 2005.

FISHER (Melissa), «Wall Street Women: Navigating Gendered Networks in the New Economy», dans Melissa Fisher et Greg Downey (eds), *Frontiers of Capital: Ethnographic Reflections on the New Economy*, Durham (N. C.), Duke University Press, 2006, p. 209-236.

FMI, *Balance of Payments Statistics Yearbook*, New York (N. Y.), FMI, 2004.

HAGEDORN (John) (ed.), *Gangs in the Global City: Exploring Alternatives to Traditional Criminology*, Chicago (Ill.), University of Illinois at Chicago, 2006.

HINDMAN (Heather), «Outsourcing Difference: Expatriate Training and the Disciplining of Culture», dans Saskia Sassen (ed.), *Deciphering the Global*, Londres, Routledge, 2007, p. 153-176.

«Inmigracion, Estado y Ciudadania», *Revista Internacional de Filosofia*, juillet 2006.

International Migration Office (IMO), *Trafficking in Migrants*, Genève, IMO, 2006.

KOFMAN (Eleonore), PHIZACKLEA (Annie), RAGHURAM (Parvaati) et SALES (Rosemary), *Gender and International Migration in Europe: Employment, Welfare, and Politics*, Londres, Routledge, 2000.

KOTHARI (Uma), *A Radical History of Development Studies: Individuals, Institutions and Ideologies*, Londres, Zed Books, 2006.

LARDNER (James) et SMITH (David), *Inequality Matters: The Growing Economic Divide in America*, New York (N. Y), New Press, en collaboration avec l'institut Demos, 2005.

LUCAS (Linda) (ed.), *Unpacking Globalisation: Markets, Gender and Work*, Kampala, Makerere University Press, 2005.

MILKMAN (Ruth) et DWYER (Rachel), *Growing Apart: «The New Economy» and Job Polarization in California, 1992-2000*, Los Angeles (Calif.), University of California Institute for Labor and Employment, Multi-Campus Research Unit, 2002.

Migration Policy Institute, Migrants, Migration, and Development Program. http://www.migrationpolicy.org

MISHEL (Lawrence), « Surging Wage Growth for Topmost Sliver », *Economic Snapshots*, Economic Policy Institute, 2008. http://www.epi.org

MOROKVASIC (Mirjana), « Birds of Passage are Also Women », *International Migration Review*, 18, 1984, p. 886-907.

MUNGER (Franck) (ed.), *Laboring Under the Line : The New Ethnography of Poverty, Low-wage Work, and Survival in the Global Economy*, New York (N. Y.), Sage, 2002.

OROZCO (Manuel) et FERRO (Anna), *Migrant Remittances*, 5 (2), 2008.

OXFAM, *International Submission to the HIPC Debt Review*, avril 1999. http://www.oxfam.org.uk

PARREÑAS (Rachel Salazar), *Servants of Globalization : Women, Migration and Domestic Workers*, Stanford (Calif.), Stanford University Press, 2001.

PNUD, *A Time for Bold Ambition : Together We Can Cut Poverty in Half*, New York (N. Y.), Nations unies, 2005.

PNUD, *Human Development Report 2007-2008* (N. Y.), Nations unies, 2008.

POSTER (Winifred) (ed.), « Special Issue on Women and Work », *American Behavioral Scientist*, 52 (3), 2008.

PYLE (Jean L.) et WARD (Kathryn B.), « Recasting our Understanding of Gender and Work during Global Restructuring », *International Sociology*, 18, 2003, p. 461-489.

RIBAS-MATEOS (Nathalie), *The Mediterranean in the Age of Globalization : Migration, Welfare, and Borders*, New Brunswick (N. J.), Transaction Books, 2005.

ROULLEAU-BERGER (Laurence) (ed.), *Youth and Work in the Postindustrial Cities of North America and Europe*, Leiden, Brill, 2003.

SAFA (Helen), *The Myth of the Male Breadwinner : Women and Industrialization in the Caribbean*, Boulder (Colo.), Westview, 1995.

SASSEN (Saskia), « Toward a Feminist Analytics of the Global Economy », *Indiana Journal of Global Legal Studies*, 4, 1996, p. 7-41.

SASSEN (Saskia), *The Mobility of Labor and Capital : A Study in International Investment and Labor Flow*, Cambridge (Mass.), Cambridge University Press, 1988.

SASSEN (Saskia), *The Global City : New York, Londres, Tokyo* [éd. française, *La Ville globale*, Descartes et Cie, Paris, 1999], Princeton (N. J.), Princeton University Press, 2001 [2ᵉ éd.].

SASSEN (Saskia), «Vers une analyse alternative de la mondialisation : les circuits de survie et leurs acteurs», *Cahiers du Genre*, «Travail et mondialisation. Confrontations Nord/Sud», 40, 2006, p. 67-90.

SASSEN (Saskia) (ed.), *Deciphering the Global : Its Spaces, Scales and Subjects*, Londres, Routledge, 2007.

SASSEN (Saskia), *La Globalisation. Une sociologie* [éd. originale, *A Sociology of Globalization*, New York (N. Y.), WW Norton, 2007], Paris, Gallimard, 2009a, ch. 3 et 4.

SASSEN (Saskia), *Critique de l'État* [éd. originale, *Territory, Authority, Rights*, Princeton (N. J.), Princeton University Press, 2008], Paris, Demopolis, 2009b, ch. 5 et 6.

WRIGHT (Erik Olin) et DWYER (Rachel E.), «The Patterns of Job Expansions in the USA : A Comparison of the 1960s and 1990s», *Socio-Economic Review*, 1, 2007, 289-325.

YAMAMOTO (Satomi), *Intermediaries and Migration in the United States*, thèse, Urbana-Champaign (Ill.), University of Illinois, 2008.

ZLOLNISKI (Christian), *Janitors, Street Vendors, and Activists : The Lives of Mexican Immigrants in Silicon Valley*, Berkeley (Calif.), University of California Press, 2006.

Chapitre 2 / GENRE, MARCHÉ DU TRAVAIL ET MONDIALISATION

Fatiha Talahite

L es effets de la mondialisation sur le genre sont étudiés depuis les années 1980 à partir de l'impact des Plans d'ajustement structurel sur les femmes. L'élaboration de nouveaux outils – bases de données internationales, indicateurs de genre [1] – permet ensuite d'approcher d'autres conséquences de cette mondialisation. L'inscription de « la promotion de l'égalité et l'autonomisation des femmes » au troisième rang des huit Objectifs du millénaire fait de l'accès des femmes au marché du travail une priorité de l'agenda des Nations unies et ouvre la voie à de nombreuses études sur leur participation économique, notamment leur accès à l'emploi rémunéré, considéré comme un indice d'autonomisation.

Participation des femmes au marché du travail et autonomisation

Nous définissons la mondialisation comme une poussée du marché, son extension tant à l'intérieur des espaces nationaux qu'au-delà des frontières, et sa constitution en marché mondialisé [2]. Ce processus, cependant, ne se réalise pas de manière linéaire ni ne se déploie uniformément dans toutes ses dimensions. Parmi les marchés, celui du travail connaît une expansion sans précédent. Dans le dernier quart du XXᵉ siècle, le taux d'activité des femmes [3] a augmenté dans presque

1. *Le PNUD (Programme des Nations unies pour le développement) publie depuis 1995 deux indicateurs : l'ISDH (Indicateur sexo-spécifique de développement humain) qui complète l'IDH (Indicateur de développement humain) par les différences de genre ; l'IPF (Indicateur de participation des femmes à la vie économique et politique), moyenne de taux de participation des femmes à certains postes politiques ou économiques.*
2. *Les autres aspects – développement des moyens de transport et des technologies de l'information et de la communication – peuvent être considérés comme participant de ce processus, dans le sens où ils poussent toujours plus loin les limites du marché.*
3. *Proportion de femmes actives (possédant un emploi ou au chômage) dans la population féminine en âge de travailler (plus de 15 ans).*

tous les pays tandis que celui des hommes a stagné, voire décliné [4] (BIT, 2007). Mais, entre 1996 et 2006, le taux de participation des femmes [5] a cessé de croître (il est passé de 53 à 52,4 %) et il est en baisse dans de nombreuses régions. Cette évolution traduit deux tendances opposées : la présence accrue de femmes jeunes dans le système éducatif et une légère augmentation du taux d'activité des femmes adultes. Aussi l'écart entre les taux de participation des hommes et des femmes n'a-t-il pratiquement pas changé en 10 ans : en 2006, il y avait 67 femmes actives pour 100 hommes, contre 66 en 1996 [6].

Quelle relation établit-on entre la participation des femmes au marché du travail et leur *autonomisation* ? La notion d'autonomisation est par définition individuelle. Elle renvoie implicitement à celle d'*individualisation*. La Banque mondiale et le PNUD lient l'autonomie des femmes à l'acquisition d'un revenu monétaire et considèrent le travail rémunéré comme un pas vers cette autonomisation. La base de données de l'OCDE « Gender, Institutions and Development » est également construite sur l'idée d'une relation positive entre l'augmentation de la participation économique des femmes (mesurée par l'accès à un emploi rémunéré dans le secteur formel) d'une part, et la réduction des inégalités de genre, l'augmentation de l'autonomie ainsi que du bien-être des femmes d'autre part, les deux dernières variables étant directement liées à l'accès à un revenu monétaire (Jütting *et al.*, 2006). De son côté, le BIT définit l'emploi rémunéré à plein temps comme une « étape vers la liberté et l'autodétermination des femmes ». Ainsi définie, la notion d'autonomisation qui est à l'origine de la confection d'indicateurs de genre possède un contenu normatif. Elle renvoie à un modèle correspondant à une catégorie minoritaire dans un grand nombre de pays, en dehors de quelques pays développés, celui des *classes moyennes,* dont on attend l'avènement avec le développement. Or, avec la mondialisation, la tendance n'est pas à la généralisation de ce modèle, mais plutôt à sa remise en cause, y compris dans le monde

---

4. *Cette baisse s'explique en partie par le fait qu'ils sont plus nombreux à faire des études secondaires ou universitaires, et plus longtemps, et également par une hausse du nombre des retraités et de la durée des retraites pour les hommes.*

5. *Proportion de femmes dans la population active totale (plus de 15 ans, possédant un emploi ou au chômage).*

6. *Cette proportion s'élevait à 80 dans les pays de l'OCDE, Europe centrale et de l'Est et Asie de l'Est, 75 en Afrique subsaharienne, 73 en Asie du Sud-Est et Pacifique, 69 en Amérique latine et Caraïbes et descendait à 42 en Asie du Sud et 37 au MENA (BIT, 2007).*

développé. « L'hypothèse selon laquelle le processus de développement socio-économique favorise de plus en plus l'accès des femmes à un emploi rémunéré permanent et à plein temps dans le secteur moderne ne tient pas debout – du moins pas pour toutes les régions. Jusqu'ici, la hausse de la participation au marché du travail n'a pas toujours entraîné l'amélioration de la qualité des emplois, et les conditions de travail des femmes n'ont pas permis à celles-ci d'accéder à une véritable autonomie socio-économique, surtout dans les régions pauvres du monde » (BIT, 2007).

Cette définition restreinte de la participation économique des femmes, limitée à l'emploi rémunéré stable et à plein temps dans le secteur formel, reste toutefois marginale. L'indicateur le plus largement utilisé, le *taux de participation* des femmes à la population active, englobe toutes les formes d'emploi, ainsi que le chômage. Il ne vise pas à rendre compte du degré d'autonomisation des femmes mais de l'*efficacité* de l'utilisation de la main-d'œuvre féminine. L'offre de travail féminine, mesurée par le *taux de participation*, dépend de caractéristiques de la population féminine qui diffèrent d'un pays à l'autre : indice de fécondité, niveau d'instruction, pourcentage de la population en âge de travailler (Banque mondiale, 2004b). Le *taux potentiel de participation* des femmes, calculé en fonction des *conditions moyennes* dans l'ensemble des pays, sert à évaluer l'efficacité de l'utilisation de la main-d'œuvre féminine en comparant l'impact relatif de la participation économique effective et potentielle des femmes au revenu moyen des ménages ou au PIB par habitant. Le niveau de cette participation a des incidences sur le *taux de dépendance économique*, qui exprime la part de personnes non actives (dont les femmes au foyer) prises en charge par la fraction de la population qui travaille. Pour mesurer ce taux, on prend en considération le chômage, le profil d'âge de la population et le taux de participation des femmes à la population active. Les taux de dépendance les plus élevés sont observés en Afrique subsaharienne et au Maghreb. Une simulation pour la région MENA [7] (Moyen-Orient et Afrique du Nord) montre que si le taux de participation des femmes à la population active dans les années 1990 avait été égal au taux potentiel, le PIB par habitant [8] aurait augmenté de 0,7 % par an, soit une croissance annuelle moyenne de 2,6 % au lieu de 1,9 % (Banque mondiale, 2004a). Une autre étude conclut à une augmentation potentielle

---

7. *Algérie, Égypte, Iran, Jordanie, Maroc, Syrie, Tunisie.*
8. *Produit intérieur brut, calculé comme moyenne simple pour le groupe de pays.*

du revenu moyen par ménage de 21% au Maroc et 26% en Tunisie (Banque mondiale, 2004b). Cependant, ce genre de calcul, qui suppose un lien de causalité univoque entre le taux de participation des femmes à la force de travail et le PIB, s'appuie sur des hypothèses discutables :

– L'homogénéité de la force de travail, notamment en termes de productivité, alors qu'en réalité le facteur travail est différencié et les travailleurs ne participent pas tous de la même manière au revenu national. Cela revient notamment à supposer que les travailleuses additionnelles ou potentielles auraient la même productivité moyenne que la force de travail déjà employée, et à ne pas tenir compte de la forte probabilité qu'il y ait parmi elles une part plus importante d'emplois précaires, non qualifiés, peu rémunérés, et de chômage.

– Un taux de chômage fixe, c'est-à-dire qu'il ne tient pas compte de la capacité d'absorption de la force de travail par l'économie ; or une augmentation massive du taux de participation des femmes a des chances de se traduire par une hausse de leur taux de chômage. À l'échelle mondiale, la proportion des femmes dans l'emploi total a stagné (40% en 2006, contre 39,7% en 1996) et leur taux de chômage est passé de 6,3% en 1996 à 6,6% en 2006. Aujourd'hui dans le monde, il y a plus de femmes que jamais au chômage et dans certains pays l'augmentation de leur participation à la population active traduit surtout une augmentation du chômage. Mesurant à l'aide du taux d'emploi [9] l'efficacité avec laquelle les économies utilisent le potentiel productif de leur population en âge de travailler, le BIT (2007) montre qu'en 2006, la moitié seulement des femmes de plus de 15 ans occupaient effectivement un emploi (7 sur 10 pour les hommes). Ajoutons qu'avec le temps, un taux de chômage élevé [10] peut induire une baisse du taux de participation des femmes, car il les dissuade d'entrer sur le marché du travail.

– Enfin, pour définir le taux potentiel de participation, on utilise la définition conventionnelle du PIB qui n'inclut pas le travail domestique, admettant ainsi implicitement qu'en accomplissant ces tâches, les femmes ne participent pas à l'activité économique. Puisqu'il s'agit d'une simulation, il serait possible d'effectuer une variante du calcul avec un PIB incluant le travail domestique. Outre le fait de reconnaître que les femmes non actives ne sont pas désœuvrées et inutiles, cela

---

9. *Proportion des personnes disposant d'un emploi parmi celles en âge de travailler (plus de 15 ans).*

10. *D'autant qu'il est plus élevé chez les jeunes, en particulier les femmes jeunes (BIT, 2007).*

permettrait de prendre en compte les arbitrages que celles-ci sont susceptibles de faire entre travail domestique et travail rémunéré – en fonction du montant de la rémunération, mais aussi d'autres paramètres – et également d'intégrer une sorte de *préférence* pour l'autonomisation par le travail rémunéré.

Ces hypothèses réductrices incitent à interpréter le résultat de telles simulations avec prudence. Pour expliquer l'écart entre le taux effectif et le potentiel de participation des femmes à la population active, ces études mettent surtout en avant les comportements individuels hostiles à l'emploi des femmes. Cet écart peut également être expliqué par d'autres facteurs qui déterminent les disparités régionales observées. Le taux potentiel de participation est calculé selon les *conditions moyennes* dans le monde. Pour comparer les régions, il faut donc revenir aux spécificités de chacune d'entre elles, lesquelles ne concernent pas que les comportements individuels vis-à-vis du travail féminin. Pour le MENA, la transition démographique à la fois tardive et rapide (Courbage, 2003) fait que la période 1996-2006 correspond à une hausse sans précédent de la population en âge de travailler, qui atteint des sommets au début des années 2000. Dans la période qui suit, on enregistre d'ailleurs une augmentation du taux d'activité des femmes ainsi qu'une réduction de l'écart des taux de participation entre genres, alors qu'il se creuse en Afrique subsaharienne et Asie de l'Est (BIT, 2007). Les disparités observées renvoient donc aussi au décalage entre régions du point de vue de la transition démographique. En se polarisant de cette manière sur les comportements individuels vis-à-vis de l'emploi des femmes, on admet implicitement que leur faible participation à la population active s'explique d'abord par l'offre de travail, sans tenir compte de la demande, qui, elle, va notamment dépendre de la croissance économique. En isolant une relation univoque entre la participation des femmes et le PIB, on néglige la relation de causalité inverse de la croissance sur l'activité des femmes. Plus fondamentalement, dans ces travaux, la distinction n'est pas nette entre l'échelle individuelle (l'autonomisation des femmes), celle des ménages (le taux de dépendance) et l'échelle macro-économique de la nation (PIB). Les commentaires glissent en permanence entre ces trois échelons, sans distinguer la relation entre la participation des femmes au marché du travail et l'autonomisation (approchée par l'accès au travail rémunéré), de celle entre l'efficacité de l'utilisation de la main-d'œuvre féminine et le revenu des ménages, le revenu par tête ou la richesse produite au plan national (mesurée par le PIB et son taux de croissance). Si l'exclusion du travail domestique peut se justifier dans le premier cas – dans la mesure où, dans la notion d'autonomisation, il y a une remise en cause implicite de l'affectation traditionnelle des femmes aux tâches domestiques –, du point de vue du revenu des ménages, la question est plutôt celle d'un arbitrage entre le travail domestique et le travail rémunéré, tandis qu'en termes de revenu national potentiel, exclure le travail domestique revient à admettre que ce dernier ne crée pas de richesse.

Travail domestique, genre et régulation du marché du travail

Le débat sur la prise en compte et la mesure du travail domestique qui s'était déployé dans les années 1970 a finalement été arbitré. Il a été décidé de n'intégrer à la comptabilité nationale (donc au calcul du PIB) que la production domestique de biens et d'en exclure les services, notamment ceux résultant des activités ménagères (le travail domestique proprement dit) parce que les biens autoproduits sont potentiellement davantage échangeables que les services. Jean Gadrey et Florence Jany-Catrice (2005) débusquent derrière cet argument des « conventions de genre [11] » et voient le prolongement, dans la sphère des activités domestiques et sur la base d'une représentation sexuée de la richesse, de la vieille théorie du travail improductif fondée sur la matérialité du produit – théorie finalement abandonnée après deux siècles au cours desquels elle a dominé la pensée économique [12]. En réalité, il y a bien longtemps que les tâches domestiques font l'objet d'échanges marchands et l'une des explications de la croissance de l'activité féminine depuis un demi-siècle est bien cette *échangeabilité potentielle* de la production de services domestiques [13]. Bien qu'ils considèrent que l'inclusion des services domestiques dans une notion élargie de la production et de la consommation ne pose pas de problème de principe mais seulement de mesure, Gadrey et Jany-Catrice (2005) ont choisi de ne pas les intégrer dans le calcul du PIB, car « passer par la valorisation économique de toutes les variables non économiques » consacrerait la « victoire définitive de l'efficacité économique comme seule valeur

---

11. «*Discours d'apparence technique masquant des conventions de répartition des rôles entre les hommes (productifs) et les femmes (improductifs).*»
12. *Les controverses sur le travail productif-improductif (Ricardo) ont été tranchées par l'adoption d'une autre convention, permettant de définir de manière distincte la production de biens de la prestation de services (Say).*
13. *On prévoit que les métiers dits du* care *détiendront le record des créations d'emploi en France d'ici 2010.*

suprême et comme seule justification [14] ». Une telle position exprime ce que l'on peut appeler le *dilemme du travail domestique* : non reconnu par la comptabilité nationale et non pris en compte dans le calcul du PIB, il est invisible, mais sa valorisation économique reviendrait à légitimer l'assignation des femmes à ces tâches. Cela explique pourquoi certaines féministes ont fini par abandonner cette revendication. Quel aurait été l'effet de la réalisation du taux potentiel de participation des femmes sur un PIB incluant les services domestiques ? Une estimation de la production domestique en France pour l'année 1974, valorisée à son coût financier, la situait entre un tiers et trois quarts du PIB (Chadeau et Fouquet, 1981). D'autres évaluations de ce type, par le PNUD et la Banque mondiale notamment, il ressort que l'intégration du travail domestique à la comptabilité nationale, si on lui attribuait la même valeur monétaire horaire qu'au travail rémunéré, ferait approximativement doubler le PIB des pays développés et plus que doubler celui des pays en voie de développement. Dans ce cas, si elle entraînait une réduction du temps de travail domestique, la réalisation du taux potentiel de participation des femmes pourrait ne pas causer d'augmentation du PIB et peut-être même le faire diminuer [15].

Par ces remarques, nous avons surtout voulu montrer que ce type de simulation peut aboutir à des résultats complètement différents selon les hypothèses et la méthode que l'on emploie. Une autre limite réside dans le fait de considérer l'accès à un revenu monétaire comme une approximation du bien-être additionnel que leur participation économique apporterait aux femmes. Ce qui ne nous dit rien sur les effets de leur intégration au marché du travail en termes de réduction des inégalités de genre, de qualité des emplois, de conditions de travail ou même d'accès à une véritable autonomie socio-économique.

Concernant les inégalités, une étude sur *Les régulations du marché du travail pour les femmes* (Banque mondiale, 2004b) distingue deux types d'inégalités de genre sur le marché du travail. Les unes renvoient à des *distorsions de marché* (organisation inefficace de l'activité économique) ; leur cause, extérieure au marché, réside dans des normes

---

14. *Argument un peu naïf au regard de la prolifération d'indicateurs de toutes sortes et du fait que de nos jours on ne compte plus les variables « non économiques » tombées dans l'escarcelle de la valorisation économique, jusqu'à des notions aussi immatérielles que la corruption, la qualité des institutions, etc.*
15. *On raisonne* toutes choses égales par ailleurs, *ce qui signifie que l'on ne tient pas compte notamment des variations de la productivité du travail.*

intériorisées ou imposées sous la contrainte, considérées comme irra-
tionnelles car allant à l'encontre de l'efficacité économique donc, en
dernier ressort, du bien-être et de l'équité. Les autres sont produites
par le marché, dans le sens où elles résultent du comportement rationnel des acteurs. Si pour éliminer les premières, il faut combattre les
préjugés patriarcaux, pour les autres, des mesures incitatives devraient
amener les acteurs à modifier leur comportement, en faisant en sorte
qu'il soit *dans leur intérêt* de ne pas discriminer. Tout en reconnaissant
qu'il est à l'origine de discriminations, la Banque mondiale ne met
jamais en cause le marché ; au contraire, les solutions préconisées font
pleinement jouer ses mécanismes. Cette conception renvoie à une
caractéristique de la théorie néoclassique, pour laquelle le marché est
neutre vis-à-vis du genre. Si l'on y regarde de plus près, même les
discriminations *produites* par le marché ont pour origine des éléments
qui lui sont extérieurs : si les acteurs sont amenés rationnellement
à discriminer, c'est qu'il y a des facteurs qui les incitent à le faire – données de la nature ou données sociales ou culturelles, lesquelles renvoient
toutes à un extérieur. Dès lors, si l'origine ultime des inégalités ou des
discriminations est extérieure au marché, on ne s'interrogera pas sur
les effets pour les femmes de leur participation au marché du travail.
S'il y a des conséquences négatives, c'est soit que le fonctionnement
du marché est perturbé par des facteurs exogènes (distorsions de marché), soit que certains facteurs de différenciation entre sexes ont été
endogénéisés par le marché et que les discriminations qui en résultent
passent effectivement par la rationalité marchande. Dans le premier
cas, on en conclura que le marché n'est pas assez étendu, qu'il n'a pas
généralisé sa logique à tous les aspects de la vie, qu'il reste encore des
comportements *irrationnels*. Mais dans le second cas, l'instrumentalisation des différences de sexe dans le cadre du marché n'est rendue
possible que parce que celles-ci existent en dehors, dans la nature ou
la culture. Si l'on veut combattre ces discriminations, il faut donc
réduire la place ou l'impact de la nature ou de la culture. Les mesures
incitatives préconisées dans le cadre de la régulation du marché du
travail amènent les individus à intégrer le comportement rationnel de
l'*homo œconomicus* et généraliser ce comportement à tous les aspects
de leur vie. Ce qui structure ce discours, c'est l'idée d'une convergence
entre l'autonomie des femmes et l'égalité des sexes d'une part, l'extension du marché et la croissance économique de l'autre. Cette convergence
est posée par construction pour l'autonomie, dans la mesure où cette
dernière est liée à l'accès à un revenu monétaire. En revanche, la neu-
tralité supposée du marché vis-à-vis du genre offre la possibilité de le

mettre au service d'un objectif d'égalité des sexes, ce qui laisse une marge de manœuvre pour combattre les inégalités et les discriminations par des politiques incitatives.

Effets pour les femmes de leur participation au marché du travail

Les effets de la mondialisation sur les conditions de travail suscitent des avis mitigés. Pour Flanagan (2006), ces conditions de travail ne se seraient pas dégradées durant les dernières décennies du XXe siècle et seraient globalement meilleures dans les pays ouverts au commerce international que dans les autres. Par contre, les inégalités entre pays riches et pauvres, en termes de salaires, accidents de travail, heures travaillées, se sont accrues. Le BIT s'est intéressé aux effets pour les femmes de leur participation au marché du travail. En l'absence d'un indicateur *convenu* pour évaluer les conditions d'emploi *décent* et *productif*, il utilise trois indicateurs : l'emploi par secteur, la situation d'emploi[16], et les traitements et salaires.

En 2005, pour la première fois, l'agriculture n'est plus le principal pourvoyeur d'emploi des femmes. Supplanté par les services dans quatre régions (pays de l'OCDE, Amérique latine et Caraïbes, MENA), l'agriculture reste néanmoins le plus important secteur d'emploi pour les femmes en Asie de l'Est, Afrique subsaharienne et Asie du Sud. En 2006, les services fournissaient 42,4 % de l'emploi féminin, contre 40,4 % pour l'agriculture et 17,2 % pour l'industrie (respectivement 38,4 %, 37,5 % et 24 % pour les hommes). Entre 1996 et 2006, la part des salariées ou employées a augmenté (de 42,9 % à 47,9 %) ainsi que celle des travailleuses indépendantes (de 22,4 % à 25,7 %), au détriment des travailleuses familiales auxiliaires dont la part a chuté de 33,2 % à 25,1 %. Cependant, celle-ci reste élevée en Asie méridionale. Parmi les pays en voie de développement, c'est au MENA que la part des travailleuses auxiliaires est la plus faible. Or, dans cette région, l'emploi dans les services a supplanté l'agriculture. Ces deux éléments peuvent en partie expliquer la faiblesse relative du taux effectif de participation des femmes à la population active, en l'absence de développement industriel. En Asie du Sud et de l'Est et en Afrique subsaharienne,

---

16. *Cet indicateur distingue trois catégories : travailleurs salariés (appelés aussi employés), travailleurs autonomes et travailleurs familiaux auxiliaires (appelés aussi travailleurs familiaux).*

l'emploi féminin est largement composé de travailleuses auxiliaires et d'emplois dans l'agriculture. La création d'emplois auxiliaires n'est à l'évidence pas soumise aux mêmes contraintes que celle de postes dans l'industrie ou les services. Mais surtout, ces emplois sont très différents pour ce qui est de leur impact sur l'«autonomie» des femmes.

Si à l'échelle mondiale, la proportion des femmes possédant un emploi rémunéré a augmenté, elle reste plus faible que chez les hommes. Par ailleurs, la proportion de femmes dans l'emploi industriel est nettement inférieure à celle des hommes, elle-même en baisse depuis une dizaine d'années. Ce recul de l'emploi industriel à l'échelle mondiale confirme que les limites à l'emploi rémunéré des femmes s'expliquent par la demande de travail (ou l'offre d'emploi) et pas seulement de l'offre. Tandis que dans l'industrie et les services les emplois sont pour la plupart salariés, avec un lieu de travail distinct du domicile familial, une grande partie des emplois dans l'agriculture et de travailleuses auxiliaires dans les pays en voie de développement ne sont pas salariés et peu ou pas rémunérés, car ils sont liés à l'espace domestique. Notons que ces emplois de travailleurs auxiliaires non rémunérés, qui ne produisent que peu ou pas d'effets sur l'autonomisation des femmes, posent, du point de vue de leur prise en compte, le même problème que le travail domestique : nous avons vu que le seul argument acceptable pour justifier de ne pas intégrer le travail domestique au PIB était que cela aurait légitimé l'assignation des femmes à ces tâches (bien qu'à l'évidence ce n'est pas pour cette raison qu'il en a été exclu).

En ce qui concerne la rémunération du travail [17], l'étude du BIT conclut à la persistance de l'écart salarial de genre, qui dépasse 10% dans la plupart des économies, même dans les emplois «typiquement féminins» (enseignement, santé). Dans l'Union européenne (UE), il demeure inchangé à 15% dans tous les secteurs. La faiblesse des salaires des femmes est attribuée par la Commission européenne à la croissance anémique enregistrée dans l'UE et surtout à l'aggravation de conditions du marché du travail dans les nouveaux États membres. Dans nombre de pays européens, les femmes sont majoritaires dans les secteurs où les salaires et les revenus sont inférieurs ou en baisse. L'inégalité salariale se retrouve dans les emplois hautement qualifiés où le salaire moyen des femmes ne représente que 88% de celui des

---

17. *Les indicateurs salaires/revenus sont basés sur des critères propres à chaque pays, ce qui complique les comparaisons internationales.*

hommes. Les pays où l'écart est important dans les domaines peu spécialisés connaissent également un écart considérable dans les secteurs hautement spécialisés ; dans le premier cas, l'écart est en général plus grand. Cet écart est en hausse dans certains pays industrialisés. Aucune étude n'est citée pour les pays en voie de développement, mais dans la mesure où ceux-ci tendent vers le modèle des pays industrialisés, il y a des chances pour qu'on y observe également une persistance, voire un creusement des écarts de salaire entre genres. Il est remarqué qu'«historiquement, les économies planifiées d'Europe centrale et de l'Est et de la CEI bénéficiaient d'une meilleure égalité salariale» et que «cette situation n'a pas évolué au cours des dernières années». Certains salaires de femmes (comptables, programmeuses, enseignantes, infirmières) dans les pays en transition étaient même supérieurs à ceux des hommes pour les dernières années dont les données sont disponibles. «Il serait intéressant, note le BIT, de savoir si cette tendance se maintient ou si elle résulte du fait que quelques femmes ont bien géré le processus de transition» et si, une fois cette génération à la retraite, les écarts salariaux se mettront à «refléter les tendances observées dans les économies industrialisées». Dans la perspective d'un alignement des ex-pays socialistes sur ceux de l'OCDE, la perte des acquis salariaux des femmes, considérés comme un phénomène résiduel voué à disparaître, est envisagée avec fatalisme.

Une étude sur l'impact de la mondialisation sur les salaires hommes-femmes montre que dans les professions peu spécialisées, où les femmes sont en général beaucoup plus représentées, la mondialisation a contribué au relèvement des salaires des femmes par rapport à ceux de leurs homologues masculins. Cependant, la mondialisation a par ailleurs provoqué dans les pays en voie de développement une hausse de la demande de compétences dans les professions hautement qualifiées, ce qui a favorisé les hommes au détriment des femmes tant pour l'emploi que pour les salaires, car ils sont nettement plus nombreux à être hautement qualifiés. Concernant la persistance d'écarts salariaux, «certaines données indiquent que la mondialisation peut aider à réduire l'écart salarial dans certaines professions» (Oostendorp, 2004) [18].

---

18. *D'autres travaux se sont intéressés à l'impact de certains aspects caractéristiques de la mondialisation sur le travail des femmes, comme l'évolution des techniques qui, tout en faisant reculer la demande de travailleurs peu qualifiés, parmi lesquels les femmes sont largement majoritaires, favorise l'externalisation et la sous-traitance, ce qui peut offrir des débouchés aux femmes (OIT, 2001).*

Les études sur les écarts de salaire hommes-femmes négligent souvent les variations du salaire réel. Or, l'augmentation de la participation des femmes à l'emploi peut contribuer non pas à améliorer le revenu des ménages, avec la réduction du taux de dépendance, mais à pallier une baisse des salaires réels, tant pour les hommes que pour les femmes, sous la pression d'un taux de chômage élevé.

Genre, marchandisation et extension du marché du travail

Avec la mondialisation, on assiste à des transformations profondes du marché du travail. Pourtant, on ne peut pas dire qu'il y ait une franche mondialisation libérale de ce marché aussi marquée que pour les marchés de biens et de capitaux, dans la mesure où la mobilité internationale du travail est entravée. Du moins les flux migratoires légaux sont-ils largement réprimés, ce qui a d'ailleurs pour effet d'alimenter les flux illégaux, comme toutes les mesures à caractère protectionniste. Pour ces raisons, les marchés du travail restent largement nationaux ou régionaux. Dans les pays en voie de développement ou en transition, le marché du travail est étendu à des domaines d'activité qui lui étaient restés extérieurs et pour lesquels l'allocation de la main-d'œuvre se faisait auparavant selon d'autres mécanismes que le marché : elle était administrée par l'État ou régulée par des institutions traditionnelles ou *informelles* (échappant au contrôle de l'État). Ce phénomène peut prendre des formes très brutales et concourir à la dissolution des cadres de vie et de survie des populations. Cette mise en place du marché du travail a été magistralement décrite par Karl Polanyi dans le cas de l'Angleterre du XVIIIe siècle. Pour lui, ce marché n'a rien de *naturel*, car le travail, comme la terre et la monnaie, n'est pas une véritable marchandise, mais une marchandise *fictive*. Or, les conséquences de la transformation du travail en marchandise furent si graves que les autorités durent légiférer pour freiner le processus. «Durant la période la plus active de la Révolution industrielle, de 1795 à 1834, la loi de Speenhamland permit d'empêcher la création d'un marché du travail en Angleterre» (Polanyi, 1983) [19]. À cette époque,

---

19. *Cette loi, qui instaurait dans l'urgence une protection des travailleurs comparable à notre RMI (Revenu minimum d'insertion) – et plus proche encore du nouveau RSA (Revenu de solidarité active) – fut finalement abolie en 1834 car elle avait créé une situation pire que celle à laquelle elle devait remédier.*

si l'on était allé au bout de l'assimilation du travail à une marchandise, on aurait débouché sur une autodestruction de la société. La *Grande Transformation* qui s'opère aux États-Unis et en Europe à la fin du XIXe et au début du XXe siècle marque le recul du marché autorégulateur, et un nouveau rôle de l'État et des institutions dans la régulation de l'économie, notamment des marchés des marchandises fictives. Pour Polanyi, il s'agit d'un *réencastrement* de l'économie dans le social, l'expérience du *désencastrement* ayant été désastreuse, au point d'avoir menacé la société d'autodestruction.

Pour revenir au contexte actuel de la mondialisation dans les pays en voie en développement, le combat contre le *patriarcat*, s'il est mené dans la foulée de ce mouvement de mise en place brutale d'un marché du travail, sans tenir compte de cette dimension historique, risque fort de participer à ce processus de destruction brutale provoquant, avec la marchandisation du travail des hommes et surtout des femmes, la dissolution des rapports familiaux et des solidarités traditionnelles. C'est exactement le cas des analyses, comme celles de la Banque mondiale, qui ne tiennent pas compte des conditions initiales ni du rythme des transformations. Ainsi, le rapport sur le MENA conclut que la région est *en retard* sur le reste du monde en matière de participation féminine et qu'elle doit en conséquence pousser à accélérer les changements, alors qu'il aurait fallu s'inquiéter de la rapidité et de la brutalité de certains bouleversements et des risques que cette situation fait courir aux sociétés et aux femmes en leur sein. Cette erreur d'analyse est due au fait qu'on a isolé la dimension du genre, sans l'inscrire dans une perspective dynamique et historique. L'objectif d'autonomisation des femmes à travers l'accès à un revenu monétaire est conçu exclusivement comme le moyen de se libérer de contraintes familiales et sociales. Mais il y a un autre versant, c'est leur dépendance nouvelle au marché et à ses fluctuations, révélée notamment par l'importance du taux de chômage féminin ainsi que par le fait que l'augmentation de leur part dans l'emploi est en grande partie liée à l'emploi informel et précaire. Aussi, le taux de participation économique des femmes ne mesure-t-il pas tant leur degré d'autonomisation que leur « participation » à la marchandisation de l'économie.

Bibliographie

Banque mondiale, *Gender and Development in the Middle East and North Africa : Women in the Public Sphere*, Washington (D. C.), Banque mondiale, 2004a.

Banque mondiale, *Labor Market Regulation for Women : Are they Beneficial ?*, PREM notes, 94, Washington (D. C.), Banque mondiale, décembre, 2004b.

BIT, *Tendances mondiales de l'emploi des femmes*, Genève, BIT, mars 2007.

CHADEAU (Anne) et FOUQUET (Annie), «Peut-on mesurer le travail domestique ?», *Économie et Statistiques*, 136, Insee, septembre 1981.

COURBAGE (Youssef), «Les évolutions démographiques en Afrique du Nord et au Proche-Orient», dans *Afrique du Nord-Moyen-Orient, espace et conflits*, Paris, La Documentation française, 2003.

FLANAGAN (Robert J.), *Globalisation and Labour Conditions. Working Conditions and Workers Rights in A Global Economy*, Oxford, Oxford University Press, 2006.

GADREY (Jean) et JANY-CATRICE (Florence), *Les Nouveaux Indicateurs de richesse*, Paris, La Découverte, 2005.

JÜTTING (Johannes P.), MORRISSON (Christian), DAYTON-JOHSON (Jeff) et DRESCHSLER (Denis), *Measuring Gender Inequality : Introducing the Gender, Institutions and Development Data Base (GID)*, OCDE Development Centre Working Paper, 247, mars 2006.

OIT, *Rapport sur l'emploi dans le monde. Les femmes et la formation à l'heure de la mondialisation, 1998-1999*, Genève, OIT, 2001.

OOSTENDORP (Renco H.) «Globalization and the Gender Wage Gap», *Policy Research Working Paper Series*, 3256, Washington (D. C.), Banque mondiale, 2004.

POLANYI (Karl), *La Grande Transformation*, Paris, Gallimard, 1983.

Chapitre 3 / COMMERCE INTERNATIONAL, ÉGALITÉ DES SEXES ET AVANTAGE COMPÉTITIF[1]

Diane Elson

Selon les économistes néolibéraux, la libéralisation des échanges entre nations devrait profiter à tous les pays et à leurs citoyens. Ce point de vue relève de la théorie dominante du commerce international. Celle-ci prétend démontrer que, dans l'ensemble des pays, la spécialisation de la production, en fonction d'un avantage comparatif, mène à une allocation optimale des ressources dans l'économie mondiale et, donc, à un schéma de production plus efficace entraînant la hausse des niveaux de production et de consommation. On attend de ces gains qu'ils contribuent de manière significative au développement et à la réduction de la pauvreté. Cette même théorie reconnaît que la libéralisation des échanges suscite des « gagnants » au détriment de « perdants » au sein des nations ; mais elle soutient que les gains nets seront intéressants et que la compensation apportée par les gagnants – notamment grâce à des politiques fiscales ou des programmes compensateurs d'assistance corollaires à l'ajustement – peuvent avantager tout le monde.

Ce chapitre offre un autre point de vue sur le commerce international, à travers le prisme du genre. Il est nécessaire, mais insuffisant, de produire des données différenciées par sexe, concernant les pertes et les gains en matière d'emplois. Recourir au prisme du genre revient à concevoir celui-ci comme un système de pouvoir social qui défavorise les femmes – à des degrés divers et de manières différentes, car le genre recoupe d'autres formes de pouvoir comme la classe, la caste, l'appartenance ethnique et la citoyenneté. Les rapports de genre renvoient aux normes et aux pratiques sociales qui règlent les relations entre les hommes et les femmes dans une société et un moment donnés. Les rapports entre les sexes ne sont pas immuables, et varient dans le temps

1. Article traduit de l'anglais par Aminata Sow.

et d'une société à l'autre. Toutefois, dans toutes les sociétés, ces rapports jouent un rôle systématique dans la division et la distribution du travail, des revenus, de la richesse, de l'éducation, des matières premières, des services publics, etc.

Dans la plupart des sociétés, les femmes travaillent davantage que les hommes, alors qu'elles sont généralement moins bien loties en termes de revenus, d'éducation, de richesse, d'accès au crédit, à l'information et aux connaissances, et de pouvoir de décision. L'intersection du genre avec d'autres formes de pouvoir, telles que la classe et l'ethnie, renvoie au fait que certaines femmes sont plus puissantes que certains hommes ; mais les femmes tendent à être désavantagées au sein d'une classe ou d'un groupe ethnique particulier.

C'est au genre que l'on doit la division du travail la plus répandue et la plus fondamentale de la plupart des sociétés : la division entre le travail de production et celui de reproduction sociale. Le premier renvoie aux activités génératrices de revenu comptabilisées dans le Produit national brut (PNB), et le second au travail non rémunéré au sein des familles et des communautés, en particulier le travail du *care*, nécessaire pour reproduire la société de manière quotidienne et intergénérationnelle. Si les femmes comme les hommes effectuent du travail rémunéré et du travail de *care*, les hommes font relativement plus de travail productif et les femmes relativement plus de travail de reproduction sociale.

Les responsabilités qui incombent aux femmes en matière de reproduction sociale ont un impact sur leur position dans l'emploi. Leur taux d'activité est toujours plus faible que celui des hommes, bien que l'écart se comble. Toutefois, les femmes ont tendance à combiner une charge globale de travail plus lourde, et les métiers sont répartis selon le sexe. Ainsi, dans l'ensemble des pays, l'industrie manufacturière tend à concentrer les femmes dans les secteurs à faible technologie pour la production de biens à des prix compétitifs, alors qu'elle concentre les hommes dans les secteurs de moyenne et haute technologie. Les industries manufacturières féminisées offrent généralement des rémunérations plus faibles et possèdent un statut social inférieur, non seulement à cause de niveaux d'éducation et de formation différents, mais aussi en raison de discriminations diverses. En outre, par rapport aux hommes, les femmes se retrouvent davantage dans l'emploi informel et sans protection sociale. Elles s'engagent plus fréquemment dans des formes précaires et occasionnelles d'emploi rémunéré. Lorsqu'elles sont indépendantes, elles sont le plus souvent en charge de petites entreprises et rencontrent davantage d'obstacles que les hommes pour accéder aux affaires les plus rentables.

Dans le secteur agricole, femmes et hommes tendent à s'engager et à se spécialiser dans des activités et des cultures différentes. Dans la petite agriculture, les femmes ne sont généralement pas reconnues comme des agricultrices de plein droit, alors qu'elles contrôlent la production de récoltes particulières et fournissent du travail pour certaines des activités agricoles de leur mari. Les agricultrices travaillent généralement plus dur pour gagner moins que les agriculteurs, car elles ne bénéficient pas du même accès à la formation, au crédit et à la technologie. Dans le travail salarié de l'*agrobusiness*, on retrouve les mêmes inégalités de sexe que dans la production manufacturière.

Les biais de genre dans la vie sociale et économique résultent de toute une série d'institutions sociales et économiques. Dans certaines d'entre elles, la famille notamment, le rôle du genre est évident, car les fonctions familiales sont attribuées selon le sexe. Les biais de genre sont également le fait d'institutions qui peuvent ne pas être ouvertement structurées en fonction du sexe : les marchés et les États, par exemple. Les politiques macro-économiques, sociales et d'emploi, reflètent – souvent – et perpétuent ces biais. Ainsi, les rapports sociaux de sexe imprègnent tous les aspects de la vie économique, et les économies sont des structures sexuées. Les institutions, notamment celles à travers lesquelles opère le commerce international, sont sexuées, dans le sens où elles codifient des normes sociales sexuées.

——— Libéralisation des échanges et égalité des sexes : approches dominantes, hétérodoxes et féministes

Les approches économiques dominantes de la libéralisation des échanges reposent sur l'idée qu'en l'absence de contrôles gouvernementaux, le commerce international serait régi par le principe de l'avantage comparatif. Un pays tirerait donc toujours profit du commerce s'il exportait des biens produits à l'échelle nationale à un coût comparativement plus faible, en échange de biens importés meilleur marché. Ainsi, même si un pays est en mesure de tout produire à moindre coût – c'est-à-dire s'il a un avantage absolu sur un autre pays –, les deux pays pourraient tirer bénéfice du commerce en cas de différence dans leurs coûts comparatifs. Cette thèse affirme que le marché garantit l'échange d'exportations contre un montant équivalent d'importations afin que le commerce soit équilibré (Krugman, 1993).

Pour en assurer la validité, les termes de l'échange – ou le taux de change réel – d'un pays doivent baisser à chaque fois qu'un pays subit un déficit commercial – pour réduire en retour ce déficit. De plus, toute perte d'emploi dans le secteur concurrencé par les importations devrait être provisoire, le plein emploi étant préservé à long terme.

La théorie dominante sur le commerce incite à penser que les femmes des pays du Sud pourraient tirer profit de la libéralisation des échanges. C'est ce que l'on peut déduire de la théorie dite Heckscher-Ohlin-Samuelson (HOS) qui, en dépit d'hypothèses peu réalistes et de problèmes de vérification empirique, sert toujours de base à l'élaboration d'une importante partie des politiques commerciales. Ces théorèmes analysent l'impact du passage d'un état d'autarcie au «libre-échange» pour les propriétaires de différents «facteurs de production», tels que le capital et la main-d'œuvre qualifiée ou non qualifiée. Si les deux facteurs de production sont le travail «non qualifié» et le travail «qualifié», et si l'avantage comparatif des pays en développement réside dans la production intensive de biens par une main-d'œuvre «non qualifiée», la théorie suggère que la libéralisation des échanges augmentera la demande de main-d'œuvre «non qualifiée». Comme les femmes sont davantage confinées que les hommes dans les métiers «non qualifiés», la libéralisation des échanges accroîtrait le nombre de ces emplois. On fait donc valoir que le développement axé sur les exportations profiterait plus aux femmes que celui qui est axé sur les produits de substitution aux importations (Bhagwati, 2004).

Par ailleurs, selon cette théorie dominante, puisque l'emploi «non qualifié» enregistre une expansion relativement plus rapide dans le Sud, les disparités salariales entre travail «qualifié» et «non qualifié» devraient diminuer avec la libéralisation des échanges. Les femmes se retrouvant surtout dans les emplois «non qualifiés» dans les pays en développement, la libéralisation des échanges devrait donc rehausser leurs salaires par rapport à ceux des hommes. Dans les pays industrialisés du Nord, on s'attend à un approfondissement des disparités salariales entre travailleurs «qualifiés» et «non qualifiés». Dans la mesure où les femmes y représentent une forte proportion des travailleurs «non qualifiés», l'ouverture de l'économie creuserait les écarts de salaires entre hommes et femmes dans le Nord, à moins que ne se présentent des alternatives d'emploi. Cette approche nous invite simplement à calculer les écarts de salaires entre hommes et femmes.

Les économistes féministes s'intéressent aussi aux gains et aux pertes d'emploi chez les femmes et les hommes, et aux écarts de salaire.

Cela soulève un grand nombre de questions et suppose des hypothèses méthodologiques différentes (Elson, Grown et Çağatay, 2007). Il faut souligner que les théories alternatives du commerce offrent un meilleur point de départ pour utiliser le prisme du genre. Fondées sur des approches marxistes, keynésiennes et kaleckiennes, ces théories rejettent l'idée que la libéralisation des échanges entraîne la croissance économique et améliore l'affectation des ressources grâce à une spécialisation en fonction de l'avantage comparatif.

Les théories hétérodoxes posent que le commerce international est régi par l'avantage absolu opérant grâce à un processus de concurrence dans lequel les acteurs plus puissants dominent les plus faibles. Dans la théorie dominante, la concurrence renvoie à une *simple adaptation* des firmes à un avantage comparatif qui serait en quelque sorte « donné d'avance » et statique. Dans les théories hétérodoxes, elle se rapporte à la manière dont les firmes développent, de façon pro-active, des *stratégies* visant à dégager un avantage *compétitif* absolu et *dynamique*. Ce faisant, par rapport aux producteurs dont les coûts sont faibles, les producteurs qui ont des coûts élevés sont perdants en termes absolus et pas simplement comparatifs ; les pays qui possèdent des coûts élevés ont tendance à subir des déficits commerciaux qu'ils doivent couvrir par des entrées de capitaux ou par l'emprunt (Shaikh, 2003). Aucun mécanisme magique n'entraîne un équilibre automatique entre importations et exportations. En effet, les déséquilibres commerciaux permanents entre des partenaires commerciaux inégalement compétitifs constituent la norme dans le commerce international. Dans cette perspective, le commerce international est perçu comme « menant à un développement inégal » (Çağatay, 1994). Les firmes importantes, en particulier dans les pays déjà industrialisés, sont en mesure d'influencer les dispositions des accords commerciaux internationaux en leur faveur et de préserver leur avance technologique grâce aux restrictions juridiques sur les brevets. Il est donc difficile pour les nouveaux venus d'être concurrentiels, sauf par le maintien de faibles coûts de main-d'œuvre. Il leur est également difficile d'entrer dans le commerce global et dans les chaînes de production que dominent les grandes firmes internationales. Le commerce international sert des intérêts spécifiques et il est régi par l'effort qui vise à créer et à maintenir un avantage compétitif absolu.

Les théories hétérodoxes du commerce international constituent une source de réflexion bien plus riche pour comprendre la mondialisation capitaliste que la théorie économique dominante. Le recours au prisme du genre nous permet de percevoir la création d'un avantage compétitif et la réalisation du développement inégal comme des processus sexués qui se déroulent à travers des institutions sexuées. En analysant les résultats, l'économie féministe dépasse les critères axés sur l'expansion des emplois, des salaires et de la consommation personnelle, pour considérer les conditions de travail et la charge globale de travail, rémunéré ou non. Elle cherche également à savoir si l'État fournit des services publics qui réduisent l'obligation pour les femmes d'effectuer du travail non rémunéré et laissent du temps libre ; et cherche à saisir dans quelle mesure une personne peut jouir de dignité et d'estime de soi, d'un certain niveau d'autonomie et de la capacité de prendre des décisions concernant sa propre vie.

Le commerce international comme processus sexué de recherche d'un avantage compétitif

La recherche d'un avantage compétitif est un processus sexué. En examinant ce processus, on doit distinguer la manière dont les inégalités de sexe déterminent les rôles des femmes comme *réalisatrices* et comme *sources* d'un avantage compétitif. Les premiers renvoient aux femmes chefs d'entreprises et aux productrices indépendantes ; les seconds, aux travailleuses familiales non rémunérées et aux salariées d'entreprises gérées par d'autres personnes, essentiellement des hommes.

Pour atteindre un avantage compétitif, un chef d'entreprise ou un producteur indépendant doit disposer de terres, de technologie, de connaissances, de financements, d'une main-d'œuvre, de réseaux sociaux, de transports, ainsi que de marchés et d'un environnement politique – notamment fiscal – favorable. Les inégalités sociales conditionnent l'accès et le recours à ces ressources. La relation entre l'acquisition d'un avantage compétitif et les inégalités sociales est cumulative, et se renforce de manière autonome. Dans une société caractérisée par des inégalités de sexe, il est plus difficile pour les femmes d'accéder à toutes ces ressources ; des barrières culturelles profondes les empêchent d'y recourir pour pouvoir concurrencer les hommes sur le marché de l'emploi. Lorsque les femmes chefs d'entreprise ou indépendantes réalisent un avantage compétitif, c'est souvent dans un marché de niche, à l'échelle locale, où la concurrence est limitée.

Dans de nombreux pays pauvres, en Afrique subsaharienne et en Asie du Sud-Est, les femmes prédominent comme propriétaires de micro-entreprises ou sont installées à leur compte dans la production alimentaire. Elles produisent pour leur propre famille, écoulant les excédents sur les marchés locaux. La théorie féministe prévoit que la baisse des droits tarifaires et d'autres restrictions sur les importations alimentaires dans les pays pauvres risquent de les exposer à la concurrence de l'agrobusiness international susceptible de posséder un avantage compétitif. Des études ont montré que la libéralisation des échanges dans les économies axées sur la petite production agricole mène effectivement à la hausse des importations alimentaires et à la perte de marchés pour les modestes agricultrices engagées dans la production vivrière (Fontana *et al.*, 1998 ; Unctad/Cnuced, 2004). Quand, avec la libéralisation des échanges, de nouvelles opportunités économiques se présentent, ces femmes éprouvent des difficultés à en tirer profit, car leur accès au crédit, aux nouvelles technologies, aux connaissances en matière de commercialisation est le plus souvent limité ; et généralement, il leur est plus compliqué d'assumer de nouveaux risques.

Les femmes constituent un avantage compétitif pour les producteurs qui ont recours à des méthodes de production à forte intensité de main-d'œuvre, en raison du mode de fonctionnement du pouvoir sexué dans les ménages et sur le marché du travail. Dans la petite production de cultures traditionnelles de rente pour l'exportation (thé, café, cacao), les femmes tendent à travailler comme main-d'œuvre familiale gratuite, sous la direction des hommes de leur famille qui sont directement rémunérés ; elles produisent également des denrées alimentaires pour leur propre compte. Si la libéralisation des échanges favorise l'accès des récoltes de rente au marché d'exportation et si la production augmente, le ménage peut gagner davantage de revenus, mais les effets sont contradictoires pour les femmes (Unctad/Cnuced, 2004). La part dont elles bénéficient avec cette hausse de revenu dépend de leur pouvoir de négociation au sein de la famille. Si les importations de produits alimentaires les privent de marchés pour leurs excédents, elles peuvent accepter de travailler davantage en tant que main-d'œuvre familiale non rémunérée pour les cultures d'exportation. Mais elles courent de nouveaux risques, car leur capacité à nourrir leur famille dépend à la fois des prix relatifs des importations de produits alimentaires, des exportations de cultures de rente et de leur possibilité à s'assurer des transferts de revenu auprès de leur mari (Darity, 1995).

La production d'exportations agricoles non traditionnelles (fruits, légumes, fleurs) est en augmentation constante dans de nombreux pays en développement. Les femmes rurales deviennent sources d'avantage compétitif pour les grandes fermes locales et pour l'*agrobusiness* international qui commercialisent ce type de production. La conférence des Nations unies sur le commerce et le développement (Unctad/Cnuced) fournit la documentation sur la manière dont la libéralisation des échanges a créé des emplois dans le domaine des exportations agricoles non traditionnelles pour les femmes, mais note que ces dernières sont occupées davantage que les hommes par des emplois saisonniers précaires et à faible salaire, sans protection sociale, ce qui réduit d'autant les coûts de production (Unctad/Cnuced, 2004, p. 112). Ces exportations sont généralement commercialisées dans le cadre de systèmes de production globaux dominés par les grandes firmes d'*agrobusiness* ou par les détaillants des pays développés. L'avantage compétitif réside alors dans la combinaison de technologies modernes de transport et de commercialisation, et dans la disponibilité de main-d'œuvre bon marché.

Des facteurs similaires sont en jeu dans le secteur manufacturier des pays semi-industrialisés ; les producteurs ou détaillants à grande échelle, dont la plupart ont leur siège dans les pays développés, fabriquent des produits nécessitant une main-d'œuvre importante pour l'exportation ou sous-traitent cette production à des firmes locales. Là encore, l'avantage compétitif réside dans la combinaison de technologies modernes de transport et de commercialisation, et de la disponibilité d'une main-d'œuvre bon marché. Cet avantage compétitif revient aux firmes transnationales. Les femmes sont incorporées dans les systèmes de production globale en tant qu'ouvrières (Razavi, 1999) ou salariées en sous-traitance dans de petits ateliers ou à domicile (Balakrishnan, 2002 ; Carr, Chen et Tate, 2000).

Les femmes des pays du Sud qui font l'expérience de la libéralisation des échanges marchands connaissent aussi bien la création que la perte d'emplois. L'emploi féminin peut certes être favorisé dans l'ensemble, mais il peut également être menacé par la mise en concurrence résultant de la libéralisation des échanges. Au Sri Lanka, les employées de petites entreprises tournées vers le marché intérieur ont perdu leur emploi avec la libéralisation des importations. Comme le signale Swarna Jayaweera (2003), l'industrie « féminisée » du tissage artisanal a été la plus durement touchée et près de 40 000 femmes ont perdu leur moyen d'existence à cause de l'importation de fil et de tissu.

Certains pays industrialisés ont commencé à acquérir un avantage compétitif dans les secteurs manufacturiers à forte intensité de capitaux ; ce processus y a déféminisé le marché de l'emploi. Prenons le cas de Taiwan. Durant la phase initiale de la croissance (1961-1972), tirée par les exportations, la proportion de femmes dans l'emploi manufacturier a enregistré une hausse spectaculaire ; cette hausse s'est poursuivie, de manière moins marquée toutefois, dans les années 1970, pour atteindre un sommet en 1982 avec 52 %. Par la suite, cette proportion a baissé, pour retomber à 45 % en 1996 (Berik, 2000). Ceci représente un niveau absolu de l'emploi manufacturier féminin inférieur à celui de 1981, alors que l'emploi manufacturier masculin a continué de croître. À partir du milieu des années 1970, Taiwan s'était tournée vers des exportations à plus forte intensité de capitaux, passant de l'industrie légère à l'industrie lourde ; de nombreuses femmes ont ainsi perdu leur emploi (Berik, 2000, p. 7), les femmes les plus âgées ont éprouvé, quant à elles, de grandes difficultés à en retrouver un.

Passant une série d'études en revue, Susan Joekes (1999) constate que la libéralisation des échanges, dans les économies où les femmes sont propriétaires de petites entreprises ou productrices indépendantes, a des conséquences plus néfastes sur leurs moyens d'existence que là où elles ont davantage d'opportunités d'emploi salarié. Ceci confirme que les inégalités de sexe positionnent les femmes davantage comme *sources* d'un avantage compétitif pour d'autres, que comme *réalisatrices* de cet avantage pour elles-mêmes. Les entreprises qui réalisent un avantage compétitif sont essentiellement dirigées par des hommes ou leur appartiennent.

Toutefois, comme je le soutiens depuis le début des années 1980 (Elson et Pearson, 1981), les effets des exportations sur l'emploi salarié sont contradictoires pour les femmes. Les anciennes structures de l'inégalité entre les sexes peuvent être sapées, en particulier si les femmes travaillent en dehors de leur domicile ou gagnent un revenu par elles-mêmes. De nouvelles formes d'inégalité émergent, qui les confinent dans quelques emplois offrant des conditions désavantageuses. Par ailleurs, si les femmes bénéficient d'un marché de l'emploi plus favorable, elles peuvent être perdantes par d'autres aspects, tels que l'accès aux loisirs ou le fait de préserver un bon état de santé.

L'étude de Jayaweera (2003) sur les relations entre les sexes dans les ménages de 140 femmes travaillant dans l'industrie textile au Sri Lanka, a bien mis en évidence ces effets complexes. L'analyse couvrait la situation, en 2001, de six groupes de travailleuses : des employées des Zones industrielles d'exportation (ZIP), des employées d'unités rurales de production, des salariées à domicile, des employées d'usines textiles, des employées d'une filature artisanale et des employées du textile licenciées. Cette étude s'inscrivait dans le processus de libéralisation des échanges et d'expansion du commerce qui se développe au Sri Lanka depuis 1997. Entre 33 et 50 % des hommes de ces ménages étaient propriétaires de terres, alors que peu de femmes l'étaient. Toutefois, une part substantielle d'entre elles détenait un compte bancaire personnel. En outre, dans près de 50 % des cas, les hommes remettaient leur salaire à leur femme qui gérait le budget familial. Il existait un schéma durable de prise de décision conjointe au sein de ces ménages, indépendamment de la participation des femmes au marché du travail. La majorité des personnes enquêtées, des deux sexes, estimaient que l'emploi salarié des femmes, en particulier à l'extérieur du foyer, réhaussait leur estime et leur confiance en elles, ainsi que leur statut au sein de la famille.

Jayaweera a noté que le marché du travail s'était précarisé entre 1977 et 2001. Le pourcentage de travailleuses exerçant un emploi régulier dans le secteur formel avait baissé, passant de près de 80 % dans la période précédant la libéralisation (c'est-à-dire avant 1977, la libéralisation ayant été précoce au Sri Lanka), à environ 50 % dans les années 1990. Les emplois féminins avaient enregistré une hausse, mais ils étaient dorénavant bien plus précaires. De plus, une fois leur emploi salarié perdu, les hommes s'orientaient vers l'emploi indépendant en s'installant à leur compte, alors que les femmes se tournaient vers le travail familial non rémunéré : le pourcentage de femmes engagées dans ce type de travail avait chuté à 6,5 % en 1981 (la période de référence étant les années 1970, avant 1977), mais était remonté à 30 % dès 1998. Il est donc important de savoir non seulement si les femmes acquièrent des opportunités d'emploi, mais aussi dans quelle conjoncture économique et politique générale elles effectuent des percées dans l'emploi rémunéré, et dans quelle mesure ces contextes généraux renforcent ou minent leurs capacités d'action. Jayaweera a constaté que la division sexuée du travail non rémunéré n'avait pas évolué de manière significative. Si la plupart des femmes réalisaient tout ou partie de ce travail non rémunéré, 50 à 70 % des hommes au sein de ces ménages y participaient peu ou pas du tout. Les femmes employées dans l'industrie textile étaient certes soulagées de certaines de leurs tâches ménagères, mais parce que d'autres femmes les prenaient en charge de manière accrue.

Libéralisation des échanges et reproduction sociale

La libéralisation des échanges affecte le travail non rémunéré de reproduction sociale à travers les contraintes sur le temps des femmes, la diminution des recettes fiscales et les politiques visant à attirer l'investissement étranger.

Les contraintes accrues sur le temps des femmes découlent du fait que la libéralisation des échanges les attire davantage vers l'emploi rémunéré, sans attirer plus d'hommes vers le travail non rémunéré (Fontana et Wood, 2000). Cette pression sur le temps des femmes peut avoir des effets négatifs sur la reproduction sociale, comme la réduction du temps consacré au travail non rémunéré qui l'entretient, ou la redistribution du travail à l'ensemble des générations, des filles en âge d'être scolarisées aux femmes âgées ayant atteint l'âge de la retraite et qui ne sont peut-être plus en mesure de travailler aussi efficacement. Ceci peut peser sur la santé des femmes de tous âges et provoquer la détérioration du tissu social.

Cette contrainte sur le temps pourrait être contrebalancée par une meilleure offre de services publics, afin de réduire le travail non rémunéré que requiert la reproduction sociale. Toutefois, la capacité à financer de tels services est compromise par une diminution des recettes fiscales. Barsha Khattry et Mohan Rao (2002) ont constaté que la libéralisation des échanges a entraîné une baisse des recettes publiques dans bon nombre de pays en développement. Une étude sur l'impact de cette baisse sur les dépenses publiques (Khattry, 2003) montrait que la perte de recettes provenant des taxes commerciales avait conduit à une réduction des dépenses en matière d'infrastructures, d'éducation et de santé, comparées à la valeur du PNB. On affirme souvent que cette perte de recettes fiscales peut être compensée par une augmentation d'autres impôts indirects, – négligeant le fait que ceux-ci sont souvent de nature régressive. Ainsi, si elle est compensée par l'imposition de taxes régressives sur la valeur ajoutée, la perte d'impôts commerciaux sera également plus profondément ressentie par les femmes démunies.

La libéralisation des échanges a été suivie d'un accroissement des déficits commerciaux dans de nombreux pays en développement (McCombie et Thirlwall, 1994). La garantie des entrées de capitaux devient donc un atout majeur pour compenser les déficits. L'augmentation du montant de l'emprunt gouvernemental signifie qu'une part plus large des recettes publiques sera mise au service de la dette. Les efforts qui visent à attirer l'investissement étranger direct renforcent le resserrement des recettes fiscales. Les firmes cherchent à s'établir là où elles n'ont pas à payer beaucoup d'impôts, ce qui tend à produire un faible niveau de ressources pour financer la santé publique, l'éducation, les infrastructures et les services d'entretien qui réduisent le travail non rémunéré nécessaire à la reproduction sociale.

La libéralisation des échanges incite à rechercher un avantage compétitif en évitant de s'acquitter des coûts complets de la reproduction de la force de travail (Folbre, 2001). Les firmes peuvent tenter de réaliser cet avantage en choisissant une force de travail ayant une responsabilité minimale dans l'entretien des enfants – c'est-à-dire des hommes, ainsi que des femmes sans enfants –, en pénalisant les employés qui s'acquittent de responsabilités d'entretien en les rémunérant moins ou en ne leur assurant pas de protection sociale – c'est-à-dire en confinant les femmes à des emplois précaires, temporaires et à temps partiel.

Les contraintes de temps, les contraintes fiscales et la tentative de minimiser les coûts de la reproduction sociale sont toutefois contradictoires, à long terme, pour le commerce, pour les gouvernements et pour la société dans son ensemble. Elles sapent les conditions de la reproduction d'une force de travail en bonne santé et bien éduquée, et d'une société stable et sûre au sein de laquelle les personnes vivent en bonne harmonie.

Ce texte a situé les interactions entre commerce et genre dans le contexte des théories économiques hétérodoxes, qui soutiennent que le commerce international n'est pas régi par la spécialisation en fonction d'un avantage comparatif, avec des gains pour tous, mais par la recherche d'un avantage compétitif absolu, avec des gains pour les plus forts et non pour les plus faibles. Cette théorie a examiné les différentes relations sociales à travers lesquelles les femmes s'engagent dans le commerce international. Elle soutient que celles-ci bénéficient plus d'un avantage compétitif dans des entreprises appartenant à des hommes ou dirigés par eux, qu'elles ne le font dans les leurs.

Les impacts du commerce international sur l'emploi rémunéré sont sexués, mais varient d'un type d'économie à un autre, et dépendent des caractéristiques structurelles et des institutions économiques, ainsi que de la nature des inégalités de genre et de classe, et des relations entre les sexes. En règle générale, une augmentation du ratio des exportations par rapport au PNB a été associée à une hausse des taux d'activité des femmes ou à une «féminisation» du marché du travail.

Toutefois, la féminisation de l'ensemble de l'économie occulte le fait que des réaffectations sectorielles de l'emploi ont lieu à la suite de la libéralisation des échanges et que certaines femmes perdent leurs moyens d'existence. De plus, la féminisation peut être inversée à mesure que les pays progressent sur le plan de la technologie et dans leurs exportations de biens manufacturés. La libéralisation des échanges remet en cause le processus de reproduction sociale par son impact sur le temps, la réduction des recettes fiscales et le refus d'assumer la responsabilité de la reproduction sociale.

Dans l'optique du genre, le processus de libéralisation et d'expansion des échanges a été ambigu et contradictoire. Le défi à relever consiste à instituer des formes de relations commerciales internationales qui favorisent pleinement l'égalité des sexes, le renforcement des capacités des femmes, en particulier des femmes les plus pauvres, et qui promeuvent le développement humain. La libéralisation des échanges ne peut atteindre cet objectif parce que le commerce ainsi libéralisé positionne les femmes essentiellement comme des sources d'un avantage compétitif.

Bibliographie

BALAKRISHNAN (Radhika) (ed.), *The Hidden Assembly Line : Gender Dimensions of Sub-contracted Work in the Global Economy*, Bloomfield (Conn.), Kumarian Press, 2002.

BERIK (Gunseli), «Mature Export-led Growth and Gender Wage Inequality in Taiwan», *Feminist Economics*, 6 (3), 2000, p. 1-26.

BHAGWATI (Jagdish), *In Defense of Globalization*, Oxford, Oxford University, 2004.

ÇAĞATAY (Nilufer), «Themes in Marxian and Post-Keynesian Theories of International Trade : A Consideration with Respect to New Trade Theory», dans Mark Glick (ed.), *Competition, Technology and Money, Classical and Post-Keynesian Perspectives*, Cheltenham, Edward Elgar, 1994, p. 241.

CARR (Marilyn), CHEN (Martha) et TATE (Jane), «Globalization and Home-Based Workers», *Feminist Economics*, 6 (3), 2000, p. 123-142.

DARITY (Sandy), «The Formal Structure of a Gender-Segregated Low-Income Economy», *World Development*, 23 (11), 1995, p. 1963-1968.

ELSON (Diane) et PEARSON (Ruth), «Nimble Fingers Make Cheap Workers», *Feminist Review*, 7, 1981, p. 87-107.

ELSON (Diane), GROWN (Caren) et CAĞATAY (Nilufer), « Mainstream, Heterodox and Feminist Trade Theory », dans Irene Van Staveren, Diane Elson, Caren Grown et Nilufer Çağatay (eds), *Feminist Economics of Trade*, Londres, Routledge, 2007.

FOLBRE (Nancy), *The Invisible Heart, Economics and Family Values*, New York (N. Y.), The New Press, 2001.

FONTANA (Marzia), JOEKES (Susan) et MASIKA (Rachel), « Global Trade Expansion and Liberalization : Gender Issues and Impacts », *Bridge Report 42*, Brighton, Institute of Development Studies, 1998.

FONTANA (Marzia) et WOOD (Adrian), « Modeling the Effects of Trade on Women, at Work and at Home », *World Development*, 28 (7), 2000, p. 1173-1190.

JAYAWEERA (Swarna), « Continuity and Change : Women Workers in Garments and Textile Industries in Sri Lanka », dans Swapna Mukhopadhyay et Ratna Sudarshan (ed.), *Tracking Gender Equity Under Economic Reforms : Continuity and Change in South Asia*, New Delhi, Kali for Women, 2003.

JOEKES (Susan), « Trade-Related Employment for Women in Industry and Services in Developing Countries », Unrisd Occasional Paper, Genève, Unrisd, 1995.

JOEKES (Susan), « A Gender-Analytical Perspective on Trade and Sustainable Development », dans *Unctad, Trade, Sustainable Development and Gender*, New York (N. Y.) et Genève, Unctad, 1999.

KHATTRY (Barsha) et RAO (Mohan), « Fiscal Faux Pas : An Analysis of the Revenue Implications of Trade Liberalization », *World Development*, 30 (8), 2002, p. 1431-1444.

KHATTRY (Barsha), « Trade Liberalisation and the Fiscal Squeeze : Implications for Public Investment », *Development and Change*, 34 (3), 2003, p. 401-424.

KRUGMAN (Paul), « What Do Undergrads Need to Know About Trade ? », *The American Economic Review*, Papers and Proceedings of the Hundred and Fifth Annual Meeting, 83 (2), 1993, p. 23-26.

McCOMBIE (John) et THIRLWALL (Anthony Philipp), *Economic Growth and the Balance-of-Payments Constraint*, Basingtoke, Palgrave-Macmillan, 1994.

ONU Conference on Trade and Development (Unctad/Cnuced), *Trade and Gender : Challenges and Opportunities*, Genève, Unctad, 2004.

RAZAVI (Shahra), « Export-Oriented Employment, Poverty and Gender : Contested Accounts », *Development and Change*, 30, 1999, p. 653-683.

SHAIKH (Anwar), « Globalization and the Myth of Free Trade », communication à la Conference on Globalization and the Myths of Free Trade, New York (N. Y.), New School University, 2003.

Chapitre 4 / TRAVAIL RÉMUNÉRÉ, NON RÉMUNÉRÉ ET MONDIALISATION DE LA REPRODUCTION [1]

Lourdes Benería

D epuis la fin des années 1990, les efforts législatifs pour équilibrer ou «concilier» les activités domestiques, associées à la reproduction sociale, et le marché du travail, sont devenus un sujet de débats publics intenses dans de nombreux pays du Nord, en particulier dans l'Union européenne. En effet, la «crise de la reproduction» s'est intensifiée avec l'entrée de plus en plus massive des femmes dans la force de travail rémunérée et les tendances démographiques ont abouti à des taux de fécondité très faibles et à une espérance de vie très élevée dans la plupart des pays, avec comme corollaire le vieillissement de la population et des pressions sur les systèmes de sécurité sociale. La fourniture de services de garderie et d'autres services sociaux facilitant l'insertion des femmes dans le travail rémunéré prend de l'importance – de même que les lois réglementant les congés parentaux et autres congés liés à la reproduction sociale. Dans le Sud, ces efforts législatifs semblent moins urgents, principalement parce que les classes moyennes et aisées – celles qui tendent à exercer le plus d'influence sur les débats publics et sur les initiatives législatives – voient ces pressions amorties, car elles ont accès au service domestique, étant donné le réservoir encore abondant de main-d'œuvre essentiellement féminine disposée à travailler pour de très faibles rémunérations et dans des conditions précaires. Cependant, dans la mesure où ils génèreront de nouvelles sources d'emploi offrant de meilleures conditions de travail, les pays en développement sont également susceptibles de voir ces pressions s'exacerber.

Or, les politiques nécessaires dans les pays du Sud pour trouver un équilibre entre divers types d'emploi peuvent être différentes de celles

1. Une version préliminaire de cet article a été présentée lors de la réunion «Cohésion sociale, politiques de réconciliation et budget public», organisée par le Fnuap/GTZ, Mexico, 24-26 octobre 2005. Mes vifs remerciements vont à Luis Mora qui m'a amenée à réfléchir sur ce sujet, et à Dick Millet et Mildred Warner pour leurs commentaires fructueux. L'article présent a été traduit de l'anglais par Aminata Sow.

conçues au Nord. En particulier, deux différences principales sont analysées. La première a trait à la portée et à l'importance de l'économie informelle. Bien que l'informalisation du marché du travail se soit intensifiée dans le Sud, dans le sillage des politiques libérales et de la mondialisation, l'économie informelle absorbe une part très importante de la population active. Ce phénomène a des implications pour les besoins des ménages et la «conciliation» famille/marché du travail. La seconde différence renvoie à la féminisation de la migration internationale qui, surtout depuis les années 1990, a contribué à la mondialisation du travail de *care* et de reproduction sociale. La migration d'un grand nombre de femmes du Sud vers le Nord, y compris de mères laissant leurs familles derrière elles, répond à une demande de travail d'entretien au Nord. Ce processus a affecté le mode d'organisation des familles migrantes du Sud, créant notamment des familles transnationales qui doivent désormais résoudre leurs propres besoins de *care*. Ce chapitre analyse ces différences et fournit un cadre théorique pour lier les politiques de «conciliation» à l'approche du développement humain – ou approche des capacités. Cette analyse renvoie spécifiquement, mais non exclusivement, au cas de pays latino-américains comme la Bolivie et l'Équateur, qui possèdent une importante population migrante, de plus en plus féminisée.

Je traiterai ici de la reproduction sociale dans un monde globalisé au sein duquel nous observerons des transformations des rapports entre les sexes. En particulier, les rôles des femmes sont en train de changer en profondeur, modifiant également ceux des hommes, même si des questions subsistent sur la portée et l'importance de ces mutations en cours. L'ordre néolibéral a tendance à privatiser la survie individuelle et familiale en réduisant l'effort fourni pour la protection sociale et en la désuniversalisant. Tel est le cas dans le Nord, mais également dans le Sud, même si les formes et les circonstances spécifiques diffèrent largement. La dernière partie de cette contribution fait valoir que, bien qu'elle puisse fournir un moyen utile d'incorporer les structures socio-économiques à l'analyse, l'approche des capacités traite insuffisamment des conditions socio-économiques qui peuvent faciliter ou limiter ces processus.

Équilibrer le travail rémunéré et non rémunéré : différences Nord/Sud

Une bonne part des efforts législatifs visant à «concilier» travail domestique et travail sur le marché, dans le Nord, tendent à se concentrer sur les agences de recrutement comme canaux de mise en œuvre de ces mesures. Ainsi, la « loi visant à promouvoir la conciliation entre la famille et la vie active », promulguée en 1999 par le gouvernement espagnol, réglemente les congés de maternité et de paternité, ainsi que les congés de manière générale et la réduction des heures de travail, afin de faciliter les soins aux enfants biologiques et adoptés, mais aussi ceux aux membres de la famille – y compris en cas de décès. À cette fin, la loi prévoit des congés, rémunérés ou non dans la mesure où les travailleurs peuvent reprendre leur emploi après une période donnée. Les différentes formes de congés qui visent à faciliter le travail de *care* peuvent être négociées avec l'entreprise ou l'institution employeuse. La loi réglemente également les réductions de versements à la Sécurité sociale pour l'institution qui accorde ces congés. Ceci a pour but d'empêcher le traitement discriminatoire des travailleuses, en particulier ses effets négatifs sur l'emploi féminin, si l'on estime que les femmes demandent davantage que les hommes des congés de maternité et d'autres congés liés à l'entretien.

Ce type de législation possède un double objectif. En premier lieu, il vise à faciliter l'incorporation des femmes dans la force de travail salarié et en second lieu, il promeut l'égalité de traitement entre les travailleurs et les travailleuses. En réglementant les autorisations *parentales* à partir de l'égalité hommes-femmes, la loi répond à la nécessité de mettre un terme aux pratiques discriminatoires qui lèsent les femmes en tant que principales pourvoyeuses de soins. Elle répond également aux appels à promouvoir l'égalité entre les sexes, lancés par des associations féminines en général et féministes en particulier, mais aussi par diverses institutions internationales. La loi espagnole, par exemple, mentionne spécifiquement les recommandations de la Plate-forme d'action de Pékin (1995), adoptée à la 4e conférence des Nations unies et renvoie aux directives énoncées par le Conseil de l'Europe, et aux recommandations de l'Unicef et d'autres organisations internationales sur la nécessité d'accorder des congés *parentaux*. En plus de ce type de législation, les débats ont été axés sur d'autres politiques fondamentales qui facilitent l'insertion des femmes dans la force de travail rémunérée. Ces politiques comprennent l'offre de services de garderie et d'autres services publics prenant en compte les besoins familiaux, ainsi que la flexibilisation des heures de travail et des horaires commerciaux afin de faciliter la combinaison de l'emploi et des responsabilités domestiques.

Les déclarations de principe et la promulgation de lois ne sont pas suffisantes, à moins qu'elles ne soient accompagnées d'efforts de mise en œuvre. La question que je soulève ici est de savoir si ce type de lois est approprié pour les pays en développement et plus spécifiquement, pour nombre des économies latino-américaines. Bien qu'en général ces lois puissent être applicables, trois différences principales émergent entre Nord et Sud, qui méritent d'être prises en considération. D'abord, la disponibilité de services domestiques peu coûteux fonctionne comme un tampon qui réduit les tensions familiales au sujet du travail non rémunéré. Bien que ce privilège ne soit accessible qu'aux classes moyennes et aisées, ce sont précisément elles qui sont les plus à même de contribuer aux débats et à l'introduction des lois. C'est peut-être pour cette raison, du moins dans le contexte latino-américain actuel, que les débats sur les politiques de « conciliation » ont été peu visibles, paraissant sans doute moins urgentes que dans le Nord [2]. La deuxième différence a trait à la portée et à la nature de l'économie informelle, et la troisième, au phénomène de la migration Sud-Nord, en particulier à la féminisation de la migration.

L'économie informelle

De nombreux travaux ont montré comment, pendant près de trois décennies, la mondialisation et les politiques néolibérales ont contribué à l'informalisation du marché du travail, tant au Nord qu'au Sud, avec toutefois de nombreuses différences. La croissance considérable de l'économie informelle au cours de cette période a entraîné un affaiblissement constant des liens de la majeure partie de la force de travail avec les entreprises et les institutions formelles. Cette évolution vers un emploi plus informel a résulté, en premier lieu, des diverses politiques introduites par les Programmes d'ajustement structurel (PAS) – des coupes budgétaires aux programmes de privatisation visant à réduire le champ d'action de l'État, et de la dérégulation des marchés à l'ouverture des économies nationales à la concurrence globale et à l'investissement étranger. En second lieu et parallèlement, la concurrence croissante résultant de la mondialisation et de la restructuration globale a porté atteinte au pouvoir relatif de négociation de la main-d'œuvre non qualifiée. La production transnationale a ouvert des canaux multiples pour orienter l'investissement vers des formes d'exploitation de l'emploi

---

2. *Toutefois, le débat a commencé dans certains milieux. Le Fnuap, notamment, a organisé une rencontre d'avant-garde pour débattre des politiques de « conciliation » en octobre 2005, à Mexico, où j'ai présenté une version initiale de cet article. Depuis lors, le Fnuap a poursuivi les travaux sur ces questions.*

précaire, informel et sans protection. Dans les pays en développement, les références au *secteur* informel dans les formulations initiales des années 1970 ont été remplacées par une analyse de *l'économie* informelle – compte tenu de l'ampleur de la population affectée. Dans la région latino-américaine, près de 50 % de la population active se livrent à des activités informelles, avec des pourcentages plus élevés dans les pays andins et d'Amérique centrale. La Bolivie possède le pourcentage le plus élevé parmi les pays andins, avec plus de 65 % de la population active dans l'économie informelle (Benería et Floro, 2006). La littérature montre comment l'économie informelle et les processus qui y sont associés – le chômage, le sous-emploi et l'exclusion sociale –, sont liés à la persistance de la paupérisation dans de nombreux pays (Portes et Castells, 1989 ; Banque mondiale, janvier 2000 ; Benería, 2003 ; OIT, 2004 ; Pérez-Sáinz, 2006).

Il existe également de nombreuses études sur la portée et la nature des activités informelles, caractérisées par leurs conditions précaires et instables, l'absence de réglementation et la non-protection du travail. Une bonne part de la main-d'œuvre informelle est engagée dans des activités de subsistance précaires sur lesquelles les individus et les ménages fondent leurs stratégies de survie, comme c'est le cas des marchands de rue. Toutefois, l'économie informelle comprend aussi de multiples formes de main-d'œuvre qui interviennent dans l'emploi salarié et l'emploi autonome. Les processus d'informalisation qui surviennent dans le cadre de la mondialisation néolibérale ont estompé le clivage formel/informel, notamment à travers la sous-traitance et l'externalisation. Il peut y avoir un très haut degré de fluidité entre les activités formelles et informelles, et entre différents types d'emploi ; pour les travailleurs, ce phénomène intègre souvent la migration temporaire au sein d'un pays et entre pays, symbolisée par ceux que García-Linera (1999) a qualifiés de « travailleurs nomades » contemporains. Ainsi, les économies formelles du Sud sont caractérisées non seulement par un haut niveau de fluidité entre des emplois qui regroupent des activités formelles/informelles, mais aussi par un niveau élevé d'hétérogénéité. Ceci aboutit à différents degrés de précarité, de niveaux de revenu, d'instabilité, d'insécurité et de vulnérabilité. Ainsi, dans une étude sur les ménages urbains pauvres en Bolivie et en Équateur, Benería et Floro (2006) ont distingué trois « degrés d'informalité ». Pour les femmes en particulier, les changements permanents entre différents emplois et tâches sont également associés à leur engagement dans le travail domestique et les responsabilités d'entretien. Pour elles, les soins aux enfants ne sont généralement pas séparés des autres activités, avec des conséquences importantes pour l'équilibre entre le travail familial et le travail sur le marché.

Dans de telles circonstances, les politiques de «conciliation» ne peuvent guère être conçues pour être mises en œuvre à travers le lieu de travail, car l'emploi formel sûr ne concerne qu'une faible portion de la population. Pour la plupart des travailleurs, il n'y a pas de lieu de travail fixe et la référence de travail la plus stable est constituée par le ménage. De plus, les politiques visant à accroître la flexibilisation du marché du travail ne sont pas très pertinentes, car l'économie informelle est très flexible. Celles qui cherchent à trouver un équilibre entre différents types d'emploi devraient donc être conçues à partir du ménage comme centre de la vie et du travail des populations, par exemple avec la création de garderies de proximité (plutôt qu'à l'échelle des entreprises ou à d'autres échelons institutionnels), l'accès aux écoles locales pour tous les enfants, ainsi que des mesures qui permettent de gagner du temps dans les activités domestiques et de soins. Ceci, bien sûr, est particulièrement pertinent pour les femmes, et peut regrouper une grande variété de mesures – accès facilité aux centres de santé de proximité, disponibilité de services communautaires (structures sportives, centres pour personnes âgées), amélioration des transports publics, bitumage des rues pour faciliter le déplacement des personnes, meilleur accès au téléphone, etc. Il est important de noter que ces mesures devraient faire gagner du temps aux ménages, en particulier aux femmes, qui ont le plus besoin de «concilier» différents types de travail. J'y reviendrai.

Mondialisation de l'entretien et de la reproduction sociale

On observe une féminisation croissante de la migration internationale en provenance d'Amérique latine, en particulier depuis les années 1990. Depuis cette période, le pourcentage de femmes qui émigrent vers certains pays européens a été de plus de 50 % dans de nombreux cas, parfois 60 % (migration bolivienne, colombienne et péruvienne vers l'Espagne), et jusqu'à 70 % (migration dominicaine vers l'Espagne, migration brésilienne vers le Portugal) (Herrera, 2005). Pour ces pays, les flux migratoires sont différents des flux antérieurs car ils s'orientent principalement vers les pays de l'Europe de l'Ouest, vers l'Espagne en particulier. Comme c'est le cas aux Philippines depuis au moins une décennie, ces changements résultent d'une combinaison de facteurs bien connus. En premier lieu, la «crise du *care*» dans les pays européens – résultant de la hausse des taux de participation des femmes à la force de travail, du vieillissement de la population découlant de la chute des taux de fécondité, associé à un allongement de l'espérance de vie, et de la «nucléarisation» accrue de la famille – a été partiellement résolue grâce à la main-d'œuvre étrangère, notamment grâce aux femmes d'Amérique latine. Les pays européens du Sud répondent aux insuffisances de l'offre de soins du service public en permettant aux ménages d'embaucher de la main-d'œuvre étrangère. Les immigrés fournissent ainsi l'aide nécessaire pour que les femmes et les hommes des classes moyennes européennes puissent participer à la force de travail rémunérée. Leur contribution implique d'une part, les tâches de reproduction sociale telles que les soins aux enfants, le travail domestique et d'autres tâches liées à la famille, et de l'autre, les soins aux personnes âgées [3]. Pour ces raisons, les femmes immigrées trouvent plus facilement un emploi que les hommes, avec des rémunérations relativement faibles pour le pays d'accueil, mais suffisamment élevées pour inciter à émigrer.

Concernant l'offre, les inégalités croissantes entre pays fournissent non seulement une incitation économique à émigrer, mais contribuent également au sentiment de vulnérabilité et d'instabilité qui découle des crises économiques, de la pauvreté et du chômage prévalant dans les pays en développement. Des facteurs liés au genre peuvent étayer la décision des femmes d'émigrer, notamment le désir de s'extirper de relations abusives, les conflits familiaux et différentes formes de discrimination entre les sexes (Herrera, 2005). Diverses études ont montré que de nombreuses femmes émigrées ayant des enfants laissent leurs familles derrière elles, soit en supposant que la famille les suivra à terme, soit en mettant en place une sorte de «maternage transnational». Comme dans le cas des Philippines, l'exportation du travail des femmes crée un «épuisement des ressources en matière de soins» qui affecte la capacité des femmes à fournir des soins à la famille laissée dans leur pays d'origine (Parreñas, 2005) ; les ménages doivent choisir qui sera chargé des tâches ménagères, des enfants et d'autres membres de la famille, après le départ des femmes. Cette négociation constante comprend l'implication des hommes dans le processus et la portée du maternage

---

3. *Herrera (2005) indique que neuf femmes équatoriennes sur dix émigrées en Espagne sont engagées dans le travail domestique. Le pourcentage est encore plus élevé dans le cas de celles qui n'ont pas de papiers en règle.*

transnational. Dans tous les cas, il est évident que la migration comporte des coûts cachés qui ne sont pas aisément révélés par les estimations économiques ; notamment ceux entraînés par la dislocation des familles et des communautés, mais aussi des coûts psychologiques, très difficiles à mesurer. Ces coûts ne sont guère pris en considération par ceux qui vantent les merveilles du marché et de la mondialisation pour traiter des problèmes sociaux.

La constitution de familles transnationales implique non seulement une évolution significative des relations entre les sexes, mais également fait partie du nouvel « ordre du genre » associé à la mondialisation dont parlent par divers auteurs (Bakker et Gill, 2003). Les rôles des femmes subissent des changements contradictoires. D'une part, il y a des *inversions* de rôles, symbolisées par leur décision d'émigrer et de trouver un emploi à l'étranger avant que les hommes ne le fassent, ou par leur nouveau rôle dans l'entretien de la famille à travers les envois d'argent. Ces deux faits représentent pour les femmes un accroissement de leur autonomie individuelle et financière, qui peut contribuer au processus de « défaire le genre » (Benería, 2006) [4]. Par ailleurs, le maternage transnational implique également une *continuité* dans les rôles traditionnels des femmes ; malgré l'existence de variations dans le temps et dans l'espace, l'attention que les femmes émigrées portent à leurs enfants ne cesse pas dès lors que celles-ci sont physiquement absentes (Salazar Parreñas, 2005). Dans son étude, aux Philippines, sur les enfants qui grandissent dans des ménages où la mère a émigré, Salazar Parreñas montre à quel point l'expérience des enfants est différente dans des ménages où la mère est absente de ceux où c'est le père. Dans le premier cas, les enfants se sentent privés de la présence et de l'amour de la mère ; de plus, son absence est, pour eux, socialement plus difficile à accepter que celle du père, parce qu'elle va à l'encontre des normes sociales conventionnelles et des rôles de genre traditionnels. De même, Herrera (2005) évoque une mère équatorienne attristée par le fait que ses enfants éprouvent de l'amertume en raison de son absence et n'aient pas compris sa décision de partir. Ces cas illustrent les *tensions* entre les inversions et les continuités de rôles. Parreñas soutient notamment que l'idéologie de la domesticité des femmes reste intacte aux Philippines, mais que cependant, les inversions de rôles décrites sont susceptibles d'œuvrer dans la direction opposée.

---

4. *Cette évolution accroît probablement le pouvoir de négociation des femmes dans leur famille et leur communauté. Je ne connais aucune étude qui analyse cette question en détail.*

L'émigration féminine a des impacts significatifs sur les politiques de « conciliation » à la fois dans le Sud et dans le Nord. Dans les pays d'accueil, l'emploi des femmes émigrées représente, pour le foyer, une solution à la nécessité d'équilibrer le travail familial et le travail sur le marché. De nombreux ménages ont recours à des solutions similaires, contribuant à la privatisation de la reproduction sociale qui prévaut dans le cadre du néolibéralisme mondial. Cette solution est ouverte aux familles qui peuvent en supporter les coûts, mais laisse les ménages à faibles revenus sans solution pour réguler les tensions liées à la gestion du temps. Cette possibilité réduirait donc les pressions sociales, et aiderait à trouver des solutions collectives à la crise des soins, contribuant au cercle vicieux où des solutions privées pourraient retarder les efforts communs de mise en place de politiques publiques. Dans le Sud, la nécessité de trouver un équilibre entre le travail familial et le travail sur le marché est transférée des femmes émigrées aux personnes qui les remplacent. Dans le cas des mères qui laissent leurs enfants derrière elles, même lorsque les pères assument cette responsabilité, ce sont essentiellement des femmes qui s'en chargent, en particulier des parentes proches ou des membres de la famille élargie (Herrera, 2005 ; Salazar Parreñas, 2005). Cependant, en l'absence d'un schéma clair de prise en charge des tâches de la mère ou de la fille absente, il est difficile d'identifier les personnes pouvant tirer profit d'un type quelconque de politique de « conciliation ». Toutefois, les politiques qui font gagner du temps aux membres des ménages et aux femmes en particulier, comme on l'a montré à l'instant, sont susceptibles de les aider.

Approche par les capacités et politiques sociales

Il semble utile d'inscrire les efforts visant à établir un équilibre entre travail familial et marché du travail dans le cadre de l'approche par les capacités. Les politiques de « conciliation » peuvent être perçues comme un moyen d'élargir les capacités de ceux qui en tirent profit, les femmes principalement. La notion de capacités prend le sens initialement défini par Amartya Sen (1985) et développé par Martha Nussbaum (2000), Ingrid Robeyns (2003, 2004) et d'autres. Liée au concept de développement humain, cette approche réfléchit aux moyens de renforcer le potentiel multidimensionnel et les fonctionnements des individus, affectant ainsi la capacité de tout un chacun *d'être* et *de faire*. Sen établit une distinction entre les « capacités » et les « fonctionnements », les premières ayant trait à ce qui est possible et désiré, les seconds, à ce qui est effectivement réalisé ou non. Pour lui, la «principale caracté-ristique du bien-être d'une personne, c'est le vecteur fonctionnement qu'il ou elle réalise» (Sen, 1985). Alors qu'une capacité est «l'aptitude à réaliser», un fonctionnement constitue une réalisation effective ; la première «connote une sorte de possibilité ou d'opportunité de fonc-tionner» (Crocker, 1985, p. 162). Ainsi, les capacités peuvent être liées à la suppression des obstacles dans la vie des personnes, afin «qu'elles aient davantage de liberté de mener le type de vie que, tout bien réfléchi, elles trouvent fructueuse» (Robyens, 2004, p. 2). Pour Sen et Nussbaum, «le développement est la promotion et l'expansion de capacités pré-cieuses» (Crocker, 1985, p. 157).

L'approche est particulièrement pertinente pour les femmes car, en fonction du poids de la discrimination entre les sexes et des normes patriarcales, des mesures conventionnelles de développement peuvent s'avérer être tout à fait inadéquates pour évaluer leur bien-être. Elles peuvent ne pas tirer profit de la croissance économique et du revenu familial – notamment – dans la même mesure que les hommes de leur famille. En conséquence, une focalisation sur les capacités plutôt que sur le revenu peut révéler de manière plus spécifique les diverses dimen-sions pouvant contribuer au bien-être des femmes. Comme le fait valoir Nussbaum (2000), un autre avantage de cette approche réside dans le fait qu'elle peut prendre en compte les inégalités entre les sexes dans l'accès aux ressources et les opportunités au sein de la famille.

Le lien qui existe entre l'approche par les capacités et les politiques sociales nous permet de débattre de certains désaccords ou critiques sur la portée de cette approche. Il lui est reproché d'être trop individua-liste et de ne pas prêter suffisamment attention aux structures sociales (Robyens, 2004). Une autre critique dans le même ordre d'idées est qu'elle reste théorique, sans références suffisantes aux processus col-lectifs des politiques sociales, à leurs limites et à leurs contraintes. Dans la mesure où elle peut éclairer les politiques sociales, l'approche par les capacités doit établir un lien plus explicite avec les structures sociales et la disposition des régimes socio-économiques (par exemple, à l'échelle nationale), à favoriser tant les capacités potentielles que les fonctionnements.

Pour répondre à la critique selon laquelle l'approche par les capacités est trop individualiste, Robyens distingue «l'individualisme éthique» – qui postule que les individus sont les seules unités de préoccupation morale – et «l'individualisme ontologique» qui soutient que «seuls les individus et leurs propriétés existent et que toutes les entités et proprié-tés sociales peuvent être identifiées en les réduisant à des individus et à leurs propriétés» (*ibid.*, p. 13). Robyens fait valoir alors que «l'approche par les capacités englobe l'individualisme éthique, mais ne s'appuie *pas* sur l'individualisme ontologique,» en ajoutant : «elle prend en compte l'influence exercée par les structures et les contraintes sociétales sur [...] les choix» (*ibid.*, p. 14). En établissant une distinction entre la capacité et le fonctionnement, soutient Robyens, l'approche par les capacités reconnaît les facteurs sociaux et environnementaux qui permettent de transformer l'un en l'autre de manière effective. De plus, «le transfert des capacités à des fonctionnements réalisés suppose un acte de choisir» et ce choix est influencé par les structures et les contraintes sociales.

Même s'ils sont bien reçus, les arguments de Robyens n'explicitent pas les variables qui affectent «l'acte de choisir». Ils ne rendent pas compte non plus des aspects plus politiques qui définissent les structures sociales et qui modèlent le régime économique dans le cadre duquel des capacités potentielles peuvent être générées et transformées en fonctionnements. Pour ce faire, il faut une analyse plus critique des facteurs qui influent sur ces possibilités, ceci pouvant paraître superflu à ce niveau d'analyse, mais devenant important lorsqu'on l'applique à une situation spécifique. Ainsi, la première question que j'ai souvent posée en Amérique latine est de savoir «comment financer ces politiques». C'est une question évidente pour les pays où le rôle de l'État dans la politique sociale a non seulement été réduit au minimum et/ou privatisé durant la période néolibérale, mais où l'État lui-même est souvent pauvre et où toute discussion de politique sociale impliquant un effort gouvernemental suppose un réexamen de ses sources de recettes[5]. Sans effort pour changer les forces qui sous-tendent les structures sociales et les politiques publiques, les suggestions qui s'écartent des tendances introduites au cours des vingt-cinq dernières années pourraient ne mener nulle part. Plus généralement et au-delà des questions de financement, le néolibéralisme a représenté un abandon idéologique de la responsabilité de l'État en matière de protection sociale.

---

5. *En Bolivie, l'effort avorté pour rehausser l'impôt sur le revenu sous le gouvernement Gonzales de Losada a envoyé un message pessimiste sur la possibilité de mener des réformes fiscales. Le gouvernement d'Evo Morales, avec son annonce du 1ᵉʳ mai 2006 sur la renationalisation du secteur du gaz et du pétrole, a lancé le signal d'une nouvelle tendance qui semble apparaître en Amérique latine : une évolution vers un État plus interventionniste sur des questions sociales pressantes comme la pauvreté et la protection sociale.*

Ainsi, passer des capacités aux fonctionnements réalisés nécessite de redéfinir des structures sociales qui ont déterminé les politiques au cours de cette période. Dans le cas spécifique débattu ici, l'adoption de mesures visant à « concilier » différents types de travail suppose la volonté d'étendre les interventions sociales. Il est certain que cela peut être négocié à travers un processus politique démocratique, comme Sen aime à le répéter. Robyens (2004) a également souligné que l'approche comprend effectivement des structures sociales dans son cadre conceptuel, « tout en reconnaissant clairement que celles-ci sont les moyens et non les fins du bien-être » (p. 15). Toutefois, sans une reconnaissance plus explicite de la manière dont les moyens déterminent les fins, l'importance pratique de l'approche des capacités est réduite.

Pour conclure, on peut dire que compte tenu des tendances actuelles en Amérique latine, l'insertion croissante des femmes dans la main-d'œuvre rémunérée est destinée à se poursuivre. Dans la mesure où les pays réussiront à rehausser les niveaux de vie, le service domestique tel qu'il existe à présent peut devenir moins accessible à de nombreux ménages. La recherche d'équilibre entre différents types de travail sera certainement une question plus pressante, mais un effort conscient pour répondre à ces besoins supposera un environnement politique capable d'affecter des ressources aux politiques appropriées. Ce n'est pas un tel environnement qui a prévalu durant les deux dernières décennies, pendant lesquelles on a observé la baisse des dépenses de politique sociale. Au cours de cette période, l'accent n'a pas été mis sur les programmes sociaux, alors que le rôle de l'État se concentrait sur la facilitation de l'expansion du marché et sur son fonctionnement à tous les échelons. Les dépenses publiques ont été, quant à elles, entravées par la baisse considérable du montant relatif des impôts et des taxes payés par le secteur des affaires. La mondialisation a facilité ce processus et les politiques fiscales ont été conçues pour favoriser le capital ; d'où une hausse de la part relative des impôts liés au travail ou à la consommation (Wachtel, 2003). En Amérique latine, nous commençons à percevoir un certain renoncement au modèle néolibéral qui a imposé les politiques sociales actuelles – ou l'absence de celles-ci. Ce faisant, les pressions sociales peuvent jouer un rôle important, mais il sera difficile pour chaque pays de construire une politique sociale capable de renforcer les capacités des populations ; dans une économie mondialisée en vertu de laquelle les fondements des approches collectives du bien-être social ont été érodés, cet effort nécessitera une bonne compréhension des connexions globales.

Bibliographie

BAKKER (Isabella) et GILL (Stephen) (eds), *Power, Production and Social Reproduction*, Basingstoke, Palgrave-Macmillan, 2003.

Banque mondiale, *World Development Report*, New York (N. Y.), Oxford University Press, Rapport 2000-2001.

BENERÍA (Lourdes), *Gender, Development and Globalization. Economics as if All People Mattered*, Londres, Routledge, 2003.

BENERÍA (Lourdes), «Globalization, Gender and the Transformation of Women's Roles», *Revista Catalana de Geografia*, automne 2006.

BENERÍA (Lourdes) et FLORO (Maria), «Distribution, Gender and Labor Market Informalization : A Conceptual Framework with a Focus on Homeworkers», dans Shahra Razawi et Shireen Hassim (eds), *Gender and Social Policy in a Global Context : Uncovering the Gendered Structure of «the Social »*, Basingtoke, Palgrave-Macmillan, 2006.

CROCKER (David A.) «Functioning and Capability : The Foundation of Sen's and Nussbaum's Development Ethics,» dans Martha Nussbaum and Jonathan Glover (eds), *Women, Culture and Development : A Study of Human Capabilities*, 153-198, Oxford, Clarendon Press, 1995.

GARCÍA-LINERA (Alvaro), *Reproletarización : nueva clase obrera y desarrollo del capital industrial en Bolivia (1952-1998)*, La Paz, Muela del Diable Editores, 1999.

HERRERA (Gioconda), «Mujeres ecuatorianas en las cadenas globales del cuidado», dans Gioconda Herrera, Maria Cristina Carrillo et Alicia Torres (eds), *La Migración ecuatoriana. Transnacionalismo, redes e identidades*, Quito, Flacso, 2005.

OIT, *Economic Security for a Better World*, Genève, Organisation internationale du travail, 2004.

PARREÑAS SALAZAR (Rhacel), *Children of Global Migration : Transnational Migration and Gendered Woes*, Palo Alto (Calif.), Stanford University Press, 2005.

PÉREZ-SÁINZ (Juan Pablo), «Labor Exclusion in Latin America : Old and New Tendencies», dans Lourdes Benería et Neema Kudva (eds), *Rethinking Informalization : Poverty, Precarious Jobs and Social Protection*, Ithaca (N. Y.), Cornell University Press Open Access Repository, 2006, p. 67-85.

NUSSBAUM (Martha), *Women and Human Development. The Capabilities Approach*, Cambridge, Cambridge University Press, 2000.

NUSSBAUM (Martha), «Capabilities as Fundamentals Entitlements : Sen and Social Justice», *Feminist Economics*, Special issue on «Amartya Sen's Work and Ideas : A Gender Perspective», 9 (2-3), 2003, p. 33-59.

PORTES (Alejandro) et CASTELLS (Manuel), *The Informal Economy*, Baltimore (Md.), Johns Hopkins University Press, 1989.

ROBEYNS (Ingrid), « Sen's Capability Approach and Gender Inequality : Selecting Relevant Capabilities », *Feminist Economics*, Special issue on « Amartya Sen's Work and Ideas : A Gender Perspective », 9 (2-3), 2003, p. 61-92.

ROBEYNS (Ingrid), « The Capability Approach : A Theoretical Survey », *Journal of Human Development*, 2004.

SEN (Amartya), « Wellbeing, Agency and Freedom : The Dewey Lectures 1984 », *Journal of Philosophy*, 82, 1985, p. 169-221.

SEN (Amartya), *Commodities and Capabilities*, Oxford University Press, 1999 [édition originale, Delhi, OUP, 1985].

WACHTEL (Howard), « Tax Distortion in the Global Economy », dans Lourdes Benería et Saviti Bisnath (eds), *Global Tensions, Challenges and Opportunities in the World Economy*, Londres, Routledge, 2003.

Chapitre 5 / LES PLATS CUISINÉS ET LA NOUVELLE DIVISION INTERNATIONALE DU TRAVAIL[1]

Miriam Glucksmann

C et article s'appuie sur l'étude des plats cuisinés au Royaume-Uni pour illustrer les importantes transformations du travail à l'œuvre aujourd'hui, ainsi que pour élaborer un cadre conceptuel pour l'analyse de ces nouvelles réalités. Il porte essentiellement sur le phénomène récent des plats cuisinés frais – des repas complets préparés à partir d'ingrédients frais déjà cuits ou partiellement cuits et qui nécessitent un passage de quelques minutes seulement au four à micro-ondes. Aussi limité que puisse paraître cet objet de recherche, il devient vite évident que des processus mondiaux sont en jeu dans chaque phase de la préparation de cette nouvelle forme d'alimentation et à chaque étape de son cycle de vie, depuis le moment où les ingrédients sont cultivés, en passant par la fabrication, la production et la vente, jusqu'à ce qu'ils finissent par être consommés à table. La question du genre est également présente à chaque étape. Aujourd'hui, la fabrication des plats cuisinés repose sur de nouvelles divisions complexes du travail, à la fois sexuées et ethniques, nationales et internationales, mais aussi sur de nouveaux rapports entre différentes activités professionnelles accomplies dans des lieux fort distants les uns des autres. Dans un premier temps, je situerai cette recherche dans son cadre théorique, qui fait partie d'un programme de recherche plus vaste. Je retracerai ensuite la division du travail mise en œuvre pour ce type de nourriture préparée, au travers des principales phases de production et d'utilisation, en attirant l'attention sur ses dimensions internationales et sexuées.

L'organisation sociale totale du travail

Ma recherche porte sur les activités professionnelles et les diverses façons dont elles peuvent être liées les unes aux autres. De nombreux changements dans le monde du travail à l'échelle mondiale impliquent

1. *Article traduit de l'anglais par Véronique Perry.*

une reconfiguration des relations entre différentes activités et types de travail. Enquêter sur les interactions entre ces diverses activités professionnelles exige une approche analytique capable d'englober dans un même cadre des modes de travail différents. Le travail peut être rétribué ou non, formel ou informel, effectué à l'extérieur ou à l'intérieur des relations de marché, dans une structure bénévole ou associative, dans les secteurs privés ou publics de l'économie. Plutôt que de considérer chacun de ces modes séparément, il est crucial de découvrir comment ils sont reliés et se superposent. Le cadre développé ici, celui de « l'organisation sociale totale du travail » (*Total social organisation of labour* (TSOL)) (Glucksmann, 1995, 2000, 2005), met en lumière les liens, les superpositions partielles et les interactions entre différentes formes de travail, accompli sur la base de relations socio-économiques diverses. Le TSOL refuse la distinction entre le travail et l'emploi, au profit d'un concept inclusif qui reconnaît comme travail de nombreuses formes d'activités non rémunérées, non différenciées ou non reconnues comme séparées des relations - sociales, culturelles, familiales ou amicales - au sein desquelles elles sont effectuées. Le concept d'organisation sociale totale du travail s'attache aux rapports entre les différentes formes de travail par-delà les frontières, ainsi qu'au caractère changeant, à la formation et à la dissolution de ces frontières. Cette démarche requiert de prendre en compte les modes de mise en lien, les articulations, les intersections et les configurations de ces rapports.

En poussant la réflexion, on s'aperçoit que différencier deux dimensions des rapports entre activités professionnelles nous aide à analyser l'ampleur des caractéristiques sexuées et mondiales du travail associé aux plats cuisinés. La première dimension concerne les liens entre divers modes socio-économiques, c'est-à-dire entre le travail effectué selon un certain type de relations socio-économiques et celui réalisé à partir de relations totalement différentes. Alors que le travail rémunéré est la forme dominante de nos sociétés industrielles modernes, d'autres formes de travail existent, souvent fondées sur la non-rétribution dans l'univers domestique, communautaire et dans la sphère publique officielle. Les frontières entre ces modes socio-économiques ont toujours été perméables, la même activité professionnelle existant dans les différents domaines. De plus, il existe des rapports entre le travail produit lors de la fabrication, de l'approvisionnement d'un bien, de sa distribution et de sa consommation, même si ces opérations sont indirectes, accomplies par diverses organisations, sur des bases économiques différentes. Certains biens produits grâce aux emplois marchands présupposent que des formes non marchandes de «travail» soient assurées par les consommatrices et les consommateurs, c'est pourquoi l'on observe un rapport entre les activités professionnelles dans l'ensemble des divers modes socio-économiques.

Ainsi, au milieu du XXe siècle, on vit le déclin des laveries en tant qu'entreprises commerciales, supplantées par les laveries automatiques où les individus lavaient eux-mêmes leur linge, avant de le faire chez eux. La fabrication des machines à laver pour un usage domestique plutôt qu'industriel fut ainsi fondée sur une nouvelle forme de travail accompli à la maison. L'accroissement des ventes de machines à cuire le pain fournit un exemple plus récent. Bien qu'il soit peu probable qu'elle déloge la fabrication industrielle à grande échelle, la vente de ces machines montre un rapport nécessaire entre les activités professionnelles produites par le marché et les consommateurs, car les activités professionnelles qui permettent de produire de telles machines présupposent l'accomplissement d'un ensemble d'activités par les consommateurs.

La seconde dimension concerne les différentes étapes d'un procédé global de fabrication, de la production à la consommation, en passant par la distribution et la vente au détail. Le procédé qui consiste à s'occuper des biens ou des services du début à la fin est fondé sur l'existence de liens entre les étapes successives. Le fait que la production d'un bien spécifique suppose une certaine forme de distribution pour arriver chez les consommateurs prouve l'existence d'un rapport entre les activités professionnelles de production et celles de distribution et de vente. Modifier l'une d'entre elles peut avoir des effets en amont ou en aval sur les autres. L'approche que j'élabore, à la suite de Karl Polanyi (1957) et Mark Harvey (2007), considère l'approvisionnement, la distribution, l'échange et la consommation comme des opérations distinctes, mais mutuellement dépendantes et liées entre elles. Elles composent une configuration où les parties et le tout varient et changent tout en étant en relation, et se stabilisent sur un espace et un temps donnés. De telles configurations relationnelles sont caractérisées par des modèles distincts de dépendance mutuelle et d'asymétrie de pouvoir. L'importance relative des différentes parties dépendra du produit ou du service en question : la distribution sera peut-être plus importante que la production et vice-versa. Bien sûr, d'autres phases peuvent s'ajouter aux précédentes, comme le marketing ou la publicité.

Un des aspects fondamentaux de la complexité des relations induites par les techniques de préparation des plats cuisinés est constitué par le travail accompli aux étapes successives de la fabrication, et la façon dont les différents types de tâches s'articulent et se divisent en unités distinctes. Le travail à chaque étape dépend du travail accompli au cours des autres phases, de sorte que, quand de nouvelles technologies sont introduites à une étape, elles ont souvent des implications ailleurs. À chaque moment, les articulations peuvent être stables et continues, mais un changement conduira à la rupture ou à la réorganisation de l'articulation dans la division du travail, puis au réajustement du travail accompli entre ces articulations. Dans le cas des plats cuisinés, on peut voir que les changements dans le travail effectué aux différentes étapes du processus pris dans sa globalité ne peuvent être considérés comme étant simplement reliés entre eux, puisque ces étapes sont totalement interdépendantes.

Cette recherche montre clairement que la division du travail ne doit plus être comprise simplement comme une division technique de tâches remplies par différentes personnes de différents pays, groupes ethniques et sexes. Bien sûr, il y existe une division technique du travail, du type de celle mise en avant par la «théorie sur l'organisation du travail» (*labour process theory*), à la suite de conclusions marxiennes, dans toute structure professionnelle. Et après des années de débats féministes, il est maintenant bien établi que les divisions techniques du travail se croisent et se superposent avec les divisions sociales fondées sur le genre, l'ethnicité, la nationalité, etc. Mais analyser cette division technique du travail suppose que l'on reconnaisse et que l'on admette les autres divisions du travail que j'ai distinguées, en faisant un lien entre les activités professionnelles qui se croisent au sein des divers modes socio-économiques, et en s'étendant sur un processus socio-économique complet au travers de toutes ses phases de production, distribution, échange et consommation. En d'autres termes, je suggère qu'il est nécessaire de penser les divisions du travail comme multiples. Outre sa division technique, le travail est aussi divisé et relié au travers de modes socio-économiques d'approvisionnement et d'une configuration de production dans son ensemble. Chacune de ces trois divisions est caractérisée par des modes d'organisations variés, repose sur différentes dynamiques, produit divers effets, mais il y a aussi un rapport entre chacune d'entre elles.

La nouvelle division du travail et les plats cuisinés

Comment montrer que tout ceci est lié au genre et à la mondialisation? Je répondrai à cette question en examinant les formes de travail et d'emploi qui sont en jeu dans quelques-unes des étapes de la fabrication des plats cuisinés, en me concentrant particulièrement sur le genre et la dimension internationale. Généralement, une nouvelle relation entre les fabricants, les détaillants et les consommateurs s'accompagne d'un déplacement corrélé du travail, du foyer vers les usines où les aliments sont préparés et vers les points de vente qui proposent les nouveaux produits. L'emballage, la distribution, la publicité et les ventes prennent de l'ampleur et évoluent également en fonction de l'extension du secteur alimentaire, la main-d'œuvre étant recrutée pour accomplir diverses formes de travail dont certaines n'étaient pas rémunérées auparavant.

Enquêter sur tout le travail accompli dans le processus de production des plats cuisinés, jusqu'à ce que ceux-ci arrivent aux consommateurs, constituerait un projet de recherche très difficilement réalisable car il exigerait des recherches dans de nombreux pays, lieux de travail et entreprises. Toutefois, il est possible d'émettre des hypothèses sur la forme et la structure de la division du travail dans son ensemble. Étant donné que c'est aux quatre coins de la planète que se trouvent les produits agricoles nécessaires aux ingrédients, la division du travail est clairement internationale, même si l'on ne peut pas établir de chiffres pour la main-d'œuvre dans les pays fournisseurs à partir des produits finis. En conséquence, toute estimation de l'emploi lié aux plats cuisinés qui ne prendrait en compte que les données du Royaume-Uni serait forcément partielle et inexacte.

Le genre est un trait dominant de la division du travail. Les différentes étapes de la préparation, de la fabrication et de la vente des plats cuisinés sont réparties de façon inégale entre les hommes et les femmes, et sur la planète. C'est la division du travail au plan mondial qui est en jeu, au centre de laquelle se trouve le genre. Cependant, comme nous pouvons le voir, bien que certains modèles de différence de genre soient prévisibles, nous avons également fait des constats surprenants et inattendus. Pour les mettre en lumière, nous porterons une plus grande attention à certaines étapes plutôt qu'à d'autres.

Le travail agricole qui produit les ingrédients

À l'échelle mondiale, la production des ingrédients de base des plats cuisinés repose largement sur le travail des femmes, souvent occupées dans les travaux saisonniers en Afrique (pour les haricots et les pois frais) ou en Amérique latine (pour les fruits). Aujourd'hui, les plats cuisinés contiennent des ingrédients qui viennent du monde entier et il est compliqué de démêler la nature sexuée de la variété des tâches qu'implique leur production : l'expérience de vie d'une productrice de vanille en Ouganda variera de façon significative de celle d'une personne qui travaille au Chili à la cueillette des fruits ou au Brésil dans un abattoir. Toutefois, il est possible de tenir compte des implications sexuées, des changements exceptionnels qui ont eu lieu ces vingt dernières années dans l'agriculture au plan mondial.

Les pays en développement ont vu décroître leur part d'exportation des denrées traditionnelles de base (coton, tabac, café et céréales) et s'accroître les exportations des produits agricoles dits à « haute valeur ajoutée » (HVA), qui comprennent les produits alimentaires industriels, l'horticulture, la floriculture et les viandes riches en protéines (Barrientos *et al.*, 2004). Les raisons de ce changement spectaculaire sont nombreuses : le développement technologique des chaînes de refroidissement et des infrastructures de transport qui permettent l'exportation rapide et vraisemblablement saine de biens périssables ; et la libéralisation des pratiques commerciales dans les années 1980 et 1990 qui ont obligé de nombreux pays africains et latino-américains à démanteler leurs politiques protectionnistes et à diversifier leurs exportations. Mais une autre raison fondamentale tient précisément à la croissance de la demande pour la nourriture « pratique » dans les pays occidentaux (Barrientos *et al.*, 2004 ; Dolan et Sorby, 2003).

Le Kenya est un cas particulièrement intéressant puisque c'est un fournisseur clé de l'Union européenne pour les produits agricoles HVA, comme les haricots mange-tout, les haricots verts, le maïs doux, les courgettes, les asperges, les carottes et le maïs de petite taille. Tous ces produits sont présents à la fois comme ingrédients dans des plats cuisinés et dans les sachets à passer au four à micro-ondes. Les exportations de légumes frais en provenance du Kenya ont augmenté de 53 % en volume entre 1993 et 1999, et de 206 % en rapport qualité-prix. L'agro-industrie HVA s'est tellement étendue qu'elle est passée d'un petit commerce centré sur les légumes asiatiques dans les années 1960 à un commerce international basé sur les légumes (de luxe). La grande majorité de ces produits est destinée à l'Europe, le Royaume-Uni absorbant la part du lion, en l'occurrence 71 %.

La croissance de l'industrie HVA a augmenté la disponibilité de travail rémunéré pour les femmes. Retrouver précisément en quoi le genre influence la composition de la main-d'œuvre pour les HVA peut toutefois être problématique, car les données disponibles sont peu fiables et la dimension sexuée n'est pas toujours visible. Toutefois, une étude des plus grandes entreprises d'exportation kenyanes d'horticulture et les grandes fermes qui produisent pour elles sous contrat (Dolan, 2004) produit un tableau fort utile. Les femmes représentent 66 % du travail de conditionnement dans la zone urbaine de Nairobi où sont préparés les produits pour l'exportation et représentent 60 % de la main-d'œuvre agricole. La grande majorité sont jeunes, célibataires et ont émigré d'autres parties du pays. En effet, 100 % des personnes qui travaillent dans les usines de conditionnement et 86 % de la main-d'œuvre agricole sont des migrants de l'intérieur. Dans les deux cas, il est évident qu'il y a une nette séparation entre « le travail pour les femmes » et « le travail pour les hommes ». Dans les usines de conditionnement, la majorité des femmes effectue des tâches répétitives qui demandent de l'habileté et pour lesquelles le rythme est bien réglé. Outre trier et calibrer les légumes, elles effectuent des activités à valeur ajoutée comme laver, couper, trancher et étiqueter. Les hommes sont surtout chargés de sceller les paquets de légumes et de charger les cageots dans des entrepôts réfrigérés. Dans les fermes, les hommes sont principalement employés à des activités qui précèdent la récolte, comme traiter et irriguer les champs, construire des serres et les armatures qui soutiennent les légumes dans leur croissance, alors que les femmes prédominent dans la culture et les phases de production suivant la récolte (planter, arracher, calibrer et empaqueter les légumes).

Certaines de ces tâches assignées en fonction du sexe sont le reflet de la division traditionnelle du travail dans l'agriculture africaine. Cependant, cette assignation est également étroitement liée aux impératifs de qualité, de cohérence et de rapidité de la chaîne d'exportation, impératifs associés par les dirigeants à des caractéristiques qualifiées de « féminines » : adresse et conscience professionnelle. Le président des exportateurs de produits horticoles du Kenya affirme que : « les femmes sont de meilleures cueilleuses de haricots. Leurs mains sont plus petites et elles ont plus de patience pour ce travail que les hommes » (cité dans Dolan, 2004).

L'analyse à l'échelle mondiale des légumes comme denrée met en relief la façon dont les supermarchés du Royaume-Uni exercent indirectement une autorité et un pouvoir tout au long de la chaîne de production, et la manière dont ce pouvoir affecte les entreprises, les ouvriers et les ouvrières au Kenya. Nous avons ici un nouvel exemple de « l'avantage comparé des désavantages des femmes » (Dolan, 2004, p. 124) qui marque d'autres chaînes de denrées au plan mondial.

La préparation

Cette phase correspond au travail produit au Royaume-Uni plutôt qu'à l'étranger ; il s'agit de hacher, couper, peser les produits, fabriquer la sauce et préparer d'autres ingrédients pour fournir de gros industriels. Un tel travail peut être accompli soit dans de petites entreprises reposant sur des liens familiaux ou ethniques et qui fournissent les grandes usines, c'est-à-dire dans les unités industrielles qui dominent le marché. Dans une large mesure, on a là une nouvelle forme de travail rémunéré qui aurait auparavant été effectué par des femmes non rétribuées et à une échelle individuelle, pour une consommation immédiate dans leur propre foyer. C'est un travail qui demeure féminisé, mais il est aussi significatif de voir que ce travail est également hautement ethnicisé. De fait, il ne peut pas être facilement distingué de l'étape suivante.

La fabrication

Elle renvoie à la préparation finale, la cuisson industrielle, l'assemblage et le conditionnement des produits. Cette étape est dominée par quelques grandes entreprises, telles que Bakkavor, Hazlewood, Greencore ou Northern Foods, dont la structure et les relations avec leurs propres fournisseurs reflètent celles que les détaillants ont avec elles. J'ai passé plusieurs mois à effectuer un travail de terrain et des interviews dans les usines britanniques que possèdent ces entreprises, qui produisent en série des millions de plats cuisinés sur leurs chaînes de montage, chaque semaine. Je m'attendais à ce que la main-d'œuvre soit composée majoritairement de femmes et qu'une grande proportion ait surtout migré des pays récemment entrés dans l'Union européenne, comme la Pologne et la Lituanie. La fabrication de la nourriture industrielle au Royaume-Uni a connu une grave pénurie de main-d'œuvre pendant quelques années, et ce secteur est l'un de ceux pour lesquels il n'y a pas de restrictions migratoires et où les permis de travail sont disponibles pour la main-d'œuvre non qualifiée venant de l'Union européenne ou d'ailleurs.

Je fus très surprise de trouver une très forte proportion d'hommes migrants, embauchés pour accomplir des tâches répétitives qui exigeaient d'avoir des « doigts agiles » et de faire attention aux détails. Des hommes forts faisaient un travail qui, en d'autres temps et lieux, aurait normalement été conçu comme « féminin », par exemple : enlever les yeux des pommes de terre ou peler les oignons à la machine.

Dans toutes les usines où je me suis rendue, j'ai vu des hommes faire ce qui est typiquement un «travail de femme». De plus, de nombreuses chaînes de montage étaient mixtes, hommes et femmes effectuant un travail identique au même poste de chaque côté du transporteur à bande. Avant même que je ne le demande, les personnels de direction venaient spontanément me dire que toute autre disposition enfreindrait la loi contre la discrimination sexuelle! D'un autre côté, ces personnels de direction insistaient aussi sur les avantages d'employer du personnel migrant, motivé, travaillant dur, apprenant rapidement. Ainsi, le discours dominant il y a vingt ou trente ans au Royaume-Uni, et qui prévaut toujours aujourd'hui au Kenya et ailleurs, qui affirme que les femmes possèdent naturellement des aptitudes fondées sur leur sexe, a été remplacé par un discours sur les qualités de travail du personnel migrant. Le paramètre «genre» ne se retrouvait véritablement ni dans le recrutement, ni dans l'évaluation du travail. On présentait une logique tout autre, construite à partir des motivations et de l'ethos professionnel de groupes nationaux particuliers. En ceci, les Britanniques natifs étaient considérés comme bien inférieurs aux personnels migrants asiatiques et africains, et bien plus inférieurs encore aux personnels polonais, lituaniens et lettons.

En second lieu, je fus surprise de constater la grande diversité de la main-d'œuvre migrante qui ne provenait pas seulement de Pologne ou du Portugal mais littéralement du monde entier. Dans une usine où je me suis rendue en zone rurale dans le centre de l'Angleterre, il y avait 572 employés dont une grande majorité était des ouvriers et ouvrières de production. La totalité du personnel d'encadrement, payé au mois, était britannique, mais les 493 ouvriers et ouvrières de production étaient de 33 nationalités différentes. Indiens, Polonais et Afghans formaient la majorité, d'autres venaient du Togo, de Turquie, du Cameroun, de Tanzanie et d'ailleurs. Les hommes migrants étaient largement plus nombreux que les femmes: on comptait 401 hommes sur un effectif total de 572 personnes.

On pouvait retrouver cette structure de travail, où dominent largement les hommes migrants, dans d'autres usines, non seulement en zone rurale dans d'autres régions du pays, mais également à Londres. La seule différence était qu'à Londres, il n'y avait pas de pénurie de main-d'œuvre: c'était même plutôt l'inverse, car les gens faisaient la queue à l'extérieur des usines pour avoir du travail. À Londres, une proportion bien plus grande d'ouvrières et d'ouvriers migrants était asiatique et africaine et l'on voyait très peu de visages blancs dans les zones de production. On m'affirma qu'un très petit nombre de ces personnes possédaient des passeports britanniques.

Transport, distribution, logistique

À une autre étape de la fabrication, les supermarchés ont établi de grands centres régionaux de distribution pour le transfert rapide de produits alimentaires périssables, depuis les usines jusqu'aux réseaux de points de vente répartis dans le pays. À cette échelle, on trouve de nouveaux types de travailleurs : vérificateurs de stock, caristes, experts en logistique, programmeurs de logiciels informatiques, sans compter les conducteurs d'une grosse flotte de camions. Cette partie du processus est largement dominée par les hommes. On doit une grande proportion du trafic sur les autoroutes britanniques aux camions réfrigérés transportant des produits alimentaires, allant des usines aux centres régionaux de distribution ou de ces centres aux points de vente. D'après les statistiques nationales, on compte un million d'emplois dans l'industrie du transport et du stockage. Le commerce alimentaire et l'épicerie représentent une grande proportion, bien qu'aucun chiffre précis ne soit disponible.

Les détaillants

Les grandes chaînes de supermarchés qui vendent la plupart des plats cuisinés font aussi partie des plus grands employeurs du pays. Alors que les hommes sont majoritaires dans les emplois d'encadrement supérieur, la plupart des employés de caisse et des responsables de la vente des produits alimentaires sont des femmes. Dans les générations précédentes, elles n'auraient sans doute pas été embauchées pour des emplois salariés, ces mêmes emplois qui leur permettent aujourd'hui d'acheter les mêmes articles que ceux qu'elles vendent. Contrairement aux employés de magasins des époques précédentes, le travail dans le détail alimentaire se concentre maintenant plus ou moins exclusivement sur le rayonnage et l'encaissement – on demande aux consommateurs de se servir eux-mêmes et, de plus en plus, de payer eux-mêmes, alors que le conditionnement est effectué plus tôt dans la fabrication.

Consommation et utilisation

Cette étape fait référence au travail exigé du consommateur avant ou après l'acte d'échange, afin d'utiliser les biens et les services achetés. La plupart des analyses sur la division du travail ne tiennent pas compte du travail de consommation, et se concentrent sur le secteur marchand et la sphère de production. Cependant, étant donné la nature mouvante des barrières entre le travail fait par le producteur, les détaillants, etc., d'un côté, et le consommateur ou la consommatrice de l'autre, il est important de considérer le travail de consommation comme faisant partie intégrante de la division du travail, en lien avec le procédé de production. Aujourd'hui, nombre de transformations du travail supposent le travail qui est transféré aux consommateurs, qui doivent désormais effectuer des tâches auparavant prises en charge par les fabricants ou les détaillants. Le « self service », évoqué précédemment, se banalise et se diffuse même dans de nouveaux domaines, surtout depuis l'expansion d'internet.

L'alimentation, cependant, constitue l'un des quelques domaines où la tendance s'inverse, puisque le travail de préparation concerne de moins en moins les consommateurs et remonte dans la chaîne des fournisseurs. L'équilibre n'est plus le même, entre ce qui est effectué par les consommateurs d'un côté, et par la production de l'autre, impliquant une augmentation de ce qui est fait par la production et une diminution de tout ce qui est fait dans les foyers.

Les études révèlent une diminution du temps consacré à la cuisine au sein du foyer. Les femmes gardent la responsabilité première des courses et de la préparation des repas, mais les hommes en font plus qu'avant. Ainsi, la réduction du temps de travail des femmes relève à la fois de l'indifférenciation des marchandises et du changement dans la division domestique du travail. Bien que l'on consacre moins de temps à préparer les repas en 2000 qu'en 1975, un plus grand nombre de personnes participent à cette activité. Le temps que consacrent les hommes à cuisiner a augmenté (de 11 à 23 minutes par jour), mais pour les femmes il a été presque divisé par deux (de 100 à 58). Cependant, les femmes passent toujours beaucoup plus de temps à cuisiner et un nombre plus significatif d'entre elles participe à cette activité, contrairement aux hommes : 92 % des femmes et 73 % des hommes en 2000, contre 94 % et 45 % respectivement en 1975 (Cheng *et al.*, 2007). Si l'on prend une échelle de temps différente pour la comparaison, l'analyse des agendas quotidiens démontre qu'en 1961 les femmes passaient 115 minutes par jour à faire la cuisine et la lessive ; en 2001, ce chiffre est passé à 71 minutes (Sullivan et Gershuny, 2001 ; ISER, 2005). Les hommes passent plus de temps à effectuer certaines tâches domestiques : 10 minutes par jour à faire la cuisine et la lessive en 1961 ; 30 minutes en 2001 (ISER, 2005).

La fragmentation des modèles de repas en famille a aussi un impact sur le temps consacré à la préparation de la nourriture à la maison. Il est largement démontré que les membres d'un même foyer partagent moins de repas aujourd'hui que par le passé. En 1961, 33 % prenaient le repas du dimanche à la maison avec leur famille. En 2001, ce chiffre était apparemment tombé à 8 % (ISER, 2005). Cependant, les résultats sur la prise de repas ensemble sont contradictoires. Les découvertes de l'Agence britannique de santé alimentaire (*Food Standards Agency*) montrent un renversement partiel de cette tendance. La proportion de familles qui se retrouve autour d'un même repas au moins une fois par jour atteint 71 % en 2005 alors qu'elle n'était que de 67 % en 2004 (*Food Standards Agency*, 2006, p. 17).

Même si le travail de préparation de la nourriture se déplace de toute évidence vers l'amont et s'éloigne donc du foyer, il serait faux de comprendre ceci simplement comme un déplacement du travail du consommateur ou de la consommatrice vers le producteur. Beaucoup de ce qui est aujourd'hui produit de manière industrielle – surtout le large choix de cuisine internationale – n'aurait jamais été fait à la maison, quoi qu'il arrive. Il s'agit donc plus précisément d'une substitution ou d'un remplacement des modes de préparation culinaire, que d'un simple transfert de travail vers la chaîne de fournisseurs. Et bien que les consommatrices et les consommateurs fassent moins de travail de production domestique, elles/ils peuvent être employé(e)s en plus grand nombre pour produire de la nourriture sous forme de denrées – ou d'articles – alors qu'ils effectuent aussi davantage de travail en se servant eux-mêmes. De plus, la nouvelle tendance étant les « repas composés » (impliquant d'ajouter d'autres ingrédients cuisinés) et la vente au détail des composants des plats à déguster, il est demandé aux consommateurs d'effectuer plus de tâches d'assemblage et le « self-service » s'étend du choix des articles sur les rayonnages au paiement.

L'émergence de nouveaux produits alimentaires, comme les plats cuisinés, est fondée sur les transformations du travail de préparation de la nourriture, transformations qui affectent non seulement la production et la distribution, mais aussi les détaillants et les consommateurs. Les changements à chacun de ces niveaux sont si étroitement liés que la division du travail à chaque étape ne peut pas être comprise si elle est isolée de l'ensemble du processus. Chacune de ces étapes fait partie d'une métadivision du travail, entre la production, la distribution, l'échange et la consommation, qui ne peut être expliquée qu'en relation avec ce même niveau, plus haut, d'organisation du travail. Chaque étape est caractérisée par des divisions du travail bien distinctes : entre hommes et femmes, migrants et non migrants, personnes de différentes nationalités, vivant près ou loin les unes des autres et à différents endroits de la planète.

Cet exemple démontre, une fois de plus, qu'il n'y a pas un modèle unique de mondialisation mais beaucoup, et que tous sont spécifiques. À l'échelle mondiale, les procédés de fabrication associés aux plats cuisinés vendus et consommés au Royaume-Uni sont modelés par de nombreux facteurs spécifiques : l'organisation particulière des marchés, laquelle comprend les consommateurs qui sont en bout de chaîne ; des chaînes de fournisseurs propres, où les détaillants, qui occupent une position de pouvoir centrale, exercent un contrôle en amont et en aval des supermarchés ; des divisions du travail particulières quasiment à chaque étape du processus ; la disponibilité ou l'absence de travail au plan local. Ces facteurs, et beaucoup d'autres encore, se combinent dans une configuration unique. Le genre est clairement central à ce processus, mais il en est de même de la migration et de la nationalité.

Bibliographie

Barrientos (Stephanie), Kabeer (Naila) et Hossain (Naomi), *The Gender Dimensions of the Globalization of Production*, Working Paper 17, Genève, Organisation internationale du travail, 2004.

Cheng (Shu-Li), Olsen (Wendy), Southerton (Dale) et Warde (Alan), « The Changing Practice of Eating : Evidence from UK Time Diaries, 1975 and 2000 », *British Journal of Sociology*, 58 (1), 2007, p. 39-61.

Dolan (Catherine), « On Farm and Packhouse : Employment at the Bottom of a Global Value Chain », *Rural Sociology*, 69 (1), 2004, p. 99-126.

Dolan (Catherine) et Sorby (Kristina), Gender and Employment in High-Value Agriculture Industries, *Working Paper 7*, Washington, Banque mondiale, 2003, p. 107.

Food Standards Agency, *Consumer Attitudes to Food Standards Wave 6*, Londres, TNS, février 2006.

Glucksmann (Miriam), « Why "Work" ? Gender and the "Total Social Organisation of Labour" », *Gender, Work and Organisation*, (2), 1995, p. 63-75.

Glucksmann (Miriam), *Cottons and Casuals : The Gendered Organisation of Labour in Time and Space*, Durham, Sociology Press, 2000.

Glucksmann (Miriam), « Shifting Boundaries : The "Total Social Organisation of Labour Revisited" », dans Jane Parry, Rebecca Taylor, Lynne Pettinger et Miriam Glucksmann (eds), *The New Sociology of Work ?*, Oxford, Blackwell-Sociological Review, 2005.

HARVEY (Mark), «The Rise of Supermarkets and Asymmetries of Economic Power», dans David Burch et Geoffrey Lawrence (eds), *Supermarkets and Agri-food Supply Chains : Transformations in the Production and Consumption of Foods*, Cheltenham, Edward Elgar, 2007.

Iser, *Taking the Long View : The Iser Report*, Colchester, Institute for Social and Economic Research, University of Essex, 2004/2005. http://www. iser.essex.ac.uk

POLANYI (Karl), «The Economy as Instituted Process», dans Karl Polanyi, Conrad Arensberg et Harry Pearson (eds), *Trade and Market in the Early Empires*, New York (N. Y.), Free Press, 1957.

SULLIVAN (Oriel) et GERSHUNY (Jonathan), «Cross-national Changes in Time-Use : Some Sociological (Hi)stories Re-examined», *British Journal of Sociology*, 52, 2001, p. 331-347.

II - MOBILITÉS INTERNATIONALES : MONDIALISATION DU *CARE* ET MARCHÉ DU SEXE

Introduction

Françoise Bloch et Adelina Miranda

D e nombreux travaux de recherche mettent l'accent sur l'importance croissante de migrations de femmes venues de pays très
différents chercher dans les pays riches de quoi vivre, et sortir
de la pauvreté, de la guerre, de la corruption, de l'effondrement du
« socialisme réel » ou des effets d'ajustements monétaires du FMI. Ces
femmes « invisibles » travaillent dans le secteur des activités dites
« domestiques », sans que l'on sache concrètement en quoi consiste leur
travail : elles prennent en charge enfants et personnes âgées et d'autres
tâches difficilement « délocalisables », et ceci dans des familles dont le
revenu permet d'externaliser ces activités qu'elles effectuent dans un
rapport social précis, celui de la domesticité. Ces femmes sont le plus
souvent sans statut légal et donc sans droits, et ont fréquemment laissé
leurs propres enfants et leur groupe familial au pays. Les avis divergent
sur les conséquences de leur migration, car ils reposent sur une conception socio-centrée de ce qu'est l'autonomie des femmes ou le « sujet »
et son « désir » [1], même si, bien entendu, l'individualité de ces femmes
n'est pas réductible au travail qu'elles exercent et qu'elles n'ont bien
souvent pas choisi de faire. Les textes présentés ici tentent d'analyser
les effets de la migration de ces femmes : les arrangements et réaména-
gements au sein du couple et du groupe familial dans le pays d'origine
(Morokvasic), les espaces de liberté qu'elles arrivent à conquérir (Mozère),
les accords entre États qui « organisent » ces migrations – le Japon pour
résoudre le vieillissement de sa population, les Philippines pour en tirer
des devises (Ito) –, la prostitution de femmes (et d'enfants) enserrée en
grande partie dans un trafic très lucratif (Lim) ou les « blessures cachées »
que l'absence de leur mère provoque chez les enfants laissés au pays
(Devi, Isaksen et Hochschild).

---

1. *Les concepts de sujet, d'autonomie ou de désir, fort ethnocentrés et propres
aux classes supérieures occidentales, auraient intérêt à être resitués dans les
contextes et formes sociales qui prévalent dans les pays d'origine – fort différents – de ces femmes.*

À quelques exceptions près, ces femmes migrantes restent le plus souvent invisibles, comme le travail qu'elles effectuent, et possèdent une particularité, bien involontaire et non soulignée dans ces textes, celle d'exercer une pression salariale dans le secteur du *care* si difficile à faire reconnaître car justement « invisible » : malgré leur formation souvent très spécifique faisant d'elles des professionnelles du soin (Ito), ces femmes acceptent des conditions de travail, des horaires flexibles ou des temps morcelés auxquels les femmes du pays tentent de résister. Malgré cela, elles aménagent avec une imagination déconcertante leur situation pour la rendre vivable pour elles et leur famille, le plus souvent laissée au pays, et à l'égard de laquelle elles montrent leur solidarité et leur « dette de reconnaissance », qui n'est ni spécifique aux pays dont elles proviennent, ni imputable aux seules femmes (Mozère) mais constitue une composante anthropologique qui traverse toutes les sociétés humaines. Pourtant, oublierait-on que tout droit possède sa contrepartie, une obligation ; mais aussi que toute obligation, et donc tout travail s'accompagnent de droits ? Nul(le) n'est au principe de son existence et des conditions de celle-ci, et chacun(e) se doit de reconnaître ce qu'il doit aux autres, ceux-ci mettant leurs capacités à son service afin de satisfaire ses besoins. Plus que d'autonomie dont ces femmes feraient preuve, il faut parler de courage et, dans de nombreuses situations, on observe surtout une inversion du genre provoquée par la migration : ces femmes deviennent un soutien familial – prérogative généralement masculine –, et envoient de l'argent pour subvenir aux besoins de leur « famille élargie » restée au pays, plus d'ailleurs que l'aide au développement censée être versée aux pays d'origine par ceux où elles immigrent.

Quel est le prix de tout cela ? L'article d'Uma Devi, Lisa Widding Isaksen et Arlie R. Hochschild montre les « blessures cachées » provoquées par la migration de certaines de ces femmes, c'est-à-dire par leur absence : une grande souffrance pour elles, mais aussi pour leurs enfants restés en Inde, au Kerala. Or, ces « blessures cachées » existent également dans les pays occidentaux chez certains enfants et adolescents. En effet, la matérialité des soins procurés à l'enfant – cet être fondamentalement intersubjectif capable de percevoir le moi d'autrui avant sa naissance –, ne peut être séparée de ce qui la soutient, la relation vivante, chaleureuse et idéalement aimante que lui prodiguent sa mère ou ses substituts. L'argent, les objets et autres « machines désirantes » que procure « le marché », ne sont pas susceptibles de pourvoir à cette relation qu'a besoin de nouer un enfant – ou une personne âgée d'ailleurs – avec d'autres humains sans que ce « manque » de sollicitude humaine n'entraîne de conséquences. Comment donc faire reconnaître à sa juste valeur ce travail de soin et de sollicitude effectué majoritairement par les femmes – ici étrangères – qui laissent leurs enfants et leur famille au pays pour satisfaire « les besoins » ou « les désirs » d'Occidentaux la plupart du temps « nantis » ? Quant à la prostitution, son trafic (Lim) profite à ceux qui l'organisent, plus qu'aux femmes qui le subissent et peuvent difficilement s'y soustraire puisque les pays où elles émigrent ne leur reconnaissent pas le droit d'y résider.

Migrations féminines, ordre genré et travail de *care*

La visibilité croissante des travailleuses migrantes a fait émerger deux questions majeures : la logique sexuée qui régule les faits migratoires et la dialectique existant entre facteurs économiques et non économiques. Les analyses de Mirjana Morokvasic, Liane Mozère, Lean Lim Lin et Ruri Ito permettent d'avancer sur ces deux questions.

L'attention portée par Morokvasic aux dynamiques souvent contradictoires qui guident les migrations féminines retient qu'elles ne remettent pas en cause l'ordre genré, ni des sociétés de départ ni des sociétés d'arrivée. Avec les migrations, des connexions se créent entre des cultures éloignées qui s'enchevêtrent avec les structures sociétales. Leurs recompositions ne sont ni linéaires, ni homogènes, ni ordonnées par une logique invariante ; les migrations engagent à une re-signification de l'ordre genré tout en participant à la création de nouvelles hiérarchies, entre hommes et femmes, migrantes et non migrantes, et entre différents groupes de migrantes. Les diverses motivations et les causes qui président au départ, les différents parcours et les formes d'agencement variées des relations entre les lieux de départ et d'arrivée créent des conditions hybrides qui, en situation migratoire, se déclinent d'une manière spécifique : elles relient les sociétés sédentaires selon une dynamique d'adaptation entre sphères productive et reproductive.

Comme dans le cas des Polonaises en Allemagne ou des commerçantes tunisiennes, l'agencement entre temporalités du travail et du retour permet aux migrantes d'organiser une « coprésence alternante » qui, tout en s'appuyant sur un ordre sexué, peut parfois tourner à leur avantage. La position sociale sexuée conditionne l'accès aux ressources et à la mobilité internationale, mais les migrantes composent avec les différentes échelles sociales, économiques et spatiales. En fin de compte, comme le montre Morokvasic, les situations migratoires transforment les relations hiérarchiques existant entre les sexes, parfois concourent à leur renforcement. Les parcours d'individualisation qui s'en suivent résolvent inégalement les contradictions que vivent les migrantes, notamment comme mères et épouses le cas échéant, et membres d'une parenté élargie, surtout lorsqu'elles travaillent dans les secteurs domestique et du *care*.

Comme le montrent les auteures, l'externalisation du travail reproductif en situation migratoire incorpore de nouvelles formes d'hégémonie et de subordination et, même si celles-ci se situent dans l'espace privé, leur gestion est profondément liée à des questions de politiques publiques. Les politiques migratoires ont ainsi constamment intégré la valeur différentielle attribuée à la sphère reproductive. Les dispositifs migratoires mis en œuvre par certains États englobent cette « nature » féminine, d'autant plus que la privatisation ou l'absence des services publics détermine une augmentation du travail non payé des femmes. Avec le vieillissement de la population des pays occidentaux, le mécanisme est devenu encore plus évident.

Comme l'analyse Ito, dans une « *super aged society* » comme la société japonaise, le travail du *care* et l'appartenance de genre sont pris en compte lors de l'élaboration des politiques migratoires pour répondre à la transformation de la structure des classes d'âge, et aux changements provoqués par la distribution et la transmission des solidarités intergénérationnelles. Les politiques migratoires s'organisent selon un double registre apparemment contradictoire : assurer le contrôle des flux dans l'optique de préserver l'identité nationale et, parallèlement, admettre sur le sol national des femmes étrangères afin de faire face aux problèmes démographiques et économiques. C'est ainsi que l'attention portée par Ito au travail du *care* envers les personnes âgées au Japon ouvre d'importantes perspectives comparatives, tout en posant la question centrale des intersections existant entre les rapports sociaux de sexe et la reproduction des rapports intergénérationnels en situation migratoire.

Issues d'approches variées, les contributions suivantes montrent qu'il est urgent de cesser de considérer le marché classique du travail comme indépendant du travail informel, en particulier du travail du sexe et de la variété du travail rémunéré ou non, nécessaire à la reproduction sociale et à ses transformations globales.

Chapitre 6 / LE GENRE EST AU CŒUR DES MIGRATIONS

Mirjana Morokvasic

L a question de l'impact de la migration, et plus spécifiquement de l'emploi des femmes immigrées sur les rapports sociaux de sexe, a toujours été un défi pour la recherche sur la migration féminine. Plus récemment, ce défi se retrouve dans les travaux qui se réclament du champ *migration et genre* (Marx Ferree, 1979 ; Morokvasic, 1984 ; Lim, 1990). Alors que certains travaux constatent plus de liberté et d'autonomie pour les femmes qui migrent, d'autres soulignent que les effets de la migration ne sont pas nécessairement émancipateurs. Au contraire, on observe la stabilisation des normes établies, voire l'intensification de la domination et l'exacerbation des inégalités. Je souhaite aller ici au-delà de cette question au demeurant classique d'éventuels changements découlant de la migration pour essayer d'éclairer le « comment » de ces transformations. Ceci est indispensable si l'on se place dans la perspective des migrant(e)s comme acteurs de changement.

Comment peuvent être réglées les contradictions auxquelles les femmes migrantes doivent faire face : le fait que de plus en plus de femmes soient des pionnières de la chaîne migratoire, donc des cheffes de famille dans un contexte où l'homme est traditionnellement le pourvoyeur ; comment rester présentes dans leur famille malgré l'absence et la distance ; comment gérer la perte de statut et la déqualification ; comment trouver un compromis entre le travail ingrat et subalterne d'une part, et la responsabilité de pourvoyeur économique, de l'autre ?

Pour saisir l'ampleur de ces contradictions, je vais d'abord rappeler la signification de la migration et de la mobilité pour les femmes, et indiquer les secteurs qui les emploient. Je vais ensuite présenter les conclusions contrastées des recherches, celles qui soulignent l'autonomisation et l'*empowerment*, et celles qui insistent sur la stabilisation des rapports de genre. Enfin je montrerai comment les immigrées et les migrantes prennent appui sur les normes traditionnelles qui privilégient les hommes, utilisant l'ordre établi pour le préserver en apparence, tout en le remettant progressivement en question.

Les paradoxes de la mobilité spatiale des femmes

Les migrant(e)s se trouvent placées au sein de hiérarchies de pouvoirs qu'ils/elles n'ont pas construites (classe, race, ethnicité, nationalité, genre...). Celles-ci influent sur leurs pratiques et leurs représentations sociales, mais ils/elles n'en développent pas moins en regard différentes formes d'action (*agency*) à partir de leurs positions respectives. Les conditions structurelles peuvent constituer à la fois des obstacles et des opportunités à saisir.

En se mettant en route, femmes et hommes cherchent à échapper à des conditions insupportables ou jugées telles sur les plans humain, économique ou politique. Du reste, lorsque « partir » devient la norme, les conditions concrètes motivant le départ ne sont même plus si importantes. Femmes et hommes prendront des risques pour migrer, parfois au péril de leur vie.

Comme les femmes ont été et sont encore, dans de nombreuses régions du monde, associées à l'immobilité et à la passivité, celles qui partent, plus souvent seules qu'avant, – qu'elles soient célibataires ou pas – sont, par l'acte même de migrer, susceptibles de bousculer l'ordre établi, et de subir la stigmatisation morale et ses effets. Car ce phénomène central de la mondialisation qu'est la migration internationale, de plus en plus féminisée, est empreint de l'idéologie de genre : tout au long de leur expérience migratoire, les femmes tâcheront de démontrer qu'elles sont, à la fois à cause du départ et grâce à lui (grâce à/en dépit de l'absence de chez elles), de bonnes mères, de bonnes épouses ou de bonnes filles.

La division sexuelle et ethnique du travail à l'échelle internationale assigne les femmes à des emplois précaires, dans des secteurs d'activité socialement dévalorisés : services, hôtellerie et restauration, santé, petit commerce et industrie (assemblage, textile) (Anderson, 2000). La plupart participent de fait à un transfert international du travail de reproduction sociale (Hochschild, 2000 ; Parreñas, 2001). Quant à leur présence dans des activités liées à la commercialisation du sexe, elle est entre autres liée à la mobilité des hommes – des touristes en tout genre, ou encore des militaires, paramilitaires ou des pacificateurs militarisés (Darley, 2007 ; Falquet, 2006).

Ces activités ne sont généralement pas reconnues comme du travail et sont invisibilisées (Augustin, 2007), ou se situent en dehors du cadre réglementé. Les appellations officielles en France et dans certains pays voisins font d'ailleurs référence aux termes « aide » ou « assistance » et non au travail : *domestic helper, Haushaltshilfe, assistante maternelle, aide-ménagère, assitenza* ou *collaborazione familiare.* Le postulat genré des affinités innées des femmes et des jeunes filles avec ces activités sous-tend le fait que ce soient elles qui les exercent massivement.

Comment alors s'attendre à une modification, à une mise en question des rapports de genre ? De nombreuses recherches montrent justement que la présence même des immigrées en tant que substituts féminins aboutit à la stabilisation des rapports établis plutôt qu'à leur mise en question, tant chez les employeur(e)s (Lyon, 2006 ; Shinozaki, 2005) que chez les employé(e)s.

Je soutiens ici l'idée que les migrantes, si elles ne mettent pas en question l'ordre genré, l'utilisent néanmoins dans leur propre intérêt. Elles sont bien conscientes des contextes institutionnels, politiques, socioculturels et économiques qui conditionnent leurs opportunités d'emploi par-delà les frontières. Lorsque le seul moyen de quitter le pays d'origine est le recours à des circuits alternatifs de passeurs, et lorsque les possibilités d'emploi se limitent aux services à la personne ou l'industrie de sexe, il est fort probable que ces immigrées chercheront à « faire avec », plutôt qu'à défier l'ordre qui rend les frontières plus imperméables pour elles et leur recherche de travail.

Les femmes davantage « gagnantes » que les hommes dans la migration ?

Des travaux relatifs à l'immigration aux États-Unis montrent qu'en dépit d'inégalités sexuées inhérentes au marché du travail, les femmes « gagnent » dans la migration, tandis que les hommes perdent en statut social dans le nouveau contexte – qui en outre favorise la participation des hommes à des activités qui, dans leur pays d'origine, sont habituellement considérées comme des « tâches féminines » (Pessar *et al.*, 2003). Même lorsque les femmes n'arrivent pas à intégrer le marché du travail, elles sont néanmoins gagnantes parce qu'elles jouissent d'un accès aux institutions et aux ressources qu'elles n'auraient pas eu dans leur pays d'origine (Foner, 1978). Il semble que les « gains » des femmes sont conceptualisés en termes de genre, alors que les « pertes » des hommes renvoient au statut socioprofessionnel.

Les recherches sur la migration de retour confirment que les femmes sont plus réticentes au retour au pays que les hommes (Morokvasic, 1987). Les femmes seraient mieux intégrées et plus enclines à l'installation dans le pays de destination, alors que les hommes chercheraient à le fuir pour retrouver les valeurs et les normes qui leur sont favorables et qui leur font défaut en situation migratoire, dans un milieu jugé hostile.

En comparant l'impact de l'accès à l'emploi rémunéré des femmes marocaines dans leur pays d'origine et en Espagne, Angeles Ramírez (1999) trouve qu'au Maroc cet accès ne modifie pas les termes du contrat de genre. Dans ce pays, le travail des femmes est encore parfois perçu comme une transgression du rôle traditionnel, alors que travailler en Espagne confère aux femmes davantage de contrôle sur les ressources et plus d'autonomie, contribuant ainsi indirectement à rendre plus digne la figure de la femme active dans le pays d'origine. Au Maroc, les hommes ne sont donc plus vus comme des pourvoyeurs économiques exclusifs.

Rigidification des rapports de genre, dépendance accrue

Dans leur état des lieux sur la modification des rapports sociaux de sexe en migration, Marta Tienda et Karen Booth (1991, p. 69) constatent que les rapports dissymétriques demeurent intacts, alors même que des dimensions spécifiques des inégalités liées au genre sont modifiées. Le fait d'être économiquement indépendantes et même cheffes de famille ne transforme pas nécessairement les identités de mères et d'épouses, qui sont simplement adaptées à la nouvelle situation (Morokvasic, 1987).

Myra Marx Ferree (1979) avait déjà observé que l'accès au travail des femmes ne conduisait pas forcément à des changements dans les rapports de domination et d'autorité hommes-femmes : parmi les Cubain(e)s de la classe moyenne aux États-Unis, l'emploi des femmes a tout simplement été incorporé dans la conception traditionnelle du rôle féminin. Il fallait bien que les femmes travaillent pour maintenir le niveau de vie et donc la respectabilité de la famille. De fait, selon l'auteure, l'emploi des femmes ne représente pas à proprement parler un changement social : il s'agit plutôt de conduites qui se réclament des valeurs traditionnelles dans des circonstances nouvelles.

Le transfert des tâches reproductives du Sud au Nord et de l'Est à l'Ouest contribue à reproduire les inégalités de genre. En Europe et en Turquie, une niche d'emploi domestique (Lutz, 2002) a été créée du fait du vieillissement de la population et de l'entrée des femmes de ces pays sur le marché du travail. Les étrangères remplacent ces dernières à la fois dans «leurs» tâches domestiques non rémunérées et dans les emplois « féminins » qu'elles délaissent. Cette situation est à corréler avec un contexte d'inadéquation institutionnelle ou de désinvestissement de l'État concernant la prise en charge des enfants en âge préscolaire et/ou des personnes âgées.

L'absence d'ouverture et de recrutements dans des emplois légaux et la non-reconnaissance des diplômes est compensée par l'informalisation et la tolérance de fait des entrées. Ceci favorise, en Allemagne notamment, le modèle circulatoire dont je parlerai plus bas, dans lequel s'engagent surtout les femmes de l'Est. En Italie et dans les autres pays de l'Europe du Sud, les régularisations successives permettent d'absorber périodiquement la masse des travailleurs accumulée : sur 600 000 personnes régularisées il y a quelques années en Italie, 300 000 étaient dans le service domestique (Finotelli *et al.*, 2006). Leur présence permet de préserver les hiérarchies de genre au sein du domicile de leurs employeurs tout en permettant à des femmes espagnoles, italiennes et grecques de travailler à l'extérieur (Oso, 2003). En Espagne, le recours aux femmes étrangères dans le service domestique s'inscrit dans les stratégies reproductives des femmes des classes moyennes et ouvrières pour faire face à la double journée. Pour les femmes des classes aisées en Espagne, en Grèce, à Chypre ou en Turquie, il s'agit de préserver le statut social.

Les étrangères contribuent ainsi à perpétuer la norme chez leurs employeur(e)s, norme qui veut que le *care* fonctionne sur une base quotidienne, dans un arrangement spatialement et temporellement confiné. En ce qui concerne cependant la gestion des mêmes tâches reproductives dans leur propre famille restée au pays, les pourvoyeuses du *care* migrantes doivent affronter les séparations dans le temps et l'espace, et s'en accommoder.

Même si le nouveau pouvoir économique des migrantes favorise l'autonomisation et permet un plus grand contrôle au sein de la famille, l'ordre traditionnel n'est pas remis en question : « Quand je rentre en Pologne, je ne me repose pas, il y a tellement à faire. Imaginez un homme seul avec les enfants ! Si je reste un mois, les deux premières semaines je ne fais que nettoyer ! » (Kuzma, 2003, p. 124). La mère travailleuse post-socialiste qui fait vivre la famille, fait en sorte que « tout retourne à la normale », même si manifestement l'homme de la famille a joué le rôle de substitut en son absence.

Pour la majorité des femmes étrangères qui sont de véritables pourvoyeuses économiques, la division du travail au foyer et les privilèges de l'homme ne sont pas remis en question, la charge de travail ne faisant finalement qu'augmenter. Mais, au lieu de réclamer le partage du travail ou l'aide de leur conjoint, elles espèrent se décharger sur une femme plus pauvre qu'elle : « J'ai voulu rendre la vie plus confortable pour mon mari et mon fils. Et puis, je pense, il est probablement trop dur pour un homme de faire tout le travail domestique... C'est pour cela que j'ai trouvé cette femme, d'abord une Russe, après une Polonaise. » (Cyrus, 2008). Le recours à des remplaçantes payées est encore rare. Il s'agit, la plupart du temps, des femmes de la famille.

Donc, si les rapports sociaux de sexe sont résistants au changement, quelles sont les possibilités pour l'action, en arrière-plan de cet ordre de genre préservé ?

S'appuyer sur l'ordre établi et le tourner à son avantage

On va voir à présent comment les contradictions sont arrangées, jusqu'à tourner les « handicaps » liés à la stigmatisation et au blâme à son propre avantage, et comment certaines femmes ont recours au modèle traditionnel pour poursuivre leurs propres objectifs.

D'abord, quant aux stratégies matrimoniales, les unions mixtes peuvent être la voie d'une promotion sociale pour des femmes migrantes. Les femmes de l'Est en France, en Allemagne, au Royaume-Uni ou en Grèce, contractent – plus que les hommes – des unions binationales, à la différence d'ailleurs de ce qui a été généralement observé parmi les migrant(e)s en France (Giabiconi, 2005). Fonder une famille – ou une nouvelle famille pour les femmes plus âgées – est considéré comme un moyen de subvenir aux besoins du reste de la famille demeurée au pays (Rotkirch, 2005). Se marier avec un Japonais est l'alternative au retour aux Philippines ou au séjour au-delà de la limite légale au Japon. « Il a été mon tremplin – *my "stepping stone"* » dit Annie, jeune femme philippine au Japon [1]. Mère célibataire, elle a pu ainsi faire venir son fils resté au pays et lui assurer l'avenir qu'il n'aurait pas eu s'il était resté à Manille.

On a également observé que par l'investissement dans la dot, sous les apparences du maintien des traditions, les femmes poursuivent leurs propres objectifs. Les infirmières du Kerala ne remettent pas en cause le mariage arrangé, mais c'est en finançant en grande partie leur dot qu'elles commencent à s'affranchir de leurs pères et frères, tout en

---

1. *Mirjana Morokvasic, "Being your own Boss", documentaire vidéo sur les Philippines à Tokyo, réalisé en 2001.*

assurant le prestige à leur famille en lui offrant le mari qu'elles ont « gagné » en travaillant dans les pays du Golfe (Percot, 2005).

De la même manière, les commerçantes tunisiennes investissent l'argent gagné lors des séjours en Italie dans la dot de leurs filles mais également dans leur éducation. Les mères gèrent ainsi la contradiction entre garder l'ordre traditionnel intact et veiller à promouvoir l'émancipation de leurs filles par l'éducation (Schmoll, 2005).

Généralement, les migrations séparent les familles. Mais ce sont les femmes qui sont constamment rendues coupables du « coût social » de la migration et des familles brisées (Ogaya, 2004). La migration des femmes est considérée comme plus problématique pour leurs familles que celle des hommes. Le cri d'alarme à propos des « familles incomplètes », des mauvais résultats des enfants à l'école, des enfants abandonnés à eux-mêmes, était mis en relation avec l'émigration des femmes, jamais avec celle des hommes, il y a trente ans déjà dans des travaux sur les *Gastarbeiter* yougoslaves ou turcs. Les premières études adoptant la perspective transnationale qui prenaient en compte le genre portaient sur le « *transnational motherhood* », mais il y en a encore très peu sur le « *transnational parenthood* » (Shinozaki, 2005) – comme si le coût social de l'absence, de l'éloignement physique, se déclinait seulement au féminin. Ou est-ce le regard des chercheurs qui n'arrive pas à se détacher de l'éternel lien exclusif entre la femme et la reproduction ?

Quelles sont les réponses des femmes ? Les Européennes de l'Est viennent de sociétés qui ont intégré la norme selon laquelle travailler à l'extérieur du foyer et subvenir aux besoins de la famille serait en quelque sorte l'extension du rôle de la « bonne mère ». La Moldavie est un des pays les plus pauvres d'Europe et un quart de sa population est migrante. Hommes et femmes se dirigent vers la Russie, les femmes étant plus nombreuses dans les migrations vers le Sud. Celles qui partent pour la Turquie pour travailler dans le service domestique sont particulièrement stigmatisées comme étant des mères irresponsables et des femmes immorales. Elles rétorquent qu'elles font des sacrifices pour leur famille et qu'elles sont meilleurs mères que celles qui restent à la maison. Ainsi, elles déplacent les limites des normes locales de « la bonne mère » comme figure clé de l'ordre social, non seulement pour justifier leur absence mais également pour y incorporer les mères en migration comme de « meilleures mères ». Elles s'appuient donc sur la même logique genrée utilisée pour les culpabiliser, en modifiant de l'intérieur la signification de ce qui constitue la « bonne mère » (Keough, 2006).

À l'intersection du genre, de la classe et du statut d'immigré(e)

De plus en plus d'hommes exercent comme travailleurs domestiques ou dans le *care*, notamment ceux qui ont suivi leur femme qui travaillait déjà dans le secteur ou ceux qui ne trouvent pas d'autres emplois. Francesca Scrinzi (2005) observe qu'à première vue l'ordre de genre est renversé. Cependant, les qualités genrées présentées comme des exigences pour ce travail deviennent une norme à respecter ; donc « travailler comme une femme » ou « être aussi bon qu'une femme » devient l'idéal normatif, et une ressource pour l'homme s'il désire être embauché dans ce secteur et s'y sentir un travailleur légitime.

Un autre aspect est notamment évoqué quand on parle du *care*. Le fait d'être traité(e) comme faisant partie de la famille serait un piège de la domesticité, la frontière entre « travailler par amour » et travail rémunéré devenant floue. Cela mène tout droit à des rapports d'exploitation et à une disponibilité 24 heures sur 24. Certes, il s'agit de dénoncer de tels abus et de ne pas perdre de vue l'inégalité structurelle sous-jacente. Cependant, être traité(e) comme un(e) membre de la famille a non seulement des avantages discursifs qui permettent à l'employé(e) de maison de gérer les contradictions entre son niveau d'éducation et de qualification – généralement très élevé, comme l'attestent de nombreuses études – et sa perte de statut. Quand on est membre de la famille, on a aussi des avantages implicites ou ouvertement reconnus, s'occuper la maison comme on l'aurait fait chez soi, s'approprier des espaces de contrôle et de responsabilités, incorporer des absences pour raisons privées dans l'emploi du temps en les justifiant. D'ailleurs, « appeler la personne dont on a la charge du soin "grand-père" ou "grand-mère" ou "tante" ou encore utiliser des prénoms » serait « un essai d'introduire un peu d'égalité dans des relations qui sont profondément inégalitaires » (Kalwa, 2008).

Ce type de compromis est facilité dans le cadre du système de rotation autogérée mis en place par un certain nombre de femmes polonaises entre la Pologne et l'Allemagne (Morokvasic, 2004).

Mobilités genrées comme ressource

Si autrefois les conditions économiquement défavorables des femmes divorcées ou des familles monoparentales ont été compensées dans les pays socialistes par la politique sociale, ceci n'est plus le cas aujourd'hui.

Dans la majorité de ces pays, on observe une féminisation de la pauvreté. En particulier, les femmes cheffes de familles ont beaucoup plus de chances d'être pauvres et sans emploi. Elles sont donc davantage disponibles pour répondre à la demande des pays de destination. Cependant, elles accèdent peu à l'emploi régulier et lorsqu'elles sont recrutées, elles parviennent plus difficilement que les hommes à faire valoir leur niveau de qualification (Rudolph, 1996).

Face à ces obstacles, les migrant(e)s adaptent leurs stratégies individuelles en construisant des espaces transnationaux pour minimiser l'impact des risques de part et d'autre des frontières, que ce soit en travaillant ou faisant du commerce (Morokvasic, 1999). Dans le contexte où la liberté de circulation devient, comme le dit Zygmunt Bauman, le facteur stratifiant le plus convoité de notre modernité et postmodernité, la mobilité et la capacité d'être mobile jouent un rôle important dans les stratégies de ces migrant(e)s pour maintenir leur niveau de vie et le statut social dans leur pays d'origine. Plutôt que d'essayer d'immigrer et de s'installer dans un pays déterminé, ils/elles tendent à s'installer dans la mobilité. La migration est donc devenue leur style de vie, une stratégie paradoxale pour rester, pour ne pas partir, et donc une alternative à l'émigration (Morokvasic, 2004 ; Cyrus, 2008).

Des femmes travailleuses domestiques et du *care* en provenance d'Europe de l'Est organisent leur migration sous forme de rotation autogérée : rarement plus de cinq par groupe, elles alternent des périodes de travail en Allemagne et des périodes plus longues en Pologne. Ainsi, tout en travaillant dans des foyers allemands ou belges, elles demeurent disponibles et présentes au sein de leur famille. La rotation est rythmée par les obligations familiales en Pologne. Ce système repose sur la solidarité et la réciprocité entre les participantes. Il rend possible une double présence transnationale qui permet aux femmes d'improviser de nouveaux arrangements transnationaux de vie commune séparée, une sorte de *living apart together*.

Ceci ne bouscule pas l'ordre genré, ni en Pologne ni en Allemagne. Mais ce système présente bien d'autres avantages : il met les femmes à l'abri de la dépendance vis-à-vis d'un(e) seul(e) employeur(e), car elles en ont plusieurs. Il permet aussi de minimiser les risques, dont celui de se retrouver dans une situation illégale sur le territoire du pays d'emploi (Morokvasic, 1999). Enfin, dans un secteur où par définition il n'y a pas de mobilité ascendante, ce système peut constituer un tremplin pour la femme ayant réussi à accumuler assez de capital social : elle pourra monter une affaire en formant son propre groupe de rotation dans lequel elle sera la *gate keeper* – la médiatrice des emplois disponibles au sein de son réseau. Les activités dans les services à la personne peuvent ainsi déboucher sur des activités entrepreneuriales.

Le commerce constitue une autre activité pratiquée par des femmes et des hommes qui circulent. Parmi les Européen(ne)s de l'Est, cette activité se développe par le biais de groupes mixtes où règnent les rapports de genre traditionnels. Les hommes sont leaders et protecteurs, les femmes négocient avec les douaniers ou sont chargées du transport des marchandises «sensibles», ou encore on attend d'elles qu'elles usent de leurs «charmes» pour attirer les clients.

La nouveauté réside dans la présence, dans les flux à destination de l'Europe du Sud notamment, des femmes d'Afrique du Nord partant seules pour faire du commerce ou pour travailler dans les services et qui laissent leur famille au pays. À l'instar des Polonaises en Allemagne ou en Belgique décrites par Margolzata Irek (1998), Elzbieta Kuzma (2003), Mirjana Morokvasic (2004), les femmes circulantes tunisiennes s'organisent pour éviter des séjours prolongés à Naples et se prémunir contre les risques de ruptures familiales. La féminisation des circuits de commerce dans la région euro-méditerranéenne reflète les nouveaux pouvoirs que la mobilité confère aux femmes des sociétés qui ont traditionnellement limité cette possibilité de se déplacer : Camille Schmoll (2005) montre que les femmes remplissent avec beaucoup de précaution leur nouveau rôle de pourvoyeuse économique. Dans un contexte où l'incursion et l'activité professionnelle des femmes migrantes dans l'espace public sont mal vues, il leur arrive de se servir des hommes comme alibis ou paravents. De là naît la difficulté des hommes à obtenir des visas pour l'Italie qui leur permet de justifier leur propre mise en mobilité. Elles se servent des hommes comme prête-noms pour leur entreprise commerciale, autre façon de ne pas défier la position de l'homme, de ne pas lui faire publiquement perdre la face. Comme si elles cherchaient à préserver l'état des rapports sociaux de sexe ou, tout du moins, leur apparence (Catarino et Morokvasic, 2005).

On trouve donc, chez ces commerçantes tunisiennes comme chez les femmes de l'Est, un «savoir circuler» (Tarrius, 1992) féminin : dans les deux cas, outre le fait que ces femmes instrumentalisent leurs attributs sexués, elles tournent la dissymétrie des rapports entre les sexes à leur avantage. Leur circulation est au service de la promotion sociale pour leurs familles et de l'autonomisation pour elles-mêmes (Peraldi, 2001).

La prostitution occasionnelle est un fait collatéral du commerce ambulant, mais la prostitution du week-end comme compensation des salaires trop faibles existe elle aussi. Elle est plus lucrative que les travaux de nettoyage et que l'hôtellerie. Pour ces femmes, la migration, y compris le recours – en connaissance de cause – aux réseaux de la traite pour migrer, constitue une voie d'accès au marché du travail de l'Union européenne, une manière de résister aux inégalités structurelles et de lutter pour transformer leur vie (Morokvasic, 2006). Il ne s'agit pas de nier l'existence des violences faites aux femmes, mais il faut souligner que les activités liées à la commercialisation du sexe sont multiformes et ne relèvent pas toutes de la prostitution (Handman et Mossuz-Lavau, 2005 ; Augustin, 2007 ; Oso, 2003). Aussi longtemps que les femmes peuvent contrôler leurs gains elles-mêmes, elles organisent leur mobilité selon leurs besoins et se disent capables d'arrêter les activités prostitutionnelles quand elles le souhaitent. Cela leur permet de garder un autre travail chez elles ou de réaliser un projet onéreux en peu de temps.

Les processus migratoires, les expériences des migrant(e)s, ainsi que les impacts sociaux et politiques des migrations, sont genrés. Le genre peut faciliter ou limiter la mobilité et l'installation, les rapports de genre qui précèdent la migration étant susceptibles d'affecter les départs, les flux et les rapports consécutifs à la migration.

Les femmes traversent les frontières pour exercer des emplois typiquement « féminins ». Cette féminisation de la migration reflète la présence accrue des femmes dans les services à la personne – des emplois pour lesquels elles auraient des « prédispositions » et des affinités « naturelles ». Il est difficile d'imaginer que ces emplois conduiraient à la mise en question et la déstabilisation de l'ordre genré ; au contraire, ils auraient tendance à le renforcer.

Les thèses présentées ici à partir de données empiriques ne possèdent qu'un caractère exploratoire. Les processus de reproduction de l'ordre genré sont manifestes dans de nombreuses situations, mais contiennent également des éléments de changement. Les contradictions sont négociées et surmontées en observant les normes traditionnelles qui sont remises lentement en question par le comportement des migrantes. Les recherches de ces trois dernières décennies, y compris mes propres travaux, suggèrent que les femmes privilégient la recherche de compromis, l'appui sur la réciprocité et la solidarité, lorsqu'il s'agit de faire face aux défis des normes traditionnelles.

Effectivement, les privilèges que l'ordre genré traditionnel confère aux hommes sont contrecarrés de différentes manières. D'abord par les intérêts que les hommes et les femmes ont en commun. Quant aux migrant(e)s plus spécifiquement, ils et elles partagent des intérêts communs qui découlent de leur citoyenneté précaire qu'illustre une condition marquée par la discrimination, l'insécurité et l'inégalité. Ou encore du fait que, déclassé(e)s, elles et ils cherchent la mobilité sociale et pour cela, ont besoin d'unir leurs forces. Les processus liées au genre ne peuvent pas être compris sans tenir compte, et indépendamment, d'autres dimensions avec lesquelles ils s'articulent.

On a vu ici que les femmes migrantes cherchent à tirer avantage des attributions qui les handicapent. Elles parviennent à des compromis évitant la confrontation directe ou le rejet des valeurs et de l'ordre traditionnel. Fournir aux hommes des alibis pour le non-accomplissement de ce qui est attendu d'eux, financer la dot ou se réaffirmer comme centrales et indispensables pour l'ordre qui les accuse de le déstabiliser – par exemple – constituent bien, pour reprendre Erving Goffman (1977), des « *arrangements between the sexes* », mais aussi avec le milieu social plus large.

Bibliographie

ANDERSON (Bridget), *Doing the Dirty Work ? The Global Politics of Domestic Labour*, Londres, Zed Books, 2000.

AUGUSTIN (Laura Maria), *Sex at the Margins. Migration, Labour Markets and the Rescue Industry*, New York (N. Y.), Zed Press, 2007.

BAUMAN (Zygmunt), *Globalization. The Human Consequences*, New York (N. Y.), Columbia University Press,1998.

CATARINO (Christine) et MOROKVASIC (Mirjana), « Femmes, genre, migration et mobilités », *Revue européenne des migrations internationales*, 21 (1), 2005, p. 7-27. http://remi.revues.org

CYRUS (Norbert), « Managing a Mobile Life : Changing Attitudes among Illegally Employed Polish Household Workers in Berlin », dans Sigrid Metz-Göckel, Mirjana Morokvasic, A. Senganata Münst (eds), *Migration and Mobility in an Enlarged Europe. A Gender Perspective*, Opladen, Barbara Budrich, 2008, p. 179-202.

DARLEY (Mathilde), « La prostitution en clubs dans les régions frontalières de la République tchèque », *Revue française de sociologie*, 48, 2007, p. 273-306.

FALQUET (Jules), « Hommes en armes et "femmes de service" : tendances néolibérales dans l'évolution de la division sexuelle et internationale du travail », *Cahiers du Genre*, 40, avril 2006, p. 15-37.

FONER (Nancy), *Jamaica Farewell, Jamaican Migrants in London*, Berkeley (Calif.), University of California Press, 1978.

FINOTELLI (Claudia) *et al.*, « Looking for the European Soft Underbelly : Visa Policies and Amnesties for Irregular Migrants in Germany and in Italy », dans Sigrid Baringhorst, James F. Hollifield, Uwe Hunger (dir.), *Herausforderung Migration – Perspektiven der vergleichenden Politikwissenschaft*, Münster, Lit Verlag, 2006, p. 249-79.

GIABICONI (Dominique), « Les mariages franco-polonais : contours et enjeux », *Revue européenne des migrations internationales*, 21 (1), 2005, p. 259-73.

GOFFMAN (Erving), « The Arrangment between the Sexes », *Theory and Society*, 4 (3), 1977, p. 301-331.

GÜLÇUR (Leyla) *et al.*, « The Natasha Experience : Migrant Sex Workers from the Former Soviet Union and Eastern Europe in Turkey », *Women's Studies International Forum*, 25 (4), 2002, p. 411-421.

HANDMAN (Marie-Élisabeth), MOSSUZ-LAVAU (Janine) *et al.*, *La Prostitution à Paris*, Paris, La Martinière, 2005.

HOCHSCHILD (Arlie Russel), « Global Care Chains and Emotional Surplus Value », dans Will Hutton et Anthony Giddens (eds), *On the Edge : Living with Global Capitalism*, Londres, Jonathan Cape, 2000, p. 130-46.

IREK (Margolzata), *Der Schmugglerzug. Warschau-Berlin-Warschau. Materialien einer Feldforschung*, Berlin, Das Arabische Buch, 1998.

KALWA (Dobrochna), « Commuting between Private Lives », dans Sigrid Metz-Göckel, Mirjana Morokvasic, A. Senganata Münst (eds), *Migration and Mobility in an Enlarged Europe. A Gender Perspective*, Opladen, Barbara Budrich, 2008, p. 121-140.

KEOUGH (Leyla J.), « Globalizing "Postsocialism" : Mobile Mothers and Neoliberalism on the Margins of Europe », *Anthropological Quarterly*, 79 (3), 2006, p. 431-61.

KUZMA (Elzbieta), *Les Immigrés polonais à Bruxelles*, Bruxelles, Université de Bruxelles, 2003.

LIM (Lin Lean), « International Migration Policies and the Status of Female Migrants. Proceedings of the United Nations Expert Group », *Meeting on International Migration Policies and the Status of Female Migrants*, San Miniato, Italie, mars 1990. http://eric.ed.gov

LUTZ (Helma), « At your Service, Madam ! The Globalisation of Domestic Service », *Feminist Review*, 2002, p. 89-104.

LYON (Dawn), « The Organization of Care Work in Italy : Gender and Migrant Labor in the New Economy », *Indiana Journal of Global Legal Studies*, 13 (1), hiver 2006, p. 207-224.

MARX FERREE (Myra), « Employment without Liberation : Cuban Women in the United States », *Social Science Quarterly*, 60 (1), juin 1979, p. 35-50.

MOROKVASIC (Mirjana) « The Overview : Birds of Passage are also Women », *International Migration Review*, 18 (68), 1984, p. 886-907.

MOROKVASIC (Mirjana), *Emigration und danach. Jugoslawische Frauen in Westeuropa*, Francfort-sur-le-Main, Stroemfeld-Roter Stern Verlag, 1987.

MOROKVASIC (Mirjana). « La mobilité transnationale comme ressource : le cas des migrants de l'Europe de l'Est », *Cultures et Conflits*, 32, 1999, p. 105-122.

MOROKVASIC (Mirjana), « Settled in Mobility : Engendering Post-Wall Migration in Europe », *Feminist Review*, 77 (1), 2004, p. 7-25.

MOROKVASIC (Mirjana), « Une circulation bien particulière : la traite des femmes dans les Balkans », *Migrations Société*, 18 (107), 2006, p. 119-143.

OGAYA (Chiho), « Social Discourses on Filipino Women Migrants », *Feminist Review*, 77, 2004, p. 180-182.

OSO (Laura), « The New Migratory Space in Southern Europe : The Case of Sex Workers in Spain », dans Mirjana Morokvasic, Umut Erel et Kyoko Shinozaki (eds), *Crossing Borders and Shifting Boundaries. Gender on the Move*, Opladen, Barbara Budrich, 2003, p. 207-227.

PARREÑAS (Rhacel Salazar), *Servants of Globalization : Women, Migration and Domestic Work*, Stanford (Calif.), Stanford University Press, 2001.

PERALDI (Michel) *et al.*, « L'esprit de bazar. Mobilités transnationales maghrébines et sociétés métropolitaines. Les routes d'Istanbul », dans Michel Peraldi (dir.), *Cabas et Conteneaires. Activités marchandes informelles et réseaux migrants transfrontaliers*, Paris, Maisonneuve et Larose, 2001, p. 329-361.

PERCOT (Marie), « Les infirmières indiennes émigrées dans les pays du Golfe : de l'opportunité à la stratégie », *Revue européenne des migrations internationales*, 21 (1), 2005, p. 29-54.

PESSAR (Patricia R.) *et al.*, « Transnational Migration : Bringing Gender », *International Migration Review*, 37 (3), 2003, p. 812-846.

RAMIREZ (Angeles), « La valeur du travail. L'insertion dans le marché du travail des immigrées marocaines en Espagne », *Revue européenne des migrations internationales*, 15 (2), 1999, p. 9-36.

ROTKIRCH (Anna), « Sauver ses fils : migrations trans-européennes comme stratégies maternelles », *Migrations Société*, 17 (99-100), 2005, p. 161-172.

RUDOLPH (Hedwig), « The New Gastarbeiter System in Germany », *New Community*, 22 (2), 1996, p. 287-300.

SCHMOLL (Camille), « Pratiques spatiales transnationales et stratégies de mobilité des commerçantes tunisiennes », *Revue européenne des migrations internationales*, 21 (1), 2005, p. 131-154.

SCRINZI (Francesca), «Hommes de ménage, ou comment aborder la féminisation des migrations en interviewant des hommes», *Migrations Société*, 17 (99-100), 2005, p. 229-240.

SHINOZAKI (Kyoko), «Making Sense of Contradictions : Examining Negotiation Strategies of Contradictory Class Mobility», dans Alain Tarrius (dir.), *Les Fourmis d'Europe*. Paris, L'Harmattan, coll. «Logiques sociales», 2005.

TIENDA (Marta) et BOOTH (Karen), «Migration, Gender and Social Change», *International Sociology*, 6 (1), 1991, p. 51-72.

Chapitre 7 / LA CRISE MONDIALE DU *CARE*: POINT DE VUE DE LA MÈRE ET DE L'ENFANT

Uma S. Devi, Lise Widding Isaksen et Arlie R. Hochschild [1]

Une proportion croissante de la population mondiale (180 millions de personnes) change de pays chaque année et ce phénomène concerne de plus en plus de femmes (ONU, 2002). Elles quittent leurs familles et leurs communautés des pays du Sud au faible pouvoir économique pour prendre soin des familles et des communautés des pays riches du Nord. Aux Philippines et au Sri Lanka notamment, le nombre de migrantes dépasse celui des migrants, et beaucoup sont de jeunes mères. Une fois dans le Nord, ces femmes tendent à y rester plus longtemps que les hommes. De la même façon que les pays pauvres sont confrontés à la fuite des cerveaux (*brain drain*), ils souffrent aussi de la fuite des soins (*care drain*) (Ehrenreich et Hochschild, 2003 ; Hochschild, 2000). Les deux sexes y contribuent, mais compte tenu du poids de la tradition, aussi bien dans les cultures sources que dans les cultures cibles, ce sont très largement les femmes qui endossent le rôle de pourvoyeuses de soins, qu'elles transposent des pays qu'elles quittent à ceux qu'elles rejoignent.

Ces femmes se retrouvent principalement dans cinq courants migratoires : de l'Est vers l'Ouest de l'Europe ; du Mexique, d'Amérique centrale et du Sud vers les États-Unis ; d'Afrique du Nord vers le Sud de l'Europe, d'Asie du Sud vers le golfe Persique, et des Philippines vers Hong-Kong, les États-Unis, l'Europe et Israël (Zlotnik, 2003). Si les gens sont forcés ou désireux de migrer, c'est qu'ils sont poussés par de nombreux facteurs : la stagnation ou l'effondrement des économies locales, l'instabilité politique et l'écart gigantesque entre la vie que l'on mène dans les nations riches et pauvres. Les effets des migrations sont également multiples, tant positifs et négatifs.

---

1. Cet article a été traduit de l'anglais par Véronique Perry.

Jusqu'à récemment, les recherches sur la migration de travail se focalisaient sur les hommes dans l'agriculture ou dans l'industrie des pays du Nord qui envoyaient leurs salaires à leurs femmes et à leurs parents s'occupant des enfants restés dans le Sud. Les recherches sur la migration des femmes se concentrent sur les épouses rejoignant leur mari par le regroupement familial (Djamba, 2001), ou sur les migrantes seules qui vont chercher du travail. Les femmes s'adaptent de plus en plus au modèle migratoire masculin (Hondagneu-Sotelo, 2003). Les études sur les femmes qui migrent pour travailler – suivant ce « modèle masculin » – soulignent les bas salaires, les longues heures de travail et l'exploitation sexuelle dans le Nord (Anderson, 2000). Aucun travail ne porte sur les relations qu'elles entretiennent avec leurs enfants, les autres membres de la famille ou les amis laissés au pays.

L'article présent est basé sur la longue recherche de terrain conduite par l'économiste indienne Uma S. Devi, et sur les analyses qu'elle a menées avec Lise Widding Isaksen, sociologue à l'Université de Bergen, et moi-même (Isaksen, Devi et Hochschild, 2008). Il porte sur ce manque : la vie de famille des mères migrantes. Certes, on devrait aussi considérer le rôle affectif du migrant. Cependant, Devi a observé que ce sont principalement les femmes qui se sentent responsables des soins primaires, et plus profondément attristées et coupables à cause de leurs longues absences loin de leurs enfants ; ce sont elles qui portent le fardeau personnel que représente une vie de lutte – en privé – pour vaincre ce qui ne devrait pas exister, cet énorme écart entre riches et pauvres, au plan mondial.

Des mères dans le golfe Persique et des enfants en Inde

En 2003, Uma S. Devi et Ramji, qui l'assistait, ont interviewé 120 personnes, dont 22 mères venant du Kerala, un État du Sud-Ouest de l'Inde, qui travaillaient dans les Émirats Arabes Unis (EAU). Parmi elles, 6 médecins, 10 infirmières, 5 techniciennes de laboratoire et une agente hospitalière. Pour chacune de ces migrantes (dont 9 vivaient seules), Devi et Ramji ont effectué des entretiens avec environ 5 membres de la famille au Kerala (enfants, époux, beaux-parents, frères et sœurs, et autres pourvoyeurs de soin). Des 13 enfants de moins de cinq ans, 7 sont avec les deux parents aux EAU ; un enfant avec le père et la grand-mère paternelle au Kerala ; deux enfants avec les grands-parents maternels et séparés des deux parents ; deux avec les grands-parents paternels et séparés des deux parents ; enfin, un avec un autre membre de la famille au Kerala. Des 9 adolescents, 4 étaient en pension au Kerala et 5 habitaient avec leur père. En aucun cas, la migration ne coupait les relations entre les époux, malgré les années de séparation ponctuées de retrouvailles.

La migration est devenue un moyen accepté de s'accommoder du déséquilibre entre un système de scolarisation performant et le faible pouvoir économique du pays. L'État du Kerala possède en effet un bon système éducatif mais les désordres de son économie ne permettent pas d'intégrer de nombreux diplômés. Une des solutions consiste à exporter le personnel qualifié. Sur 5 adultes actifs, un est migrant ou l'a été. Sur 10 migrants, on compte une femme ; la plupart de ces femmes sont mères. Une étude réalisée par l'État du Kerala nous informe que les mères migrantes avaient en moyenne chacune deux enfants, auxquels elles rendaient visite en moyenne un mois par an.

La construction d'un sujet sensible

Devi découvrit d'abord que, pour toutes les personnes concernées, il était difficile de parler de la question du soin apporté aux enfants des mères migrantes. Aborder ce sujet exigeait une grande confiance, notamment du fait du consensus qui entoure la migration des femmes, autant du côté de l'État que de l'employeur du Nord et de la migrante elle-même. Étant donné les énormes encouragements financiers, les actifs et les actives veulent absolument obtenir un emploi à l'étranger. Les recherches des années 1990 montrent que les employé(e)s de maison ayant migré aux États-Unis ou en Italie, touchaient en moyenne 176 dollars par mois dans leur pays. Or, avec des emplois moins qualifiés mais non moins difficiles – nurses d'enfants ou bonnes –, ils/elles gagnaient 200 dollars par mois à Singapour, 410 à Hong Kong, 700 en Italie ou encore 1 400 à Los Angeles (Parreñas, 2005).

De leur côté, les enfants, époux et parents de la migrante, mais aussi le maçon qui construit sa nouvelle maison ou le prêtre du village qui reçoit un nouveau don, tous veulent que la migration perdure parce qu'ils en profitent. Les gouvernements profitent également de l'arrivée massive de devises qu'ils peuvent taxer. Selon le Fonds monétaire international (FMI), les transferts de fonds officiellement enregistrés en 2005 à l'échelle mondiale excédaient 232 milliards de dollars, dont les deux tiers étaient destinés à des personnes résidant dans des pays pauvres. On estime les transferts non officiels à 116 milliards. Dans le Nord vieillissant, les patrons sont heureux de voir arriver ces employées pour répondre aux besoins en emploi féminin et ne posent pas beaucoup de questions sur leur vie de famille. Au bout du compte, l'employée, sa famille proche, son employeur, ceux et celles qui s'enrichissent grâce à la formation, au transport et au logement des migrant(e)s, et les gouvernements, tous ont intérêt à encourager la migration des femmes, mais ne souhaitent guère évoquer son coût.

Une autre raison rend difficile de parler de cet immense « coût social » : la honte. De nombreuses mères migrantes sont accusées d'être de « mauvaises mères » et sont aussi angoissées par les longues séparations d'avec leurs enfants. Uma S. Devi a pu constater l'existence d'un « tabou » dans la famille autour de la question « comment vont les enfants ? ». Les mères voyaient leur départ comme un sujet sensible et privé, et non comme l'expression personnelle d'une question publique plus vaste.

Il existe un dernier obstacle pour qui écrit sur le thème : la crainte que les conclusions ne soient mal utilisées. Les chercheuses féministes, dont nous sommes, qui considèrent qu'il est important que les mères puissent travailler, ne veulent nullement soutenir la thèse « maternaliste » de la nécessité du retour des femmes au foyer. Les chercheurs qui appuient, comme nous, le droit des migrant(e)s, peuvent également craindre de souligner leurs problèmes familiaux, qui pourraient être utilisés à leur encontre par les opposants à l'immigration dans le Nord. De telles inquiétudes sont fondées. Cependant, il est nécessaire d'ouvrir une véritable discussion sur les coûts cachés de la migration des femmes, à la fois pour faire avancer la recherche et pour influencer la politique sociale à l'échelle mondiale.

Un début de recherche sur les enfants d'employées migrantes

Du fait de ces obstacles, la moindre recherche s'avère particulièrement bienvenue. Les premières portaient sur les conséquences du départ des pères (Go et Postrado, 1986 ; Abella et Atal, 1986 ; Arnold et Shah, 1986), alors que les plus récentes s'orientent vers les effets de l'absence, à la fois des mères et des pères (Schmalzbauer, 2004 ; Parreñas, 2005 ; Aranda, 2003 ; Artico, 2006 ; Bryceson et Vuorela, 2002). Quelques-unes s'intéressent à l'éducation des enfants. William Kandel et Grace Kao (2001) montrent ainsi que les enfants de migrant(e)s du Mexique obtiennent de meilleures notes dans le secondaire et peuvent se permettre de faire des études supérieures plus facilement que les enfants dont les parents n'ont pas migré. Malheureusement, les enfants de migrants semblaient moins disposés que les autres à vouloir faire des études supérieures.

Dans une autre étude sur les enfants d'employé(e)s migrant(e)s, Rhacel Salazar Parreñas (2005) compare les enfants de Philippins migrants (souvent élevés par la mère de l'enfant) à ceux de Philippines migrantes (élevés par leur père, grand-mères, tantes ou autres). Quand ce sont les *époux* qui migrent, il est courant que les épouses assument le rôle de père et de mère. Mais quand ce sont les *épouses*, les époux ont tendance à laisser la tâche d'élever les enfants aux femmes de la famille.

Conflits intérieurs

Devi découvrit que les mères migrantes du Kerala vivaient un conflit intérieur, tiraillées entre la volonté d'être une « mère idéale » et celle d'être « l'héroïne de la communauté ». En migrant, elles défient la notion de « mère idéale » : même si celle-ci varie d'un groupe ethnique ou religieux à un autre, toutes affirment que la « mère idéale » vit avec ses enfants, même quand elle travaille à l'extérieur. La population du Kerala partage l'idéal d'un logement commun, où les parents âgés vivent avec leurs fils et les familles de ceux-ci ; or, au sein même de cette idéologie de la « famille élargie », on trouve une idéologie sous-jacente du lien profond entre la mère et l'enfant. La « mère idéale » est physiquement présente, objet de l'attachement affectif primaire de l'enfant, qui partage avec bonheur l'attention bienveillante de grands-parents, oncles, tantes et autres personnes aimantes. Les deux idéaux, celui de la famille élargie et de la mère physiquement présente, persistent dans l'imagination populaire, mais de moins en moins dans la réalité.

Les mères migrantes sont à la fois l'objet de critiques et de louanges. Même si un faible nombre des personnes enquêtées avaient affronté des critiques directes, toutes étaient bien conscientes des avis négatifs formulés à leur sujet. Parallèlement, du fait du fort taux de chômage au Kerala, de nombreuses personnes instruites et en bonne santé, de la classe moyenne comme de la classe ouvrière – y compris celles qui émettaient des critiques –, espéraient une occasion de migrer. Les mères et leurs proches sentaient que ces discours médisants provenaient de la soif de posséder des logements plus grands, de s'offrir des noces plus somptueuses, de constituer des dots plus importantes et de la possibilité de faire des études – tout ce que l'on peut se permettre quand on migre.

Malgré leur conflit intérieur, les mères migrantes ne se sentaient pas seules. Elles suivaient, de l'avis de tous, un projet bâti *par la famille*. Pourtant, Devi observa que la plupart retenaient leurs larmes ou pleuraient ouvertement quand elles parlaient de leurs enfants. Même celles qui étaient revenues depuis longtemps exprimaient une angoisse quand elles évoquaient la séparation. Un certain nombre d'infirmières travaillaient dans des hôpitaux du golfe Persique, qui possèdent des politiques rigides à l'égard de leurs employées enceintes, autorisant généralement une absence de 45 jours après l'accouchement. Ainsi, les mères prenaient l'avion pour le Kerala, donnaient naissance à leur enfant, restaient près d'eux pendant 40 jours puis repartaient travailler à plein temps dans le Golfe. Beaucoup attendaient un an ou plus, avant de pouvoir revoir leur bébé. Les nourrissons d'un mois peuvent développer une grande multiplicité d'attachements alternatifs, auxquels cette étude ne fait pas justice. Mais Devi fut frappée par certaines déclarations directes d'enfants plus âgés. Priya, étudiante en premier cycle universitaire et fille d'une infirmière employée aux EAU, déclarait ainsi : « Je veux que vous racontiez combien c'est difficile pour nous humainement, d'être séparées durant toutes ces années. Je vis ici, dans cette auberge, et pour les cours, ça va, mais je ne peux pas parler à ma mère, je ne peux rien lui raconter. Il ne m'est pas possible de la voir, ni de la serrer dans mes bras. Je ne peux pas l'aider. Et je manque aussi à ma mère. Un jour, elle prendra sa retraite, mais j'aurai quel âge alors, moi ? »

Beaucoup d'enfants se dirent jaloux de leurs amis qui profitaient du luxe de vivre avec leur mère. Quand sa mère accepta un travail d'infirmière dans le Golfe, Vijaya, âgée de vingt ans, parla de prendre sa place au sein du foyer et évoqua sa jalousie envers les enfances insouciantes d'ami(e)s dont les mères n'avaient pas migré. Elle leur enviait aussi la compagnie pure et simple de leur mère : « Quand je vois mes camarades de classe aller à l'église ou faire les magasins avec leur mère, ma mère à moi me manque terriblement... En fait, c'est maintenant, à mon âge, que j'ai besoin d'elle. Plus tard, ils vont me marier et jamais plus je n'aurai l'occasion de vivre avec elle. Elle me manque. » Quand la mère de Vijaya fut interviewée aux EAU, elle demanda « comment va ma fille ? Je sais que je lui manque. Ils m'appellent tous les soirs depuis les cabines publiques. Parfois, elle pleure. Et moi aussi. »

Même absentes, les mères migrantes constituaient une présence affective forte pour leurs enfants. Ainsi Mina, la fille de deux ans d'une infirmière aux EAU, regardait quotidiennement un jouet en forme de dauphin bleu pendu au centre du salon. Ses grands-parents paternels lui rappelaient : « ta maman te l'a envoyé pour ton anniversaire. » Quand il fut décidé de prendre une photo de Mina, sa grand-mère l'habilla d'une robe avec des dentelles et la ramena rayonnante dans le salon. « Dis-leur qui t'a envoyé cette robe » lui dit-elle doucement. Mina baissa timidement les yeux et répondit dans un murmure : « ma mère. »

Le souvenir du parent absent n'était pas effacé, comme parfois dans le cas d'une rupture familiale difficile, d'un divorce, d'un suicide. L'absence de la mère n'était pas complètement normalisée comme celle des personnes qui travaillent en mer ou des soldats. Le rôle de la mère n'était pas non plus totalement pris par la grand-mère, la belle-sœur ou le père. En quelque sorte, une place était réservée dans le cœur de l'enfant pour une mère qui n'était pas là.

Attitudes des enfants envers leurs mères migrantes

Les enfants devaient s'arranger avec leurs propres questionnements. Les plus âgés se rappelaient s'être demandé : « Pourquoi ma mère m'a-t-elle quitté et pas celle de mes amis à l'école ? Ma mère devait-elle ou voulait-elle partir ? Ou alors c'est moi qu'elle a quitté ? » Les réponses semblaient dépendre de leur propre représentation culturelle du rôle de parent. Mais plus l'enfant était en contact avec des amis dont la mère n'était pas partie, plus la question se posait. Une enfant de migrante, maintenant adulte, tentait de gérer le doute : « Je me demandais pourquoi elle n'avait pas pu rester ou pourquoi je n'avais pas pu aller avec elle. Et je me le demande encore. »

Quelques enfants étaient passés du doute à la méfiance et à un sentiment de trahison, sentant qu'on leur avait promis un lien affectif qui n'avait pas, en réalité, été maintenu. C'est ce que les psychologues appellent la « rupture empathique », qui consiste à couper un lien d'empathie. Chaque relation entre un enfant et sa mère migrante, comme celle entre un enfant et son père, est unique. Tous les enfants ne sont pas envoyés en pensionnat et ne perdent pas finalement confiance en leurs parents ou en tous les adultes. Mais nous connaissons très peu ce problème, celui du prix caché des inégalités mondiales.

Les enfants se retrouvent dans une « affectivité collective » où les adultes échangent en permanence des services, petits ou grands, dans une communauté de proches, d'amis, de voisins, gouvernée par un réseau complexe d'arrangements. Par exemple, les grands-parents s'occupent d'un enfant de quatre ans. La mère migrante paie les travaux de construction de la maison d'un frère. Le frère et son épouse, à leur tour, se tiennent prêts à prendre soin des grands-parents qui vieillissent. La mère trouve un travail aux EAU pour l'épouse du frère, continuant ainsi l'échange de services. Les enfants doivent comprendre leur propre équilibre au sein de cette collectivité. Le soin reçu de leurs grands-parents ou de leurs tantes, est-il un geste d'amour ou une façon de « rendre service à leur mère » ? Ce soin est-il offert par devoir ou par désir, dans quelle proportion ? Les mères migrantes envoient souvent des cadeaux aux personnes qui s'occupent de leurs enfants, qui peuvent alors se demander si les gens sont payés pour prendre soin d'eux, ou dans quelle mesure il s'agit vraiment d'un cadeau.

La migration impose de nouvelles exigences à la famille élargie. En prenant en charge le soin des enfants, surtout lorsqu'ils sont très jeunes, les proches pensent souvent offrir à la migrante ou au migrant un cadeau affectif considérable, en dépit des rétributions matérielles reçues en échange. Ainsi, Devi découvrit que les migrant(e)s comme leurs enfants se sentaient souvent redevables. Certains enfants rapportèrent qu'ils avaient l'impression d'être des invités dans la maison, ou même un fardeau. D'autres tentaient de se comporter comme des adultes à l'égard de leurs grands-parents, tantes ou oncles dans le foyer, les filles les plus âgées tentant notamment de se rendre utiles en étant de petites mamans pour les plus jeunes. Pour certains enfants, le défi affectif était de vivre avec le sentiment désagréable d'être accueilli par charité.

Les mères migrantes étaient, elles, forcées de « matérialiser » l'amour qu'elles ne pouvaient donner en paroles et en câlins, à travers l'argent et les cadeaux matériels. L'arrivée d'un paquet de jouets ou de gadgets électroniques pouvait vouloir dire pour l'enfant « maman pense à moi » ou « maman sait ce que j'aime ». Dans les cours d'école au Kerala, un nouveau jouet transformait immédiatement l'enfant de migrant(e) en prince(sse) et en objet de pitié, signifiant à la fois l'absence de la mère et la richesse relative de la famille. La signification sociale d'une somme d'argent ou d'un cadeau était : « Je suis dévouée à ton bien-être. » Mais beaucoup les interprétaient comme des moyens de racheter la culpabilité, comme pour dire : « Voici ce cadeau qui me remplace. » Des années plus tard, certains enfants ne savaient toujours pas quoi penser au sujet de ces cadeaux.

La migration de ces mères modifia le système familial, et au-delà, communautaire, sans pour autant diviser la communauté entre les migrants riches et les non migrants pauvres, comme dans certains pays, parce que pour la plupart des familles, à chaque niveau d'activité professionnelle, il y avait un(e) migrant(e) contribuant au capital familial. La migration menaçait également l'équilibre des enfants, *n'importe quelle* mère étant susceptible de partir lorsque l'occasion se présenterait. Plus important encore, la migration démontait les modèles de soin qui se seraient élaborés entre une femme et son enfant, son mari, ses parents, ses voisins, ses amis, son temple, si elle n'avait pas eu à migrer.

Le travail de terrain de Devi ouvre la porte à tout un univers de questions encore sans réponses. Tout du moins offre-t-il une base solide pour montrer que des réalités affectives – et non simplement économiques –, cruciales, sont en jeu. Alors que les pères migrants manquent toujours, comme dans le passé, à leurs enfants, dans la plupart des cultures du Tiers Monde, l'exportation du travail de *care* implique l'exportation des femmes. Du fait de la tradition locale, au moins au Kerala, cette exportation des femmes enlève et confisque celles qui ont toujours été au cœur du soin apporté aux enfants.

Transfert de capital de soin ou « externalisation des coûts »

L'infirmière qui laisse ses enfants au soin de parents proches au Kerala, alors qu'elle s'occupe de patients à Dubaï, fait partie de la « chaîne du soin ». Mais comment conceptualiser cette chaîne ? Devrait-on la comprendre comme le transfert d'un « capital de soin », tout comme un transfert de capital social d'une famille et d'une nation à une autre ? Ou doit-on l'envisager comme une « externalisation des coûts », c'est-à-dire un coût qui n'est pas compté en tant que tel. Dans ce cas, de quel type de coût s'agit-il ? Doit-on le considérer comme le vol d'une pourvoyeuse ou d'un pourvoyeur de soin potentiel ? Ou comme l'érosion, ou la distorsion, d'un « univers de vie » (Habermas, 1985), d'un « collectif » socio-affectif à l'intérieur duquel la capitalisation du soin persiste ?

La migration amène au transfert du capital de soin d'un(e) migrant(e) du Sud au Nord. Mais ce transfert fait apparaître de nouveaux types d'échanges de capital social, entre les migrant(e)s dans le Nord et les proches dans le Sud. Or, la métaphore du « capital » n'éclaire qu'une petite partie du tableau, tout en obscurcissant notre vision globale. La définition du capital social comme accumulation de « comptes » que propose Alejandro Portes nous est plus utile. Les personnes possédant beaucoup de ces « comptes » ont un capital social élevé : « le capital social [est] tout d'abord l'accumulation des obligations envers les autres en fonction de la norme de réciprocité» (1998, p. 7). Selon lui, l'échange normal de comptes sociaux dans les familles ou communautés est différent de l'échange économique pur, de deux façons. Dans un échange économique pur, on emprunte et on rembourse de l'argent. *La monnaie reste la même.* Dans l'échange de comptes sociaux, on donne dans une monnaie mais on rembourse dans une autre. Dans un échange économique pur, si l'on emprunte de l'argent, on le rembourse à un moment qui a été spécifié. Dans l'échange des comptes sociaux, le moment du remboursement reste libre. Entre la mère migrante et les proches qui donnent les soins, il y a un échange de comptes sociaux. On rend un service gratuitement (les parents proches prennent soin de l'enfant), mais ce service peut être finalement remboursé (la mère paie diverses dépenses et effectue différents dons).

Pour d'autres familles de migrant(e)s, ce qui était un échange informel de comptes, une expression du principe de réciprocité, se rapproche encore plus d'un échange marchand. Ce n'est pas que l'argent conduise dans tous les cas à la dépersonnalisation, mais plutôt que l'on voit émerger l'un des deux schémas : soit une autre femme apparaît et devient une figure d'attachement affectif primaire, soit la mère demeure cette figure mais les dons matériels finissent par symboliser sa présence. Dans le premier cas, la mère est marginalisée et d'autres prennent sa place ; dans le second cas, les symboles matériels parviennent à remplacer les symboles sociaux affectifs. Il n'y a aucun partage de repas, aucune fête d'anniversaire, aucune conversation sur le quotidien, aucun contact visuel ou physique. Dans ce cas, les enfants aussi bien que leur pourvoyeur de soin peuvent considérer que l'argent se substitue au partage et à l'amour. Paradoxalement, l'argent peut même devenir un symbole d'amour puisqu'il réussit à dépersonnaliser l'amour et le transformer en objet.

Parallèlement, la structure du capital nous empêche de vraiment comprendre le monde *communautaire* dans lequel vivent les enfants, leur mère qui fait des échanges de «comptes» et leurs parents proches. On occulte ainsi une inégalité encore plus fondamentale : l'accès à une *collectivité* complète qui donne sens aux comptes sociaux. L'idée de capital social fait imaginer que les comptes sociaux appartiennent à des individus, indépendamment de la vie en communauté – comme si une personne pouvait mettre un capital dans sa valise, monter dans un avion et partir. On oublie tous les arrangements, les comptes, qui auraient été échangés *et qui auraient enrichi la communauté si la personne était restée.* Les comptes sociaux – cadeaux, faveurs, gentillesses – opèrent ; ils sont issus et sont maintenus par la famille et par la communauté, et ne sont rien en dehors d'elles.

Comme le précise George Lakoff (1980), toute métaphore induit un cadre cognitif lui-même basé sur des suppositions à propos de la réalité. Le capital social fait partie du même cadre cognitif que le capital matériel – l'argent. Il décrit ce qu'une mère migrante ou un enfant possède, et non ce qu'elle/il est, défini par la participation dans un tout social. Si la famille et la communauté sont absentes du tableau comme *unité sociale fondamentale*, rien ne peut être modifié, forcé ou érodé par une « fuite du *care* » dans le Tiers Monde. Les comptes sociaux opèrent et se maintiennent par la famille et la communauté. Seuls des concepts tenant compte de ce contexte collectif permettent de comprendre les sentiments de doute, de tristesse et de jalousie que rapportent les enfants. La migration peut, disons-nous, désancrer les comptes sociaux et les transformer en capital social. Mais ce n'est pas un processus par lequel nous voyons le capital social, ou par lequel nous pouvons en évaluer le(s) coût(s).

Enfin, le concept de capital – social ou lié au soin – détourne le regard des enfants et de la séparation familiale, telle que l'enfant en fait l'expérience. On passe alors rapidement sur le monde relationnel de l'enfant, qui ne peut être ni échangé ni aliéné, ainsi que sur ses sentiments, y compris d'angoisse, de doute, de jalousie et de tristesse.

Nous proposons donc un autre concept qui souligne la façon même dont la migration ne permet plus aux relations familiales et communautaires de s'ancrer, permutant les termes sur lesquels ces relations sont basées, les éloignant du compte et les rapprochant du capital. La migration des mères durant de longues périodes atténue, déforme et parfois rompt le collectif socio-émotionnel (Tronto, 1993 ; Rowe, 2002 ; Polanyi, 1957). Le concept de collectif ramène notre attention sur le « pour elle-même » de la famille et de la communauté.

Tout comme Marx – et d'autres encore –, nous cherchons à analyser l'inégalité, l'écart entre les possédant(e)s et les autres. Mais ici, ce qu'il y a à posséder est un bien collectif : ce qui manque du point de vue du capital/marché, c'est la possibilité de vivre comme une partie d'un tout, une famille et une communauté. Ce qui fait qu'un tout est un tout, c'est d'être ensemble, de se voir, de se parler directement, de se toucher physiquement, en un mot, la coprésence. On imagine ainsi une famille rassemblée autour d'une table, ou une fête communautaire, comme des expressions d'un bien collectif socio-émotionnel.

Mais le bien collectif peut devenir une « nourriture » pour le marché. Notre thèse repose sur l'idée que, tout comme le marché a érodé les biens collectifs en Europe au XVIIIᵉ siècle, le marché du Nord érode aujourd'hui les biens collectifs du Sud. Divers analystes ont remarqué que le développement du capitalisme marchand en Europe reposait sur des liens sociaux préexistants et non marchands, basés sur la confiance et l'engagement mutuel ; des liens sociaux qu'en un sens, le marché épuisait (Durkheim, 1984 ; Polanyi, 1957). Pour Émile Durkheim et Karl Polanyi, la société et le marché existaient simultanément en Europe. Mais la relation entre les deux changea entre le XVIIIᵉ et le XIXᵉ siècle. En ce qui concerne l'actuelle migration mondiale des femmes, nous avançons qu'une forme différente du même processus opère. Les lieux sont différents, mais le temps reste le même. À présent, le marché dans le Nord détériore indirectement les solidarités sociales dans le Sud.

Les mères sont toujours des mères, mais les enfants oublient à quoi elles ressemblent. Elles font de grands sacrifices pour leurs enfants mais la confiance liée à ce grand sacrifice est sous-estimée. Elles partent pour eux, mais les enfants cultivent des doutes souvent profonds sur la raison de leur départ. Tout comme les relations entre les êtres humains et entre les êtres humains et la nature furent désencastrées (Polanyi, 2001), nous suggérons que la relation parents-enfants est « désencastrée » par la migration. Or, la théorie de la famille ne tient compte ni du contexte, ni du processus par lequel ce contexte désencastre les relations parents-enfants. L'idée de « bien collectif » permet de voir comment les liens familiaux faussés et érodés dans le Sud soutiennent le marché dans le Nord.

De plus, si les premiers « biens collectifs » européens pouvaient exister essentiellement grâce aux hommes, ceux que nous décrivons ici existent principalement grâce aux femmes. En un sens, les situations économiques mondiales ont « expulsé » des migrant(e)s de leur bien collectif du Tiers Monde, même s'ils continuent à y contribuer matériellement. La grande majorité des mères migrantes du Kerala – en Inde –, de Thaïlande et de Lettonie préférerait de loin travailler dans des emplois adaptés, près de leur famille. Les migrant(e)s font le « choix » de migrer, autant que les paysans européens du XVIIIᵉ siècle « choisissaient » de chercher du travail près des grandes villes en pleine croissance. De la même manière, la plupart des migrant(e)s considèrent qu'ils/elles utilisent leur argent (le marché) pour améliorer les conditions de vie de leur famille (les biens collectifs). Mais un processus plus puissant opère simultanément, celui de la déformation et de l'érosion des biens collectifs du Tiers Monde. Alors que des villages entiers du Sri Lanka, des Philippines, du Kerala, de Lettonie et d'Ukraine sont vidés de leurs mères, tantes, grands-mères et filles, il ne semble pas exagéré de parler d'une désertification des « pourvoyeurs/pourvoyeuses de soin » du Tiers Monde et des biens collectifs affectifs que ces personnes auraient pu maintenir s'il leur avait été possible de rester.

L'impact de la crise mondiale du soin est variable en fonction des situations de chaque pourvoyeur ou pourvoyeuse de soin et de chaque enfant. Au Kerala, Devi a prouvé qu'à l'intérieur de l'idéologie externe du foyer indien existait une idéologie interne du lien mère-enfant et qui éclairait l'expérience de l'enfant confronté à l'absence de sa mère. D'autres cultures produiraient certainement d'autres expériences. Mais quelles sont ces situations dont le nombre augmente ? Que ressentent les enfants ? Il est nécessaire que les recherches le disent. Car quels que soient les faits observés, cette zone de recherche soulève la question de ce que nous pouvons faire pour réduire les blessures cachées infligées par le capital mondial. Nous pouvons au moins demander des aménagements par lesquels les enfants, et peut-être d'autres pourvoyeurs ou pourvoyeuses de soin, pourraient suivre leur mère dans son nouveau lieu de travail. Plus fondamentalement, on peut demander que des mesures soient prises par la Banque mondiale et le FMI pour réduire l'écart économique motivant la plupart des migrations.

Bibliographie

ABELLA (Manolo) et ATAL (Yogesh) (eds), *Middle East Interlude : Asian Workers Abroad*. Bangkok, United Nations Educational, Scientific and Cultural Organization, 1986.

ANDERSON (Bridget), *Doing the Dirty Work ? The Global Politics of Domestic Labour*, Londres, Zed Books, 2000.

ARANDA (Elizabeth) « Global Care Work and Gendered Constraints : The Case of Puerto Rican Transmigrants », *Gender and Society*, 17 (4), 2003, p. 609-626.

ARNOLD (Fred) et SHAH (Nasra M.) (eds), *Asian Labor Migration : Pipeline to the Middle East*, Boulder (Colo.), Westview Press, 1986.

ARTICO (Ceres), *Latino Families broken by Immigration : The Adolescent's Perception*, New York (N. Y.), LFB Scholarly Publications, 2006.

BRYCESON (Deborah) et VUORELA (Ulla), «Transnational Families in the Twenty-First Century», dans Deborah Bryceson et Ulla Vuorela (eds), *The Transnational Family : New European Frontiers and Global Networks*, New York (N. Y.), Berg, 2002, p. 3-30.

DJAMBA (Yanyi K.), «Gender Differences in Motivations and Intentions for Move : Ethiopia and South Africa Compared», Population and Development in Africa, *International Colloquium on Gender*, Abidjan, 16-21 juillet 2001.

DURKHEIM (Emile), *Division of Labour in Society*, New York (N. Y.), Free Press, 1984.

EHRENREICH (Barbara) et HOCHSCHILD (Arlie Russell) (eds), *Global Woman : Nannies, Maids, and Sex Workers in the New Economy*, New York (N. Y.), Metropolitan Books Henry Holt and Company, 2003.

GO (Stella P.) et POSTRADO (Leticia T.), «Filipino Overseas Contract Workers : Their Families and Communities», dans Arnold Fred et Shah Nasra (eds), *Asian Labor Migration : Pipeline to the Middle East*, Boulder (Colo.), Westview Press, 1986.

HABERMAS (Jurgen) et MCCARTHY (Thomas), *The Theory of Communicative Action*, volume 1, Boston (Mass.), Beacon Press, 1985.

HOCHSCHILD (Arlie Russell), «The Nanny Chain», *The American Prospect*, 3 janvier 2000, p. 32-36.

HONDAGNEU-SOTELO (Pierrette), *Gender and U.S. Immigration : Contemporary Trends*, Berkeley (Calif.), University of California Press, 2003.

ISAKSEN (Lise Widding), DEVI (Uma S.) et HOCHSCHILD (Arlie R.), «Global Care Crisis. A Problem of Capital, Care Chain or Commons ?», *American Behavioral Scientist*, 52 (3), novembre 2008.

KANDEL (William) et KAO (Grace), «The Impact of Temporary Labor Migration on Mexican Children's Educational Aspirations and Performance», *International Migration Review*, 5 (4), 2001, p. 1205-1233.

LAKOFF (George), *Metaphors We Live By*, Chicago (Ill.), University of Chicago Press, 1980.

ONU, *International Migration Report*, New York, 2002.

PARREÑAS (Rhacel Salazar), *Children of Global Migration : Transnational Families and Gendered Wœs*, Palo Alto (Calif.), Stanford University Press, 2005.

POLANYI (Karl), *The Great Transformation : The Political and Economic Origins of Our Time*, Boston (Mass.), Beacon Press, 1957 [éd. originale, 1944].

PORTES (Alejandro), «Social Capital : Its Origins and Applications in Modern Sociology», *Annual Review of Sociology*, 24, 1998, p. 1-24.

Rowe (Jonathan), «The Promise of Commons», *Earth Island Journal,* automne 2002, p. 28-30.

Schmalzbauer (Leah), « Searching for Wages and Mothering from Afar : The Case of Honduran Transnational Families», *Journal of Marriage and Family,* 66, décembre 2004, p. 13-17.

Tronto (Joan), *Moral Boundaries : A Political Argument for An Ethic of Care,* Londres, Routledge, 1993.

Zlotnik (Hania), «The Global Dimensions of Female Migration», 2003. http://www.migrationinformation.org

Chapitre 8 / IMMIGRATION ET TRAVAIL DE *CARE* DANS UNE SOCIÉTÉ VIEILLISSANTE : LE CAS DU JAPON

Ruri Ito

Mary Daly et Jane Lewis définissent le *care* comme un ensemble d'activités et de relations induites pour satisfaire les besoins physiques et émotionnels des adultes et enfants dépendants, soulignant l'importance des cadres normatifs, économiques et sociaux dans lesquels se réalisent ces activités et relations [1]. À cet égard, il nous paraît important de retenir deux changements pour le cas du Japon, qui est dorénavant une société « super âgée », avec plus de 21 % de sa population appartenant à la catégorie des 65 ans et plus [2].

Le premier changement est souligné par l'introduction de l'Assurance des soins de longue durée (*kaigo hoken*, LTCI) [3] en 2000, qui confirme le processus de transformation décisif des cadres institutionnels du *care* au Japon. L'usage du terme « *kaigo* », désignant les soins de longue durée et en particulier ceux aux personnes âgées, est aujourd'hui si répandu dans la vie quotidienne des Japonais que sa résonance est devenue quasiment naturelle. Toutefois, comme l'a fait remarquer Kisuyo Kasuga (2001), en réalité, c'est un néologisme qui s'est popularisé au cours des années 1990. La nouveauté de ce mot sous-entend une situation d'instabilité dans laquelle les normes sociales concernant le *care* à destination des personnes âgées sont bouleversées par l'accélération intense du vieillissement de la population.

Le second changement prend place peu après cette transition institutionnelle, avec la tentative d'introduire pour la première fois des

---

1. *Mary Daly and Jane Lewis (1998) cité dans Mary Daly (2001, p. 36). Voir également Chizuko Ueno (2005).*
2. *Selon la définition des Nations unies, lorsque le pourcentage des personnes de 65 ans et plus atteint 7 %, la société est dite « vieillissante ». Elle est « vieille » à 14 % et « super âgée » (super age society) à 21 %. Dans le cas du Japon, alors qu'en 1970, ce taux était de 7 % seulement, il a triplé pour passer à 21 % en 2007.*
3. *L'acronyme LTCI vient du terme anglais « Long-term Care Insurance ».*

travailleurs étrangers dans le cadre de l'Accord de partenariat économique (Apeji), signé en août 2007 entre le Japon et l'Indonésie. Ainsi, depuis le mois de février 2009, 208 stagiaires indonésiens travaillent dans les hôpitaux et établissements de soins de longue durée japonais. Ayant comme but de promouvoir le libre-échange des produits, des services et des capitaux, l'APE [4] est considéré comme une pièce maîtresse de la diplomatie japonaise dans la politique de renforcement de la présence internationale du Japon. La question de l'accueil des stagiaires figure dans la clause sur la circulation des personnes physiques. Les quotas ont été fixés ultérieurement à 400 pour les infirmiers (*kangoshi*) et 600 pour les soignants agréés (*kaigo fukushishi*) pour une période de deux ans [5].

Ces deux processus, dont les logiques sous-jacentes sont bien distinctes, existent parallèlement mais confluent pour déterminer le cadre institutionnel du *care*. Il faut souligner que les stagiaires indonésiens entrent dans un secteur nouvellement externalisé de l'institution familiale. Travail hautement féminisé, le *care* est un domaine où coexistent pêle-mêle le travail gratuit d'amour, un nouveau sens du bénévolat social et un professionnalisme bourgeonnant qui revendique la reconnaissance de son autonomie.

Dans ce contexte, l'Apeji crée une inquiétude ou tout au moins un malaise chez les féministes japonaises, pour qui la reconnaissance sociale du *care* fut un objectif historique. En effet, alors que le LCTI est reçu favorablement puisqu'il admet formellement la valeur du travail du *care*, l'Apeji est perçu comme un danger risquant d'entraîner une détérioration des conditions de travail.

Notre premier but est d'éclairer la place de l'Apeji dans l'ensemble de ce que Miriam Glucksmann et Dawn Lyon appellent la « configuration des soins pour les personnes âgées [6] » au Japon. Alors que dans le cas italien, étudié par Glucksmann et Lyon, les travailleurs migrants

---

4. *L'APE, « Accord de partenariat économique » est un type d'accord généralement bilatéral entre États, un instrument diplomatique – il s'agit d'un terme générique. L'Apeji, « Accord de partenariat économique entre le Japon et l'Indonésie » est un APE signé spécifiquement entre le Japon et l'Indonésie.*
5. *Le même type d'APE entre les Philippines est entré en vigueur en décembre 2008. De même, les négociations d'APE en cours avec la Thaïlande et le Vietnam contiendraient une clause similaire sur les soignants agréés.*
6. *Par « configuration des soins pour les personnes âgées », ces deux auteures entendent saisir comment les différentes formes de travail (rémunéré/non rémunéré, formel/informel) se trouvent réparties dans les quatre modes institutionnels : l'État, la famille, le marché et le secteur volontaire (Glucksmann, Lyon, 2006 ; Lyon, Glucksmann, 2008).*

sont recrutés sur le marché informel, dans le cas japonais, nous verrons qu'ils sont placés sous le contrôle direct de l'État, comme une partie de la politique de coopération internationale. Dans un second temps, nous exposerons les enjeux politiques de ce programme d'Apeji et son articulation avec le LTCI, afin d'élucider les implications pour la reconnaissance sociale du travail du *care*.

La mise en œuvre du programme d'Apeji étant toute récente, notre analyse sera forcément préliminaire. La discussion sera centrée sur l'aspect institutionnel de la question des soins aux personnes âgées et ne traitera celle des infirmiers que de façon complémentaire. Nous utiliserons des données collectées lors d'entretiens que nous avons effectués auprès des principaux acteurs concernés par l'Apeji, en Indonésie et au Japon [7].

Ce chapitre est divisé en trois sections. Nous récapitulerons d'abord les caractéristiques essentielles du LTCI afin d'esquisser la configuration des soins aux personnes âgées. Ensuite nous présenterons les principaux traits du programme d'Apeji et la modalité selon laquelle ce programme a été articulé avec le LTCI, en examinant les premiers résultats de l'embauche des stagiaires indonésiens. Enfin, nous dégagerons deux scénarios opposés – la professionnalisation et l'informalisation – pour réfléchir sur les enjeux politiques de l'Apeji pour la reconnaissance du travail du *care*.

Le LTCI ou la reconnaissance institutionnelle du *care* : ruptures et continuités

L'invention d'un système contractuel de soins de longue durée

C'est vers le milieu des années 1990 que la nécessité d'une nouvelle politique pour les soins de longue durée envers les personnes âgées est mise à l'ordre du jour du gouvernement. En 1994, le taux des

7. *Les entretiens étaient effectués dans le cadre d'une recherche collective par le groupe « Image (International Migration and Gender) » avec l'aide financière de la Société japonaise pour la promotion des sciences (JSPS) pour les années 2005-2008 (Projet sur « La mondialisation de la sphère reproductive et la reconfiguration du genre en Asie », Fonds de Kakenhi, Recherche scientifique A, no. 17201051. Chercheuse principale : Ruri Ito). Chiho Ogaya, Aya Sadamatsu, Keiko Hirano, Taesung Oh et Namiko Yoshioka ont participé aux entretiens en Indonésie ; pour le Japon, ont participé Mariko Adachi, Wako Asato, Chiho Ogaya, Aya Sadamatsu et Namiko Yoshioka. Nous remercions pour leur aide précieuse Tri Nuke Pujastuti de LITI en Indonésie ainsi que tous les interviewés.*

personnes âgées de 65 ans et plus dans la population totale a franchi le seuil des 14 %, alors qu'il n'était que de 7 % en 1970 [8]. Devant cette nouvelle réalité du vieillissement accéléré de la société, l'État a dû trouver un système pour alléger ses dépenses médicales qui ne cessaient d'augmenter, menaçant les finances publiques. Par ailleurs, avec la généralisation des familles nucléaires et la participation accrue des femmes au marché du travail, la famille n'a plus été capable de jouer son rôle traditionnel de *care*.

C'est dans ce contexte que le LTCI a été introduit en 2000, fruit d'un long processus de négociations. L'objectif du LTCI est double : d'une part, établir la catégorie des soins de longue durée, séparément de celle des soins médicaux, et de l'autre, promouvoir un système contractuel où « la relation entre les coûts et les bénéfices est rendue claire », pour reprendre l'explication du ministère de la Santé, du travail et du bien-être (MHLW).

Sur le plan financier, le LTCI est soutenu par une cotisation obligatoire que tous les résidents de 40 ans et plus doivent acquitter au gouvernement local qui agira comme assureur social [9]. Les soins de longue durée pour les personnes âgées sont devenus par conséquent une obligation pour la société dans son ensemble.

Concrètement, lorsqu'un résident a besoin des soins de longue durée, il doit d'abord passer une évaluation et être classé dans un des six niveaux de soins. Une fois son niveau déterminé, il reçoit le service de soins et paye 10 % des coûts fixés par le gouvernement national. Le reste des coûts est pris en charge par le gouvernement local qui règle les prestataires de soins. Le barème de tarification est calculé en fonction du niveau des besoins de soins et est fixé chaque année par le MHLW. Cependant les salaires des travailleurs de soins ne dépendent pas directement de ce barème, mais de leurs employeurs.

Actuellement, il existe trois types de service : les soins à domicile, le service offert dans les établissements de soins de longue durée, et enfin, un ensemble de services d'appui permettant aux utilisateurs de

---

8. *En 37 ans, le Japon est passé de l'étape d'une société «vieillissante» à celle d'une société «super âgée». La rapidité du vieillissement est l'une des plus importantes dans le monde. De même, avec l'indice de vieillissement à 200 en 2007 (le nombre de personnes âgées de 60 ans et plus pour 100 personnes âgées de moins de 15 ans), le Japon est le pays le plus vieux du monde (ONU, 2007).*

9. *Il y a deux catégories d'assurés. Catégorie 1 : personnes de 65 ans et plus. Catégorie 2 : personnes entre 40 et 64 ans. Pour les détails, voir OCDE (2005).*

continuer à vivre dans leur communauté locale [10]. Globalement, le LTCI donne la priorité aux soins à domicile dispensés par les membres de la famille et vise à renforcer l'infrastructure sociale. Quant aux prestataires de services, on peut là aussi distinguer trois types : les corporations à but non lucratif, le gouvernement local et le secteur privé. Alors que les corporations à but non lucratif [11] sont majoritaires pour les soins dans les établissements de soins de longue durée agréés par le LTCI, le secteur privé participe plus aux soins de visites à domicile.

La lourde dépendance du système vis-à-vis des femmes continue

Bien que le LTCI ait transformé le paysage institutionnel des soins, et malgré quelques signes de changement indiquant la participation progressive des hommes dans le travail du *care*, les femmes constituent toujours la principale main-d'œuvre.

Selon les statistiques de 2004, 13,6 % des personnes âgées reçoivent des soins dans des établissements de soins de longue durée alors que 75 % sont soignées par des membres de leur famille. Parmi les soignants familiaux, 75 % sont de sexe féminin : belles-filles, épouses et filles. Alors que dans le passé, les soins pour les parents âgés étaient largement pris en charge par les belles-filles, avec la diminution du nombre d'enfants, cette tâche a été assignée de plus en plus aux épouses, dont beaucoup sont elles-mêmes âgées de 65 ans et plus. Le *care* devient donc de plus en plus une affaire de relations conjugales au lieu d'une relation parents-enfants.

Dans cette situation générale, quoiqu'encore minoritaire, un nombre croissant d'hommes doivent assumer *nolens volens* les soins, ce qui dans bon nombre de cas produit des conflits de rôle, menaçant leur identité masculine. Ne connaissant ni les soins ni le réseau d'entraide, beaucoup d'hommes souffrent d'isolement, ce qui aboutit parfois à des cas d'abus, souvent contre leurs propres parents [12].

L'enquête effectuée par le Centre du soutien au travail de soins de 2007 montre la forte participation des femmes, même pour les soins plus

---

10. *Cet ensemble de services centrés sur la communauté locale a été ajouté avec la révision de la loi de LTCI en 2006, quand le gouvernement a renforcé l'orientation vers les programmes préventifs de vieillesse.*
11. *Tels que les Conseils d'aide sociale implantés dans les collectivités locales.*
12. *Selon l'enquête du MHLW, il y a eu 12 569 cas d'abus en 2006. Parmi les auteurs d'abus, les fils sont les plus nombreux, représentant 38,5 % des agresseurs, suivi par les époux qui représentent 14,7 %.*

formels. Parmi les 110 939 employés qui ont répondu au questionnaire, 83 % sont des femmes. Ce taux est de 77,7 % pour les employés des établissements de soins de longue durée et 90,8 % pour les aides à domicile (*home-helpers*). Chez les infirmiers, on compte 94,8 % de femmes.

Selon une estimation du MHLW, il existe à présent 1,18 million de travailleurs dans les soins à la personne au Japon, mais d'ici à 2014 le pays aura besoin d'à peu près 1,4 à 1,6 million de ces personnes, c'est-à-dire de 200 000 à 400 000 de plus [13]. Cette pénurie de main-d'œuvre apparaît clairement dans le rapport de l'offre à la demande d'emploi, qui s'est élevé de 1,14 en 2004 à 2,10 en 2007 (MHLW, 2008).

Les raisons de la pénurie sont multiples, mais la plus importante est le faible niveau des salaires. Selon le MHLW, alors que le salaire moyen tous secteurs confondus pour un homme employé à temps plein est de 336 700 yens, celui d'un homme employé à temps plein dans le secteur du *care* est de 213 600 yens. Quant aux femmes, le salaire moyen tous secteurs confondus est de 225 200 yens et de 193 700 yens dans le secteur du *care*.

Le programme d'Apeji : une conséquence « involontaire »

Coopération internationale ou question de main-d'œuvre ?

Les stagiaires accueillis dans le cadre du programme Apeji sont officiellement appelés « candidats » (*kôhosha*) pour devenir infirmier ou soignant agréé. Les stagiaires peuvent travailler dans l'institution d'accueil avec laquelle ils ont conclu un contrat de travail, mais le but officiel de leur séjour est de passer l'examen national. Dans la catégorie des infirmiers, les « candidats » peuvent travailler pendant trois ans et passer le concours national chaque année, c'est-à-dire trois fois ; cependant, dans la catégorie des soignants agréés, les « candidats » peuvent travailler pendant quatre ans, mais ne pourront passer le concours qu'une seule fois, après avoir acquis trois ans d'expérience [14].

Ce programme ressemble beaucoup au Programme de stage industriel (PSI ou *kenshûsei*) et à celui de l'internat technique (PIT ou *ginôjisshûsei*) [15]. Antérieurs à l'APE, ils diffèrent dans leurs processus de

13. *Avec la crise mondiale déclenchée en septembre 2008, le gouvernement essaie d'orienter les chômeurs vers le secteur du care, sans trop de succès.*
14. *Condition définie dans la loi de 1987.*
15. *Alors que le PSI figurait déjà dans la loi d'immigration et de reconnaissance des réfugiés de 1981, le PIT a été introduit en 1993. Les deux programmes s'effectuent sous l'égide du Jitco (Japan International Training Cooperation Organization).*

recrutement et de «*match-making*» qui restent, dans le cas de l'APE, entièrement entre les mains de l'État, d'où sa dénomination de «G-to-G» (*government to government*).

Il faut souligner que ce programme est un compromis d'intérêts entre les divers ministères concernés. Pour le ministère de l'Économie, du commerce et de l'industrie (METI) et le ministère des Affaires étrangères (MoFA), l'APE est un fer de lance pour la diplomatie japonaise qui vise à la construction de la Communauté de l'Asie de l'Est, un projet que soutiennent les organisations patronales, telles que le Keidanren. Faisant partie de la politique de coopération internationale, l'APE est financé par l'Aide publique au développement (ODA), qui prend notamment en charge les stages préalables pour l'apprentissage de la langue japonaise et autres connaissances professionnelles.

Cependant, dès le début, ce programme posait un problème épineux pour le ministère de la Santé, du travail et du bien-être (MHLW). Ce ministère, chargé de mettre en œuvre le programme de l'APE, a constamment fait savoir que ce n'était qu'une conséquence *involontaire* de l'ensemble des négociations de l'APE, insistant sur son caractère exceptionnel. Selon le MHLW, en aucun cas, il ne peut être considéré comme une mesure pour atténuer la pénurie de main-d'œuvre, d'où le nombre limité des quotas. Bien au contraire, le ministère s'est lancé dans une offensive majeure, une «guerre d'usure» pour reprendre l'expression d'un haut fonctionnaire, afin de mobiliser «la main-d'œuvre latente» sur le territoire national, c'est-à-dire ceux qui ont le certificat de soignant agréé ou d'infirmier mais qui n'exercent pas dans ce domaine [16].

Suivant ce principe, le MHLW a donné l'autorité exclusive du recrutement et du rôle d'intermédiaire entre les «candidats» indonésiens et les employeurs japonais au Jicwels (Japan International Cooperation of Welfare Services), une corporation à but non lucratif sous la tutelle du MHLW.

Par ailleurs, le MHLW a fait savoir dans ses directives les conditions d'éligibilité pour les hôpitaux et les établissements de soins de longue durée, y compris les règlements concernant le programme de stage qui devrait être offert par ces institutions [17]. Les activités des stagiaires

---

16. *Propos d'un haut fonctionnaire recueilli dans une réunion publique en février 2007. L'opinion est divisée, toutefois, quant aux chances de réussite d'une telle campagne. Selon une enquête de 2005, il y a à peu près 471 000 personnes ayant le titre de soignant agréé, mais 58 % seulement sont actifs.*
17. *En ce qui concerne les établissements de soins de longue durée, le MHLW exige qu'ils soient autorisés par le LTCI, qu'ils aient au moins 30 places et que plus de 40 % de leurs employés aient le diplôme de soignant agréé, etc.*

seront limitées à l'intérieur des institutions d'accueil, sans qu'ils puissent participer aux services de soins de visite à domicile. Cette dernière condition, prohibant les contacts avec les utilisateurs à leur domicile, est un élément distinctif du programme japonais. En effet, dans les cas d'autres pays tels que l'Italie, Taiwan ou Singapour, les travailleurs migrants vivent en général chez leurs employeurs.

Quant aux groupes professionnels – l'Association des infirmiers japonais (JNA [18]) ainsi que l'Association japonaise des soignants agréés (Jaccw [19]) –, ils se sont déclarés contre l'APE. La JNA, en particulier, s'est opposée à la reconnaissance réciproque du diplôme d'infirmier et a exigé que les infirmiers étrangers passent l'examen national, obtiennent l'aptitude en langue japonaise et travaillent dans les mêmes conditions que les infirmiers japonais [20]. Toutes ces demandes ont été incorporées dans les directives du MHLW. Le Jaccw a également exprimé sa forte préoccupation à l'égard des travailleurs migrants, en soulignant que la priorité doit être l'amélioration des conditions de travail avant tout.

Alors que ces deux organisations professionnelles se sont opposées au programme, le Conseil japonais pour le service social des citoyens seniors (*Zenrôshikyô*), organisation des gestionnaires des établissements de soins de longue durée, a été pratiquement le seul groupe à exprimer son soutien à l'introduction des travailleurs migrants, en raison des difficultés à trouver du personnel.

La réception en Indonésie

L'Indonésie a envoyé près de 700 000 travailleurs migrants à l'étranger en 2007, dont près de 80 % sont des femmes (Hirano, 2009). La grande majorité d'entre elles travaillent comme domestiques en Arabie Saoudite, Malaisie, Singapour, Taiwan ou Hong-Kong. Les quotas du programme de l'APE représentent donc une portion presque négligeable, ce qui explique le peu d'intérêt du grand public pour ce programme. Cependant, pour le Bureau pour l'envoi et la protection des travailleurs d'outre-mer (BNP2TKI), ce programme est considéré comme une brèche pour ouvrir le marché de l'emploi qualifié à l'étranger. D'autre part, la nature intergouvernementale du programme est

---

18. *Japan Nursing Association.*
19. *Japan Association of Certified Care Workers.*
20. *La JNA a annoncé ses points de vue sur l'APE avec les Philippines et l'Indonésie, respectivement le 12 septembre 2006 et le 17 juin 2008.*

perçue favorablement par les ONG, puisque cela élimine l'intervention des agences intermédiaires, réputées exploiter les travailleurs en imposant des frais extrêmement élevés.

Il convient de noter qu'en Indonésie, alors que la profession d'infirmier date de la période coloniale néerlandaise, la notion de soins pour les personnes âgées est inexistante dans la population locale. Comme dans le cas des Philippines, où la profession de « *caregiver* » s'est développée à partir du modèle canadien [21] ; en Indonésie, c'est à la demande du Japon ou de Taiwan que cette nouvelle catégorie de professionnels commence à se former.

Comme au Japon, il existe des intérêts différents en fonction des ministères. Ainsi, bien que le ministère des Affaires étrangères ait souhaité un salaire standard pour les infirmiers et pour les soignants – respectivement 200 000 yens et 175 000 yens –, il ne semble pas avoir été appliqué de façon rigoureuse par d'autres ministères [22]. Étant donné que l'« exportation » de main-d'œuvre est devenue une véritable industrie, générant des revenus importants à l'État – 5,7 milliards de dollars en 2007 –, le contrôle de ce nouveau secteur semble produire une dynamique complexe de compétition, non seulement entre des ministères, mais aussi entre le gouvernement central et les gouvernements provinciaux.

Les premiers résultats de l'Apeji

Les premiers résultats de l'Apeji se sont révélés plutôt maigres. Alors que les quotas étaient fixés à 200 infirmiers et 300 soignants pour ce premier essai, seuls 104 infirmiers et 104 soignants ont été retenus. Du côté des institutions d'accueil japonaises, seules 100 institutions – 47 hôpitaux, 53 établissements de soins de longue durée – ont pu conclure des contrats d'emploi.

Trois facteurs expliqueraient ces résultats. Le premier est le temps imparti à la publicité du programme. Il fut effectivement très court : deux semaines pour recruter les institutions d'accueil au Japon et une dizaine de jours pour recruter les candidats en Indonésie [23]. Deuxièmement, alors que le métier d'infirmier est bien connu en Indonésie, tel

---

21. *Cette catégorie s'est progressivement développée aux Philippines depuis que le programme du «* live-in caregiver *» a été introduit au Canada en 1992.*
22. *Entretiens effectués en décembre 2008.*
23. *Le recrutement des institutions d'accueil a été fait entre le 19 mai et le 1ᵉʳ juin 2008 et celui des candidats entre le 27 mai et le 5 juin 2008.*

n'était pas le cas pour celui de soignant aux personnes âgées, ce qui a dû créer une certaine confusion[24]. Enfin, aux yeux des institutions d'accueil, les frais nécessaires pour participer au programme seraient excessivement élevés. En plus du salaire à payer aux stagiaires, les institutions devaient s'acquitter de 580 000 yens – approximativement 4 500 euros – pour le *« match-making »*, les stages préalables à Jicwels, ainsi que les frais d'enseignement de la langue japonaise et la formation professionnelle après l'embauche pour préparer les stagiaires à l'examen national.

Professionnalisation ou informalisation ? Les deux scénarios de l'Apeji et leurs enjeux politiques

Pour conclure, on peut dire qu'il existe actuellement deux scénarios construits à partir du programme APE. Le scénario du MHLW est ce qu'on pourrait appeler celui de la « professionnalisation ». En 2005, le ministère a fait connaître son intention de supprimer les trois niveaux actuels d'aide à domicile et de les unifier graduellement dans la seule catégorie de soignant agréé. Cependant, en réalité, le pourcentage des soignants agréés reste à peu près de 40 % pour les établissements de soins de longue durée et de 20 % seulement pour les soins de visite à domicile. Pour ceux-ci, les aides à domicile de niveau 2 et plus demeurent majoritaires. Si l'on tient compte du fait que 40 % des personnes ayant le titre de soignant agréé préfèrent ne pas exercer en raison du faible salaire, il est peu probable que le scénario de « professionnalisation » se développe chez les travailleurs japonais. Imposer l'examen national aux stagiaires est cohérent, compte tenu de l'effort mené pour professionnaliser ce secteur. Toutefois, on ne peut que remarquer l'aberration que représente l'insistance à ce que les stagiaires passent l'examen national dans les mêmes conditions que les nationaux[25], c'est-à-dire en les obligeant à apprendre non seulement à parler mais aussi à écrire et à lire la langue japonaise, en un espace de trois ou quatre ans, et ce alors qu'ils travaillent. En effet, alors que

---

24. *De ce fait, beaucoup d'infirmiers qui ont le diplôme D3, c'est-à-dire ayant terminé un cursus de 3 ans (au lieu de 5 ans pour S1) se sont présentés comme soignants.*
25. *Le taux d'admission est de 50 % pour 2007.*

la grande majorité des Japonais exercent sans le titre de soignant agréé, l'imposer uniquement aux stagiaires paraît une contrainte excessive et discriminatoire.

De plus, dans la mesure où les divers coûts du stage – l'élément clé de la coopération internationale – sont assignés aux établissements de soins de longue durée, ce programme fonctionne comme un instrument de sélection des établissements, en favorisant ceux dont les conditions financières sont relativement bonnes. Ceux qui ont décidé d'accueillir les stagiaires conçoivent leur embauche comme un investissement pour l'avenir. En formant les stagiaires, les gestionnaires espèrent en faire leur futur personnel. Pourtant, rien n'assure aux établissements de soins de longue durée financeurs que les stagiaires resteront travailler pour eux une fois le concours réussi, d'où une hésitation à participer au programme. Les difficultés du programme d'APE se révélaient déjà lors du premier recrutement aux Philippines et se sont reproduites lors du second en Indonésie, où le ministère n'a pas réussi à recruter un nombre suffisant d'institutions d'accueil pour respecter les quotas convenus avec leurs homologues [26].

À l'opposé, le scénario d'«informalisation» risque de devenir une réalité. Premièrement, si pour une raison quelconque la motivation pour passer l'examen national s'affaiblit parmi les stagiaires, le programme deviendra un système déguisé de travail migratoire, sans qu'il y ait de résultats réels concernant le transfert de connaissance [27]. En outre, si le ministère, dans sa recherche d'institutions d'accueil, n'atteint pas le niveau des quotas convenus, il devra baisser d'une façon ou d'une autre les coûts d'entrée, afin de permettre aux institutions dont les finances ne sont pas florissantes d'accueillir des stagiaires. Or, cela pourrait entraîner la détérioration des conditions de travail des stagiaires et créer des effets pervers pour les travailleurs nationaux, comme le craignent certaines représentantes féministes. Enfin, la pression visant à alléger les coûts d'entrée s'intensifie au fur et à mesure

---

26. *Pour le second recrutement en Indonésie, en avril 2009, seuls 74 institutions japonaises (29 hôpitaux, 45 établissements de soins de longue durée) se sont présentées comme institutions d'accueil en demandant 169 stagiaires (65 infirmiers, 104 soignants), alors que le ministère doit recruter 300 infirmiers et 500 soignants. Pour le premier recrutement aux Philippines, alors que près de 5 000 candidats se sont présentés, l'agence philippine (PŒA) a pu sélectionner un peu moins de 300 candidats, ce qui est sensiblement moindre que le quota de 500 de ce premier recrutement.*
27. *Telle est l'opinion exprimée par les ONG japonaises, telles que la Janni (Japan NGO Network on Indonesia).*

que le secteur privé essaie de participer au processus de « *match-making*», en contournant la régulation gouvernementale, pour le compte des établissements de soins de longue durée. La dimension du « *G-to-G*» devrait alors s'effriter progressivement.

Le scénario d'«informalisation» indique qu'une nouvelle espèce de «circuits globaux» (Sassen, 2000, 2003) pourrait émerger, centrés sur le secteur naissant du *care* et au détriment des stagiaires migrants et des travailleurs nationaux. Les conséquences d'un tel scénario seraient d'une part, une plus grande dévalorisation du *care* et du travail féminin, d'autre part, une stratification progressive de la qualité du *care* disponible selon les classes sociales et les finances des collectivités locales agissant comme organisme assureur du LTCI[28]. Dans un cas extrême, on peut imaginer que ces «circuits globaux» brisent le fondement même du LTCI, qui s'appuie en réalité sur l'unité nationale.

Cela dit, nous remarquons aussi que d'autres négociations sont en cours, ce qui permettrait d'aller au-delà de l'impasse créée par ces deux scénarios opposés. Trois aspects paraissent mériter notre attention.

Tout d'abord, nous observons les efforts des collectivités locales pour choisir une répartition plus équitable des coûts financiers et sociaux que les institutions d'accueil subissent actuellement. Certaines municipalités, telles que Tokyo ou Yokohama, ont décidé d'aider les institutions d'accueil en donnant des subventions pour les cours de langue japonaise ou de l'aide sous forme de consultation quotidienne par le biais des associations d'échanges internationaux pour les stagiaires. Ces efforts des municipalités, comme garantes du LTCI, nous paraissent extrêmement importants pour renforcer la reconnaissance sociale à la fois du *care* et du travail des migrants.

Ensuite, à l'échelle des institutions, le processus d'accueil des stagiaires pourrait ouvrir un espace d'innovation culturelle et sociale pour objectiver les cadres normatifs du *care* évoqués par Daly et Lewis. L'idée est de rendre la communication sur le lieu de travail plus simple et accessible aux personnes ne lisant pas le japonais, en inventant par exemple un système de communication qui ne soit pas trop dépendant

---

28. *De fait, les établissements de soins de longue durée agréés par le LTCI sont de plus en plus convoités par les personnes de couches moyennes qui auparavant auraient opté pour une maison de retraite payante. Selon une enquête du MHLW, les personnes sur la liste d'attente étaient estimées à 340 000 en 2005. Les plus démunis ont tendance à en être exclus, se trouvant souvent dans les maisons de retraite non agréées dont les conditions de vie sont parfois dégradantes.*

de l'écrit[29]. Ce sont ces efforts quotidiens qui permettront peut-être de donner plus de substance au scénario de « professionnalisation ».

Enfin, quoique le mouvement soit encore limité, des initiatives de syndicats japonais voient le jour pour former un réseau d'entraide avec les stagiaires indonésiens, tel que le *Tokyo Kaigo Fukushi Rôdô Kumiai* ou l'initiative « *Garuda-supporters* ». Ce type d'initiatives visant à défendre les droits des stagiaires en tant que travailleurs est d'autant plus important que ceux-ci se trouvent dans une situation ambiguë de travailleur-stagiaire, similaire à celles des PSI et PIT. En tant que stagiaires, les Indonésiens peuvent se sentir redevables vis-à-vis de leurs employeurs et avoir tendance à se taire. Or, d'après nos enquêtes, la disparité de traitement existant entre les institutions d'accueil semble déjà créer un sentiment d'injustice parmi les stagiaires. Cela peut aussi éventuellement affecter leurs chances pour passer l'examen national. Étant donné que dans leurs lieux de travail, les stagiaires sont dispersés, divisés souvent en petit nombre, voire seuls, il est important qu'ils puissent sortir de l'isolement.

Moins d'un an après son application, le programme Apeji, formellement placé en dehors du LTCI, s'articule déjà avec celui-ci pour la gestion et les relations de travail avec les établissements de soins de longue durée. Il est temps que l'État japonais reconnaisse cette situation pour adapter la politique à cette conséquence, certes « involontaire » mais bien réelle, de la mondialisation.

Bibliographie

ADACHI (Mariko), « Reproductive Transactions & Long-term Care Insurance », dans les actes du colloque *Globalization of the Reproductive Sphere and Asia : Migrants, Family, State, Capita*, tenu les 8 et 9 décembre 2007, Tokyo, Hitotsubashi University, 2008, p. 311-321.

DALY (Mary) et LEWIS (Jane), « Introduction : Conceptualizing Social Care in the Context of Welfare State Restructuring », dans Jane Lewis (ed.), *Gender, Social Care and Welfare State Restructuring in Europe*, Aldershot, Ashgate, 1998.

29. *Ce sont ces efforts qui peuvent à leur tour améliorer la situation des femmes migrantes installées au Japon, telles les femmes philippines mariées aux Japonais. Selon l'étude de Sachi Takahata (2009), il existe une attente non négligeable parmi les Philippines, aujourd'hui déjà dans leur quarantaine ou cinquantaine, de trouver un emploi hors de l'industrie de la vie nocturne (entertainment).*

DALY (Mary) (ed.), *Care Work : The Quest for Security*, Genève, Organisation internationale du travail, 2001.

GLUCKSMANN (Miriam) et LYON (Dawn), « Configurations of Care Work : Paid and Unpaid Elder Care in Italy and the Netherlands », *Sociological Research Online*, 11, 2006. http://www.socresonline.org.uk

HIRANO (Keiko), « Indoneshia no Kaigai Koyô Seisaku », dans Kokusai Idô et Jendâ Kenkyûkai (eds), *Ajia ni okeru Saiseisanryôiki no Gurôbaruka to Jendâ Saihaichi*, Tokyo, Hitotsubashi University, 2009, p. 30-48,

ITO (Ruri) et ADACHI (Mariko) (eds), *Kokusai Ido to Rensasuru Jenda : Saisei-san Ryoiki no Gurobaruka*, Tokyo, Sakuhinsha, 2008,

KASUGA (Kisuyo), *Kaigo Mondai no Shakaigaku*, Tokyo, Iwanami Shoten, 2001.

LYON (Dawn) et GLUCKSMANN (Miriam), « Comparative Configurations of Care Work across Europe », *Sociology*, 2008, 42 (1), p. 101-118.

MHLW, *Kaigo Rôdôsha no Kakuho, Teichaku tô ni kansuru Kenkyûkai Chûkan Matome*, Tokyo, ministère de la Santé, du travail et du bien-être (MHLW). 2008. http://www.mhlw.go.jp

OCDE, *Les Soins de longue durée pour les personnes âgées*, Paris, OCDE, 2005.

Organisation des Nations unies, Department of Economic and Social Affairs, Population Division, *World Population Ageing 2007*, New York (N. Y.), ONU, 2007.

SADAMATSU (Aya), « The Meaning of "Long-term Care" and the Anticipation for Foreign Caregivers at Long-term Care Facilities for the Elderly », actes du colloque *Globalization of the Reproductive Sphere and Asia*, *op. cit.*, p. 292-301.

SASSEN (Saskia), « Women's Burden : Countergeographies of Globalization and the Feminization of Survival », *Journal of International Affairs*, 2000, 53 (2), p. 504-524.

SASSEN (Saskia), « Global Cities and Survival Circuits », dans Ehrenreich (Barbara) and Hochschild (Arlie R.) (eds), *Global Woman : Nannies, Maids, and Sex Workers in the New Economy*, New York (N. Y.), Metropolitan Books, 2003, p. 254-227.

TAKAHATA (Sachi), « Zainichi Firippin-jin Kaigosha : Hitoashi Sakini Yatte-kita Gaikokujin "Kaigo Rodosha" », *Gendai Shisô*, 37 (2), février 2009, p. 106-118.

UENO (Chizuko), « Kea no Shakaigaku. Joshô Kea towa Nani ka », *Quarterly At*, 1, 2005, p. 18-37.

Chapitre 9 / LA MONDIALISATION COMME ARÈNE DE « TROUVAILLES ACCUMULÉES » ? DES DOMESTIQUES PHILIPPINES À PARIS

Liane Mozère

Longtemps abordée dans une perspective macro-économique et macrosociologique, la mondialisation donne lieu depuis plus d'une décennie à des travaux qui s'attachent à en comprendre les effets et surtout les ressorts pour les personnes migrantes elles-mêmes. Les femmes qui migrent du Sud vers le Nord, pour être employées comme domestiques, ne constituent-elles pas aujourd'hui l'une des figures emblématiques d'une telle mondialisation ? De manière légale ou de façon irrégulière au regard des politiques d'accueil des étrangers en vigueur dans les différents pays du Nord, comme en témoignent des cas médiatisés, ces migrantes sont, à juste titre, présentées le plus souvent comme les victimes de traitements inhumains et dans tous les cas inéquitables. Lorsqu'elles émigrent légalement dans le pays, de telles migrations à « contrat déterminé » passent par des accords bilatéraux et empruntent les canaux d'organismes publics ou privés qui en assurent la bonne exécution [1]. Leur séjour est alors strictement réglementé et encadré : ainsi, à Singapour, les immigrantes ne peuvent rester plus de trois ans et ne peuvent ni se marier ni avoir d'enfants (Yeoh et Huang, 1998) [2]. Lorsque, comme c'est le cas dans l'espace Schengen, nombre de personnes migrantes détiennent un visa de tourisme valable trois mois – comme en France –, celles-ci se retrouvent en situation irrégulière au terme de ce délai et donc expulsables à tout moment. Si l'on prend le cas des Philippines à Paris, quasiment toutes

---

1. *Le gouvernement français vient d'entamer des négociations avec le gouvernement philippin en vue de parvenir à un accord concernant des catégories particulières d'immigrant(e)s, dont sans doute des infirmières, comme c'est déjà le cas aux Pays-Bas. http://www.premierministre.gouv.fr*
2. *Des conditions comparables sont requises des employés étrangers « sous contrat » bien entendu (Lan, 2003, p. 104).*

employées comme domestiques et objet de notre contribution, l'échantillon, constitué à partir de trois réseaux informels, comprend tous les cas de figures : des Philippines entrées régulièrement et ayant immédiatement obtenu une carte de séjour avant 1980, d'autres qui sont entrées légalement et sont restées de manière illégale sur le territoire français après trois mois de séjour, et enfin, parmi ces dernières, celles qui ont bénéficié de la régularisation de 1993.

Ces différentes configurations sont à l'évidence l'une des conséquences majeures de la mondialisation pour les migrations féminines et mettent bien en lumière la vulnérabilité de ces femmes dans les pays d'accueil. Ne bénéficiant pas des protections qu'offre la loi pour des personnes émigrant légalement, elles se retrouvent soumises sans recours aux exigences de leurs employeurs. De ce point de vue, je propose d'analyser, en premier lieu, les conditions de l'émigration aux Philippines induites par la mondialisation. À la lumière du travail de terrain et des analyses qu'il a pu nourrir [3], j'interrogerai dans un second temps, de manière plus critique, ce que ladite mondialisation offre comme potentialités aux personnes migrantes, en dépit des vulnérabilités qu'elle entraîne.

Processus migratoires

Dans une analyse économique classique, conduite en termes d'équilibre, les mouvements de population résultent de l'action volontaire et rationnelle d'individus « répondant » ou s'adaptant à des déséquilibres géographiques affectant les facteurs de production : la terre, le travail, le capital. Dans une telle conception, certains facteurs comme les difficultés économiques poussent (push) à migrer et d'autres attirent les migrants (pull), comme les avantages comparatifs dont le volume et la direction sont déterminés. Cet équilibre statique ne prend pas en compte, on le voit, les formes non économiques de coercition et notamment le poids des structures sur la prise de décision, comme la structure de classe ou les modèles familiaux notamment. Dans la perspective structuraliste, au contraire, les mouvements de population résultent

---

3. *Ces recherches, conduites d'une part pour le compte de la Mission du Patrimoine du ministère de la Culture dans un programme de recherche consacré aux «Formes contemporaines de l'économie informelle» (2002, 2004) et de l'autre pour le Fonds d'action sociale pour les immigrés et leurs familles (2003), s'attachent à étudier et à analyser, à travers des récits de vie, les trajectoires migratoires de femmes philippines employées comme domestiques à Paris, ainsi que les ressorts de ces migrations internationales.*

du développement économique inégal et de la restructuration socio-spatiale de la production qu'elle entraîne. Une telle analyse a le mérite de mettre l'accent sur l'importance des facteurs historiques. Saskia Sassen (1996) montre que dans les villes globales où sont concentrées les instances de décision de l'économie-monde, où sont implantés des sièges sociaux et logés des managers internationaux, se développent des services à la personne offrant des emplois sous-payés essentiellement à des personnes migrantes non déclarées et souvent en situation irrégulière. Il s'agit dans de nombreux cas de femmes, étant donné la nature des services concernés – ménage, cuisine, travaux ménagers, couture, garde d'enfants, assistance à personnes dépendantes notamment. Dans ce cas, ces migrantes sont avant tout victimes d'un système de production dont les marges bénéficiaires résultent précisément de ce différentiel. Les récits de vie recueillis à Paris auprès de vingt-sept femmes philippines aux statuts divers valident incontestablement à la fois le mécanisme *push and pull* et l'hypothèse de Sassen : leur migration s'inscrit bel et bien dans un mouvement circulaire caractérisé par une situation économique problématique dans le pays d'origine et par un appel d'air en termes de besoins de main-d'œuvre dans le pays récepteur. Une telle démarche macro-économique reste cependant trop homogénéisante et tend, du fait même de son degré de généralité, à ignorer les facteurs qu'une telle approche tend à occulter. Sans perdre de vue ce que des économistes pourraient assimiler à une adaptation réciproque de l'offre et de la demande qui sous-tend ce type d'analyse, la présentation du contexte à la fois économique, social, culturel et subjectif dans lequel ces migrations prennent naissance permet de faire avancer l'analyse.

La situation aux Philippines

L'archipel philippin, longtemps colonisé par l'Espagne, a été conquis en 1898 par les États-Unis. Sans prendre les mêmes formes que la *conquista* précédente, cette mainmise américaine a eu un impact considérable sur le pays. Quasi-colonie bénéficiant formellement de l'indépendance [4], le pays est d'abord devenu une base militaire américaine. Si les Américains accordent l'indépendance institutionnelle en

---

4. *Les Philippins devenaient théoriquement des citoyens américains, mais une fois sur le sol américain, ils s'apercevaient immédiatement que ce passeport était de la monnaie de singe et que leur appartenance à la nation américaine n'était pas reconnue (Aguilar, 2002).*

1946, ils maintiennent cependant dans le pays une forte présence militaire qui va soutenir et consolider des régimes autoritaires et corrompus. Les bases américaines, qui font l'objet d'accords que l'on pourrait qualifier de léonins, constituent des enclaves pour lesquelles les États-Unis n'acquittent aucun loyer. Si l'économie du pays «profite» ainsi d'emplois et de ressources, il n'en demeure pas moins que c'est sur fond de dépendance et d'assujettissement à la puissance impérialiste qu'il convient de l'analyser. Comme l'écrit déjà à la fin des années 1980 Rodolphe de Coninck : «Tous les régimes qui se sont succédés à la tête du pays depuis l'indépendance de 1946 ont dû payer hommage aux États Unis. La solidité des liens entre l'*establishment* philippin et les États-Unis repose sur l'ensemble des privilèges que ceux-ci lui ont permis de maintenir, voire d'accroître» (1989, p. 91).

Depuis, l'économie dans l'archipel s'est dualisée. La «question agraire» est cruciale. Si le secteur céréalier – riz et maïs – constitue le premier secteur par l'emploi et la valeur, il souffre du métayage et du «microfondisme». De là les mauvais rendements que l'on constate. La culture de la canne à sucre est dominée par les grands propriétaires et le travail y est effectué par des ouvriers de plantation mal payés et surexploités. Cela se traduit par une extension de vastes *haciendas*. Le rythme de l'urbanisation ne cesse de croître mondialement et concernait environ 40 % de la population en 1992. La pression démographique est forte, d'autant que les problèmes agraires subsistent. Mais cette urbanisation est surtout déséquilibrée : la ville de Manille compte 48,6 % de la population urbaine de l'archipel. En dépit de cette concentration, la situation économique y est désastreuse : en 1994, les 20 % les plus riches accaparent plus de 50 % du revenu national, tandis que les 20 % les plus pauvres doivent se contenter de 5 %. De plus, on relève, comme dans la plupart des pays du Tiers Monde un «coût social de l'urbanisation» (Constantino-David et Valte, 1994). Outre un taux annuel de croissance urbaine toujours en augmentation, on note la densité record de 12 500 personnes au kilomètre carré, ce qui va de pair, comme ailleurs dans les pays du Sud, avec une spéculation foncière importante. Pour les plus démunis, il s'ensuit une situation dramatique pour le logement : en 1989, on comptait 3,5 millions de familles sans abri (Gregorio-Medel, 1989). Cette autre caractéristique peut éclairer l'émigration des femmes philippines.

La situation spécifique des femmes philippines

Avant la *conquista* espagnole, les femmes bénéficient d'une autonomie remarquable : elles pouvaient ainsi nommer leurs enfants et diriger un *baranguay*, l'unité administrative de base. La colonisation espagnole va mettre un terme à cette situation, même si des voyageurs observent la vitalité entrepreneuriale des femmes philippines dans le commerce et l'artisanat. À ce système dans lequel les femmes semblent garder des marges d'initiative, se superpose un ordre patriarcal traditionnel qui délimite strictement leurs obligations et leur place dans la société. La coexistence de ces logiques, en apparence contradictoires, va être d'une certaine manière renforcée après la prise de contrôle politique et économique des États-Unis. L'occupation militaire va ainsi s'accompagner de l'implantation de missions catholiques et protestantes qui vont notamment contribuer à développer la scolarisation des populations urbaines, en particulier pour les jeunes filles. Celles qui sont prises en charge dans le cadre des missions pourront intégrer l'université dès l'orée du XXᵉ siècle. Traditionnellement, le «familialisme» philippin s'appuie sur la piété filiale et la loyauté à l'égard des siens par le maintien de liens forts. L'assistance mutuelle et l'obligation de solidarité à l'égard de chaque membre de la parenté dans le besoin sont les caractéristiques de l'organisation sociale philippine (Lacar, 1995). Il s'agit d'un système parfois identifié comme étant configuré par un couple «privilège/obligation» où chaque membre du groupe qui bénéficie de privilèges octroyés, à un moment donné, par les autres membres du groupe, doit s'acquitter, à d'autres occasions et en d'autres circonstances au cours de sa vie, d'obligations équivalentes à leur égard (Pal et Arquiza, 1957). On verra ainsi des frères aînés ou des sœurs aînées surseoir à des projets de vie, comme le mariage, pour répondre aux besoins immédiats des plus jeunes au sein de la fratrie ou de neveux ou nièces. La force d'un tel familialisme se traduit par une forme de népotisme, responsable selon certains d'entraver les capacités et les potentialités de ceux ou celles qui sont ainsi contraints de travailler pour les autres (Lacar, 1995). Plus généralement, le *utang na loob* («dette de gratitude») est plus communément acquittée par les filles ou par les femmes.

Or, compte tenu de ce que nous avons dit plus haut concernant la situation économique, une scolarisation poussée pour bon nombre de jeunes filles ou de femmes urbaines conduit à une surqualification inadaptée aux besoins en main-d'œuvre de l'archipel (Gonzales, 1992,

p. 22). Il en résulte que de nombreuses diplômées ne trouvent pas d'emploi correspondant à leur qualification, ou plus prosaïquement ne trouvent d'emploi que dans des secteurs mal payés et qui surexploitent leurs salariés. Manquant de matières premières, confronté à une crise économique et politique de plus en plus aiguë, les régimes successifs ont fait de l'émigration un axe majeur de leur politique. La Labor Export Policy (LEP) s'inscrit tout naturellement dans les Programmes d'ajustement structurel (PAS) imposés par la Banque mondiale pour accorder ses prêts. La LEP et les PAS s'intègrent dans les politiques néolibérales conduites dans le cadre de la mondialisation. La LEP cherche également à atténuer les effets du chômage massif, du déficit commercial, de la dette extérieure et à éviter les conflits sociaux. Les Philippines sont ainsi le premier pays exportateur de main-d'œuvre du monde. Cette émigration concerne une population éduquée, le plus souvent qualifiée et anglophone. Ceci conduit certains auteurs à parler d'une véritable fuite des cerveaux (Jackson, Huang et Yeoh, 1999, p. 51).

───── Les « Mercedes-Benz des domestiques »

Les femmes philippines qui émigrent se définissent elles-mêmes, non sans humour, comme les « Mercedes-Benz des domestiques » [5] ! Elles quittent les Philippines en raison d'impératifs économiques, laissant derrière elles leur famille. Elles disent toutes en souffrir, comme elles se remémorent les affres d'une émigration de tous les dangers – utilisation de faux papiers, filières plus ou moins légales, peur de l'inconnu au terme du voyage – (Mozère, 2003). Toutes, aujourd'hui encore, évoquent l'arrachement, craignent que leur absence ne soit préjudiciable à leurs enfants, comme en attestent les témoignages des intéressées (Battistella et Conaco, 1998 ; Parreñas, 2001) et que mettent en avant des auteures comme Arlie R. Hochschild (2004) – « La famille Bautista n'est, en effet, pas préservée par les coûts humains de la mondialisation » – et Saskia Sassen (2006). Si « l'or du monde » est transféré ainsi du Sud au Nord au détriment des enfants – et des économies – des pays émergents, c'est parce qu'il existe une demande internationale de services domestiques à laquelle les femmes philippines répondent particulièrement bien : comme nous l'avons vu plus haut, ces femmes

---

5. *Expression tirée de* «Rooksignalen uit de Derde Wereld» *(Des messages de fumée en provenance du Tiers Monde) une émission de la radio néerlandaise VPRO.*

éduquées, qualifiées, généralement mères de famille, anglophones, chrétiennes et surtout «déférentes» du fait de leur socialisation primaire, constituent le vivier d'un personnel «haut de gamme» particulièrement prisé des employeurs diplomates, managers, professions libérales ou universitaires. Les termes de l'échange sont particulièrement défavorables à ces immigrantes. D'une certaine manière, ma propre recherche valide ce point de vue à travers les récits de vie que j'ai recueillis, comme les observations participantes que j'ai conduites et les rencontres festives auxquelles j'ai participé. Si je n'ai pas rencontré de cas d'exploitation ou d'esclavage dans l'échantillon des vingt-sept femmes interviewées [6], j'ai pu constater – comme les autres chercheures – des situations difficiles, y compris lorsque leurs familles rejoignaient ces femmes [7]. Pourtant, et c'est le cœur de l'argumentation que je souhaite proposer à présent, en même temps que ces tristesses, voire ces détresses, se donnaient à entendre, se laissaient deviner, un peu en «sous conversation», pour reprendre l'expression de Nathalie Sarraute, une toute autre partition par bribes et quasiment par inadvertance, dessinait un paysage moins sombre.

Une migration atypique?

Finalement, ces fausses notes, ces silences, ces postures et ces moments de convivialité partagés n'esquissaient-ils pas une cartographie jusque-là peu visible? En d'autres termes, à partir de certains entretiens, comme dans celui conduit avec Teresa, célibataire de trente-huit ans, régularisée à cause d'un cancer, une expression troublante brisait le cours apparemment tranquille des récits coutumiers de l'exil. Après avoir évoqué son métier de sage-femme et le fait qu'elle allait s'associer avec une collègue à Manille pour créer une petite clinique d'accouchement, Teresa, songeuse, en se parlant presque à elle-même, au lieu de manifester de la joie à l'idée de ce retour au pays, poursuit son récit en changeant le rythme de la phrase, l'œil soudain pétillant et en se redressant dit : «Je ne pourrais plus jamais vivre aux Philippines». Ce brusque éclairage, ce changement de registre linguistique mais surtout

---

6. *Je n'ai pas enquêté auprès de prostituées. J'ajoute qu'il y a à Paris des hommes philippins qui travaillent comme domestiques, mais que les employeurs préfèrent employer des femmes. Parfois, en particulier sur la Côte d'Azur ou à Monaco, des couples philippins sont recherchés par petites annonces.*
7. *Il faut ajouter que parmi ces femmes, un certain nombre sont célibataires.*

moral me fit revisiter les entretiens, en conduire à nouveau et adopter un point de vue différent. Ce que j'avais jusqu'alors perçu comme un mouvement migratoire traditionnel – on migre, on accumule de l'argent, on l'envoie au pays et on y retourne –, prenait à présent appui sur la mondialisation en édifiant des modes de migration transnationaux où, en dépit de l'exil, se déployait une *agency*, une puissance d'agir de ces femmes qui la conjuguaient à leur compte, « à compte d'auteure » selon la belle expression de Michel Peraldi (1999). Cela n'efface nullement leur tristesse ou leur découragement, mais s'y superpose, comme par un effet de feuilletage, et fait coexister la face sombre avec un univers de potentialités qui s'ouvre devant elles. Ces femmes deviennent ce que j'appelerais des « entrepreneures d'elles-mêmes », porteuses d'un projet de vie. Il convenait d'opérer une conversion du regard afin de permettre d'y inscrire cette dimension active où une forme de mobilité subjective s'accompagne, paradoxalement et en dépit de souffrances, d'une mobilité sociale et de genre en termes d'une plus grande liberté d'agir. Comme l'écrit Filomeno Aguilar (1999), elles bricolent « une reconstruction de soi ». Là où j'attribuais les allées et venues comme autant de tentatives de réassurer et de conforter entre autres le lien familial, le terrain devait témoigner de mobiles beaucoup plus variés, voire surprenants et le plus souvent tus.

Mélanie, actuellement à Paris avec sa famille, fait construire un hôtel à Manille, et ses voyages ont aussi pour objet de vérifier l'avancée des travaux. Elle souhaite en tirer des bénéfices et rechigne à retourner au pays contrairement à son époux, qui regrette peut-être les avantages que lui procure le système patriarcal philippin.

Yolanda a donné naissance à une petite fille à Paris, elle regrette l'éloignement de sa famille, mais n'en connaît pas moins les avantages que la société française lui offre ainsi qu'à sa famille.

C'est pour fuir un mari volage que Suzie a quitté les Philippines [8]. Elle y laisse cependant ses enfants, leur offrant néanmoins une scolarisation de qualité, et mène à Paris une vie de femme libre et indépendante, sur le plan matériel et affectif.

Roberta, qui a huit enfants dans l'archipel, n'est pourtant partie qu'après soixante-cinq ans. En changeant de focale ou de projecteur – « là où nous pensons exil, ils pensent projet » (Tarrius, 2002) –, on laisse s'exprimer les « voix » de ces femmes, aux accords et aux

---

8. *Le divorce n'existe pas aux Philippines.*

variations multiples (Hirschman, 1995). Cette démarche a également permis d'intégrer ces éléments qui, à première vue, pouvaient paraître divergents : alors que ces femmes sont au cœur de l'arrangement, de l'agencement qu'elles édifient et qui leur permet de jouir de plus de liberté en dépit de la condition servile qui est la leur, elles aspirent à bâtir ce projet de vie au moyen d'une migration transnationale. Autrement dit, être ici – ce qui présente des avantages avérés selon les entretiens – *et* là-bas, où elles peuvent faire « fructifier » ce qu'elles ont acquis à Paris : autonomie, prestige social et culturel, statut rehaussé en termes de genre parce qu'elles sont les *breadwinners* (Mozère, 2004, 2005, 2006). L'ethnométhodologie l'enseigne : les acteurs sociaux ne sont pas des « idiots culturels » ; et nous convie à scruter « ce qui fait désordre ». Car si les analyses de la victimisation sont pertinentes sous un certain angle, elles ne doivent pas cacher les méandres dans lesquels des actrices inscrivent leur parcours de vie et leur désir. C'est bien de désir dont il est question, de désir en tant que politique d'élaboration continue d'*une* vie. Et en cela, la recherche a permis de faire converger deux points de vue à la fois théoriques et politiques.

Standpoint theory

Lorsque les féministes nord-américaines s'emparent de la question de la place des femmes dans l'histoire, dans la société et dans la culture, elles établissent que si cette place est occultée, et que leurs pratiques sont forcloses, cela est dû au fait que ce sont les hommes qui les « produisent » et « les (d)écrivent ». C'est de leur point de vue, de leur *standpoint* que la question des femmes est envisagée. L'histoire est un continent noir d'où les femmes sont exclues. Les premières féministes vont affirmer la nécessité d'écrire une histoire des femmes du point de vue du *standpoint* des femmes. Pour cela, le *Women's Lib* aux États-Unis et le Mouvement de libération des femmes en France vont créer des outils appropriés susceptibles d'y contribuer : non-mixité des réunions, groupes de prise de conscience ou *narratives* – les récits envisagés et traités comme des archives vivantes –. Les « trouvailles » de la recherche que j'ai conduite qui peuvent paraître à première vue angéliques, me semblent justifier l'adoption d'une telle posture. Autrement dit, donner à voir les injustices et les désagréments que subissent ces femmes n'équivaut nullement à nier et encore moins à travestir leur condition, mais à ouvrir un espace-temps afin d'identifier la manière dont elles-mêmes considèrent la migration. Ce *standpoint* est labile

– selon les étapes de la migration notamment –, il tient compte de ce qu'Aguilar appelle une conversion, un pèlerinage, un rite d'initiation (1999). Mais il doit être partiellement occulté pour laisser place à l'image attendue et gratifiante de la femme qui se sacrifie en partant au loin, précisément pour le bien de ses enfants et de sa famille. L'image de la souffrance et du dévouement est massive. Bien que réelle, elle néglige ce que le désir *produit* dans ce voyage. Toutes le disent, elles sont en quelque sorte nimbées par l'atmosphère parisienne et lorsqu'elles retournent au pays, elles sont admirées pour cette élégante et précieuse liberté dont rêvent toutes les candidates au départ. Cette « microscopisation » de l'analyse telle que la conseillait Witold Gombrowicz permet de mettre au jour chaque voix singulière dans sa diversité et dans sa complexité, même si elle est parfois plus douloureuse. Mais choisir de se placer résolument « du côté » de ces femmes, « du côté » de leur point de vue comme invention d'une vie, pour autant, suppose de ne pas retenir que la facette sombre de cet agencement. Lorsque ces femmes quittent les Philippines, elles pensent apporter davantage à leurs enfants et à leur famille qu'en restant dans l'archipel. Les témoignages des enfants restés au pays ne doivent pas pour autant être minimisés et leur point de vue doit être entendu. Cependant négliger la manière dont ces femmes appréhendent et créent leur vie transnationale revient à éluder une question centrale : comment précisément produire des agencements qui ménagent au mieux les points de vue des femmes et de leurs enfants ? Donner ici « voix » aux récits qu'elles nous ont confiés suppose une unique préoccupation : donner de la mondialisation une image plus complexe, plus nuancée, et indiquer des voies de réflexion et d'action pour imaginer des conditions moins aliénantes et garantir plus de puissance d'agir aux femmes et aux enfants. L'objectif relève d'une micropolitique où le désir des unes et des autres puisse se déployer.

En cela, suivant la leçon de Gabriel Tarde, il est possible de mettre l'accent sur ce que les Anglo-Saxons appellent l'*agency* des personnes ou des singularités. « Qu'est-ce que ce besoin de société, sinon le fait de petites personnes ? » (1999, p. 43). Voilà bien le point où la *standpoint theory* rejoint la miniaturisation que préconise Tarde. Loin de l'organicisme de Durkheim qui associe l'activité sociale à une « fonction cellulaire » (1999, p. 66), à « la possession de tous par chacun » (1999, p. 85). En d'autres termes, à une « mécanique » où « chaque fois que chacun de nous hésite entre deux manières de parler, entre deux idées, entre deux façons d'agir, une interférence a lieu en lui, de rayons imitatifs à partir de foyers différents, extrêmement distincts l'un de l'autre souvent dans l'espace et le temps, des foyers, c'est-à-dire d'inventions, d'imitations individuelles » (2000, p. 70). Souvenons-nous de la convergence, dans le cas des migrations de femmes philippines, de ces actions multiples dans ce monde globalisé : la politique d'exportation de main-d'œuvre gouvernementale, les « appels d'air » de la demande mondiale de services domestiques et la migration individuelle façonnée par ce qu'Arjun Appadurai appelle les *ethnoscapes* du monde globalisé où circulent flux d'images, d'informations et de personnes mobilisées par ce qu'elles ont incorporé du voyage au loin, à travers les récits, les films et des supports divers [9]. C'est, d'une certaine manière, grâce à ces formes de « contagion » que peut se produire de l'inédit dans le cours des vies singulières, inédit créatif qui signe précisément l'avènement des forces de désir. Loin de Durkheim, pour qui les choses sociales existent indépendamment des personnes, Tarde propose une autre voie plus heuristique pour comprendre comment les migrations de ces femmes « font avec » la mondialisation. Comment ces choses sociales sont-elles faites, se demande en effet Tarde. Par des hommes. « Ce sont les hommes et des efforts humains qui en sont la cause. Tout est là d'origine individuelle [...] Même ce qui est répandu dans les cerveaux cultivés et enseigné à l'école [...] a commencé par être le secret d'un cerveau solitaire, d'où cette petite lampe agitée, timide, rayonnant à grand peine dans cette étroite sphère [...] jusqu'à ce que, fortifiée, elle soit devenue une lumière éclatante. » C'est par « propagation » que se créent de « minuscules créations d'expressions imaginées, de tournures pittoresques, de mots nouveaux ou de sens nouveaux que notre langue à nous enrichit, et chacune de ces innovations, pour être d'ordinaire anonyme, en est-elle pas moins une initiative personnelle, imitée de proche en proche ? » (2000, p. 126). Tarde évoque également à cet égard ces « petites révoltes individuelles contre la morale dominante ». Lorsque Ginnie choisit le chemin de la migration parce qu'ayant été abandonnée par son mari, elle est entretenue par sa belle-famille, c'est bien d'une telle création qu'il s'agit. Émigrer offre une porte de sortie pour ce qu'elle ressent comme une aliénation et lui permet de tracer

---

9. *Il existe ainsi un journal* Tinig Filipino, *un journal créé par une ancienne domestique de Hong-Kong, qui offre des conseils, des adresses utiles, des lettres et des poèmes, tout comme des rumeurs et des réputations véhiculés par les domestiques de par le monde et qui créent un imaginaire de la migration agissant comme une force à la fois subjective et matérielle. Cette force permet au mouvement migratoire d'être nourri et enrichi par les expériences des autres, par leur* standpoint.

les lignes d'un projet de vie pour elle et ses enfants. «Chaque individu a été une humanité nouvelle en projet, tout son effort n'a été que l'affirmation de cet universel fragmentaire qu'il portait en lui» (2000, p. 128). Il s'agit donc d'une sociologie du point de vue comme il a été défini plus haut, pour laquelle c'est par la pratique de «monographies narratives» qu'il est possible de saisir les changements sociaux «sur le vif à la source des petites diminutions, propagées dans un certain groupe : à partir des manifestations individuelles (toilettes, gestes, langage, dans les habitudes quelconques)». Ce sont ces «trouvailles accumulées» qui, par la propagation et la persuasion, créent de l'accord. «C'est toujours par le bas âge qu'on entre dans la vie sociale. L'enfant qui se tourne vers autrui comme la fleur vers le soleil, subit bien plus l'attirance que la contrainte de son milieu familial. Et toute sa vie il boira ainsi les exemples, avidement. C'est à cette relation que le sociologue doit s'attacher» (2000, p. 62).

Au terme de ces entrelacs, il est possible d'appréhender comment se situer «du point de vue», du «côté» des «petites personnes» comme l'écrit délicatement Tarde et de donner du relief à leurs vies. De ce fait, la mondialisation n'a pas à être apparentée à un phénomène homogénéisant et massifiant où hommes et femmes ne seraient que des pions, mais doit bien plus être lue comme l'arène où de telles «trouvailles accumulées», inventions improbables, peuvent se déployer grâce aux processus de subjectivation qui permettent précisément d'introduire du *jeu*. En d'autres termes, de jouer sur tous les tableaux possibles, de créer des conditions vivables, même dans des situations «objectivement» inéquitables, donc de produire, le mieux possible, *une* vie satisfaisante.

Bibliographie

AGUILAR (Filomeno), «Ritual Passage and the Reconstruction of Selfhood in International Labour Migration», *Sojourn*, 14 avril 1999.

AGUILAR (Filomeno), communication à la Conférence internationale, Leyden, Icophil, 2002.

AKORA (Henriette), *Une Esclave moderne*, Paris, Michel Lafon, 2000.

APPADURAI (Arjun), *Après le colonialisme*, Paris, Flammarion, 1999.

BARBE (Noël) et LATOUCHE (Serge), (dir.), *Économies choisies*, Mission à l'Ethnologie, Paris, Éditions de la Maison des sciences de l'homme, coll. «Ethnologie de la France», 2004.

BATTISTELLA (Graziano) et CONACO (Marie Cecilai G.), «The Impact of Labor Migration on the Children Left Behind. A Study of Elementary School Children in the Philippines», *Sojourn*, 13 (2), 1998, p. 1-22.

CONINCK (Robert de), «Où sont les Philippines?», *Hérodote*, 52, janvier-mars 1989.

CONSTANTINO-DAVID (Karina) et VALTE (Maricris R.), «Pauvreté, croissance démographique et effets de l'urbanisation aux Philippines», *Revue internationale des sciences sociales*, 141, septembre 1994, p. 483-491.

EHRENREICH (Barbara) et HOCHSCHILD (Arlie) (eds), *Global Woman: Nannies, Maids and Sex Workers*, New York (N. Y.), Metropolitan Books, 2003.

GOMBROWICZ (Witold), *Quatre pièces de théâtre*, Paris, Livre de poche, 2001.

GONZALEZ (Andrew), «Higher Education, Brain-Drain and Overseas Employment in the Philippines. Towards a Differential Set of Solutions», *Higher Education*, 23, 1992.

GREGORIO-MEDEL (Angelita), «The Urban Poor and the Housing Question», *Social Research Series*, 2, 1989.

HIRSCHMAN (Albert O.), *Défection et prise de parole*, Paris, Fayard, 1995.

HOCHSCHILD (Arlie R.), «Le nouvel or du monde», *Nouvelles Questions féministes*, 23 (3), 2004.

JACKSON (Richard T.), HUANG (Shirley) et YEOH (Brenda), «Les migrations internationales des domestiques philippines», Michelle Guillon et Daniel Noin (dir.), *Revue européenne des migrations internationales*, 15 (2), 1999.

LACAR (L. Q.), «Familisme among Muslims and Christians in the Philippines», *Philippine Studies*, 43, Manille, First Quarter, 1995.

LAN (Pei Chia), «Political and Social Geography of Marginal Insiders: Migrant Domestic Workers in Taiwan», *Asian and Pacific Migration Journal*, 2 (1-2), p. 99-125, 2003.

MOZÈRE (Liane), *Les Domestiques «entrepreneures d'elles-mêmes». Le marché mondial de la domesticité*, Rapport à la Mission du Patrimoine ethnologique, 2002.

MOZÈRE (Liane), *Adieu Philippines. Ou les solidarités à l'épreuve*, Rapport au Fonds d'action sociale pour les travailleurs immigrés et leurs familles, 2003.

MOZÈRE (Liane), «Travail informel et projet de vie. Les domestiques philippines à Paris», dans Noël Barbe et Serge Latouche (dir.), *Économies choisies*, Paris, Éditions de la Maison des sciences de l'homme, 2004, p. 93-108.

MOZÈRE (Liane), «Filipina Women as Domestic Workers in Paris: A Transnational Labor Market Enablingthe Fullfillment of a Life-Project», dans Ernst Spaan, Felicitas Hillmann et Ton van Narrssen (eds), *Asian*

Migrants and European Labor Markets. Patterns and Processes of Immigrant Labor Market Insertion in Europe, Londres, Routledge, 2005, p. 177-194.

Mozère (Liane), «Les domestiques philippines sur un marché mondial en termes de genre», *Migrations Société*, 17 (99-100), mai-août 2006, p. 217-228.

Pal (A. P.) et Arquiza (L. Q.), «Deviations and Advances to Philippine Familialism», *Silliman Journal*, 4, 1957.

Parreñas (Rhacel Salazar), *Servants of Globalization*, Londres, Routledge, 2001.

Peraldi (Michel), *Ces Quartiers dont on parle*, La-Tour-d'Aigues, Éditions de l'Aube, 1999.

Sassen (Saskia), *La Ville globale*, Paris, Descartes et Cie, 1996.

Sassen (Saskia), «Vers une analyse alternative de la mondialisation : les circuits de survie et leurs acteurs», *Cahiers du genre*, 40, 2006, p. 67-89.

Tarde (Gabriel), *Monadologie et Sociologie*, Paris, Les Empêcheurs de penser en rond, 1999.

Tarde (Gabriel), *Les Lois sociales*, Paris, Les Empêcheurs de penser en rond, 2000.

Tarrius (Alain), La Mondialisation par le bas. Les nouveaux nomades de l'économie souterraine, Paris, Balland, 2002.

Yeoh (Brenda) et Huang (Shirlena), «Negotiating Public Space : Strategies and Styles of Migrant Female Domestic Workers in Singapore», *Urban Studies*, 35, 1998, p. 583-602.

Chapitre 10 / TRAITE, DEMANDE ET MARCHÉ DU SEXE

Lim Lin Lean [1]

L a traite des personnes est aujourd'hui au premier rang des agendas internationaux, régionaux et nationaux, en lien avec le travail forcé et les facteurs particuliers d'offre et de demande sur les marchés du travail des lieux d'origine et de destination. Par travail forcé, l'Organisation internationale du travail (OIT) entend tout travail ou service exigé sous la menace d'une peine quelconque et pour lequel la personne ne s'est pas proposée de son plein gré. Le travail forcé est défini par la violation des droits humains et la restriction de la liberté des personnes, l'esclavage et des pratiques analogues, ou encore la servitude pour dettes et le servage. Des femmes et des hommes, des fillettes et des garçons sont victimes de la traite. Cependant, le genre, les spécificités socioculturelles et celles du marché, déterminent le type et la gravité du travail forcé dans différents secteurs. Selon les estimations de l'OIT, en 2004, 2,45 millions de personnes soumises au travail forcé avaient été l'objet de traite internationale. 43 % d'entre elles avaient été destinées à l'exploitation sexuelle et un tiers à l'exploitation économique. Parmi les personnes ayant fait l'objet de traite pour la prostitution, 98 % étaient des femmes et des fillettes [2].

Jusqu'à une période récente, les luttes contre la traite se concentraient surtout sur l'offre, avec des mesures destinées à prendre en compte les conditions, notamment la pauvreté et le chômage, qui poussent les personnes à quitter leur foyer. L'attention se porte à présent sur la demande de la traite, en particulier la demande de services sur le marché du sexe.

Le présent chapitre défend l'idée que l'on ne devrait pas faire d'amalgame entre traite et prostitution, et qu'une approche « prohibitionniste »

---

1. *Article traduit de l'anglais par Aminata Sow.*
2. *OIT, 2004.* A Global Alliance against Forced Labour, *Global Report under the follow-up to the ILO Declaration, Report I (B), Conférence internationale du travail, 93ᵉ session, Genève 2004, paragraphe 60.*

ou « abolitionniste » visant à mettre un terme à la demande sur le marché du sexe n'est pas efficace contre la traite. J'y examine l'aspect demande de la traite et les caractéristiques particulières du marché des services sexuels commerciaux, notamment ses ressorts économiques et sociaux. Le défi à relever consiste à prendre en compte les causes profondes de la traite – pourquoi des personnes émigrent et sont l'objet de la traite, et pourquoi d'autres sont en mesure de les y soumettre. Il ne suffit pas de réglementer le marché du sexe ; nous devons considérer les questions liées à la vulnérabilité. Simultanément, le défi connexe – et peut-être plus difficile – est d'inscrire la protection des droits humains au cœur de toutes les mesures de lutte contre la traite et de séparer la question des droits humains des biais moralistes qui entourent la prostitution.

La traite va au-delà de l'exploitation sexuelle

Lorsqu'on se concentre sur la traite qui conduit au marché du sexe, le risque est de faire l'amalgame entre traite et prostitution, et de voir les mesures anti-traites devenir à chaque fois des mesures anti-prostitution. Définir la prostitution comme le but exclusif de la traite ne tient pas, car toutes les victimes de la traite ne sont pas des prostituées et toutes les prostituées n'ont pas fait l'objet de traite.

Un tiers au moins des personnes objets de la traite le sont pour des raisons économiques autres que l'exploitation sexuelle – les travaux de construction, l'agriculture et la transformation des aliments, la pêche, le travail domestique et d'entretien, les ateliers clandestins de l'industrie manufacturière, l'industrie hôtelière, ainsi que la mendicité organisée, l'exploitation de la petite délinquance et la fraude à la Sécurité sociale. Les activités et secteurs enclins à l'exploitation requièrent une main-d'œuvre invisible, non protégée, marginalisée, vulnérable et impuissante. Une telle demande est souvent satisfaite par la traite.

Dans une déclaration du 3 octobre 2006, lors de la Journée spéciale de la traite, l'Équipe de coordination des experts de l'Alliance [3] – Alliance Expert Coordination Team – soulignait que « pour rendre

---

3. *Composé des organisations suivantes : OSCE/Odihr, UNHCR, PNUD, Unicef, Unifem, OIT, IOM, Fédération internationale des sociétés de la Croix-Rouge et du Croissant-Rouge, ICMPD, Europol, Interpol, Dutch National Rapporteur, Nexus Institute, ACTA, Anti-Slavery International, Ecpat, La Strada International, Fédération internationale Terre des hommes, Save the Children, Amnesty International.*

justice à la fois à la définition et aux différents types de situations de traite que nous combattons dans notre travail quotidien, les discussions sur la demande et les mesures prises pour "décourager la demande" (art. 9.5, protocole de Palerme) doivent refléter la profondeur et la gravité de toutes les fins pour lesquelles les personnes font l'objet de la traite [4] ».

Le protocole de Palerme – relatif à la traite [5] – entend, par traite, le recrutement, le transport, le transfert, l'hébergement ou l'accueil de personnes par la menace de recours ou le recours à la force ou à d'autres formes de contrainte, par enlèvement, fraude ou tromperie « aux fins d'exploitation ». L'exploitation comprend l'exploitation de la prostitution d'autrui ou d'autres formes d'exploitation sexuelle, le travail ou les services forcés, l'esclavage ou les pratiques analogues à l'esclavage, la servitude ou le prélèvement d'organes » (art. 3a du Protocole). L'entrée en vigueur du protocole, en décembre 2003, a introduit dans le droit international, où les précédents sont peu nombreux, le concept d'exploitation, qui regroupe à la fois l'exploitation sexuelle et de la main-d'œuvre. Le protocole exige des États parties, dont plusieurs avaient jusqu'ici voté des lois contre la traite ne couvrant que l'exploitation sexuelle des femmes et des enfants, qu'ils adoptent des lois ou amendent pour élargir leur concept de traite et d'exploitation.

Le Rapport sur la traite des personnes, en particulier des femmes et des enfants, de Sigma Huda (2006), a fait l'objet de vives critiques de plusieurs organisations internationales de lutte contre la traite, qui lui reprochaient de faire un amalgame entre prostitution et traite, et « d'adopter le point de vue abolitionniste selon lequel la prostitution implique la traite et de rejeter, sans preuves, l'autre point de vue selon lequel elle peut exister et existe effectivement sans traite [6] ». Ces organisations ont fait valoir que la traite était définie plus largement dans le protocole de Palerme et que, même pour la question de la prostitution, les délégués aux négociations sur le protocole n'avaient pas réussi

---

4. *Human Dimension Implementation Meeting Special Day on Trafficking, 3 octobre 2006,* Alliance Statement on Demand, *présenté par La Strada International au nom de l'Alliance Expert Coordination Team,* HDIM.NGO/ 41/06, 3 octobre 2006.

5. *Protocole visant à empêcher, réprimer et punir la traite des personnes, en particulier des femmes et des enfants (protocole relatif à la traite), additionnel à la Convention des Nations unies contre le crime organisé transfrontières, 2000.*

6. *La Strada International,* Response of La Strada International to the Report of the Special Rapporteur on Trafficking in Persons, especially Women and Children, Sigma Huda.

à s'entendre pour savoir, si oui ou non, la traite d'adultes comprenait tout le travail du sexe – licite ou illicite – ou seulement le travail du sexe non libre ou forcé, et laissait donc aux États le soin d'en décider.

Comprendre la demande

Du point de vue «prohibitionniste» ou «abolitionniste», la prostitution représente une forme de violence sexuelle masculine contre les femmes, et un marché qui réduit les femmes et les fillettes au rang de marchandises ; aucune distinction n'y est établie entre la prostitution «forcée» et la prostitution «volontaire». Dans ce cadre, employer une femme en tant que prostituée revient automatiquement à l'exploiter, payer pour des services sexuels commerciaux est un acte «d'exploitation sexuelle», et la traite est comprise comme mue par la demande, à la fois de consommateurs avides de services sexuels commerciaux et d'employeurs cherchant une main-d'œuvre bon marché et contrôlable pour le marché du sexe.

La question de la demande est toutefois complexe. Dans le domaine de la traite, la «demande» est un terme idéologiquement chargé qui ne fait pas l'objet d'une défintion ni d'une compréhension précise et consensuelle. Alors que la demande renvoie généralement au désir ou à la préférence pour une marchandise, un travail ou un service particulier, dans le cas de la traite humaine, une étude récente de l'OIT (2006) fait remarquer qu'elle porte sur un travail généralement exploité, qui constitue une des pires formes du travail des enfants, ou encore qui implique la violation des droits humains d'une personne pour qu'une autre réalise des bénéfices.

L'étude a identifié [7] trois types de demande :

– la demande des consommateurs (clients de l'industrie du sexe, clients de l'industrie manufacturière, membres des ménages concernant le travail domestique) ;

– la demande des employeurs (employeurs, propriétaires, managers ou sous-traitants) ;

– les tiers impliqués dans le processus (recruteurs, agents, transporteurs et autres tiers qui participent en connaissance de cause au mouvement des personnes à des fins d'exploitation) ;

---

7. L'étude a examiné la demande dans cinq secteurs : le commerce du sexe, le travail domestique, la mendicité organisée, la production de feux d'artifice et les enfants soldats, et dans cinq pays : Bangladesh, Indonésie, Népal, Pakistan et Sri Lanka.

– et également l'aspect qui renvoie à la nature et à l'étendue de l'exploitation et de l'abus contre les victimes de la traite, une fois arrivées à destination, ainsi que les facteurs sociaux, culturels, politiques, économiques, juridiques et en matière de développement qui déterminent la demande et influent sur le processus de traite ou le permettent.

Dans une simple perspective de marché, on pourrait soutenir que sans consommateur ni demande il n'y aurait ni revenu potentiel ni offre. En un mot, il n'y aurait pas de marché. Toutefois, concernant la traite, la réalité n'est pas si simple – demande et offre sont étroitement liées. L'importance relative de ces facteurs constitue un autre point clair sur lequel nous devons mener la recherche. N'est-ce pas une offre abondante de femmes et de fillettes vulnérables, dont les services et le travail peuvent être exploités, qui alimente la demande à un niveau qu'elle n'atteindrait pas autrement?

En tout état de cause, l'aspect offre ne peut être ignoré, car le processus de la traite commence sur le lieu de départ, avec la vulnérabilité pour cause véritable. Et les facteurs d'expulsion n'ont pas trait simplement à la pauvreté et au chômage chronique, mais aussi à la discrimination et aux inégalités profondément ancrées. Dans tous les pays où un grand nombre de femmes et de fillettes font l'objet de traite, on trouve les mêmes manifestations de l'oppression des femmes. Les filles restent perçues comme quantité négligeable ; on attend d'elles qu'elles sacrifient leur éducation et leur sécurité pour leur famille. Elles sont encore souvent considérées comme des handicaps pour leurs parents, de sorte que dès que l'occasion se présente ceux-ci sont disposés à se débarrasser des épouses les moins prisées, des filles et des sœurs, sans trop se préoccuper de leurs droits ou de leur bien-être futur. Dans bien des cultures et des communautés, les femmes et les filles jouissent d'un faible statut et sont jugées comme des biens dont on peut disposer librement et la violence à leur encontre est tolérée. La discrimination de genre est aggravée par la discrimination fondée sur d'autres formes « d'altérité ». Les femmes et les filles des minorités ethniques, des castes répertoriées, des populations flottantes ou au chômage, des groupes autochtones et marginalisés, sont particulièrement vulnérables à la traite. Cette discrimination, et la pauvreté endémique et persistante dans tant de pays poussent des milliers d'entre elles à émigrer à la recherche d'un emploi et d'un revenu : c'est cette offre abondante de main-d'œuvre disponible à bas coût qui alimente la demande à un niveau qu'elle n'aurait pas atteint autrement.

La demande de service ou de travail à une personne quelconque n'est pas nécessairement la même que la demande de travail ou de service à une personne ayant subi la traite. Une étude de l'OIT (2006) dans cinq pays a constaté que la majeure partie des clients et des consommateurs ne cherchaient pas spécifiquement des femmes ou des fillettes ayant fait l'objet de traite – nombre d'entre eux n'étaient pas en mesure de les reconnaître. Toutefois, la recherche de Bridget Anderson et de Julia O'Connell Davidson (2003) fait remarquer que les clients des prostitué(e)s s'intéressent à la personne du travailleur/de la travailleuse, et pas simplement au produit de son travail. Lorsqu'il achète, par exemple, des vêtements ou des produits agricoles, le client ne s'intéresse généralement pas à l'identité des travailleurs qui ont produit ces articles. Mais lorsqu'il achète du sexe, il peut avoir des préférences très spécifiques en ce qui concerne l'âge, le sexe, la race, la nationalité, la caste et/ou l'ethnie du travailleur ou de la travailleuse, ainsi qu'à son apparence, son comportement et ses capacités linguistiques. Les chercheurs concluent donc qu'il est concevable que la demande des consommateurs sur le marché du sexe soit plus étroitement liée au travail forcé/à la traite que d'autres secteurs. L'étude de l'OIT a également constaté qu'un groupe significatif de clients préférait les vierges et les enfants, alimentant ainsi directement la demande de traite de jeunes femmes et de petites filles (OIT, 2006, p. 36).

Toutefois, les employeurs et les tierces personnes qui entrent en jeu jouent un rôle beaucoup plus direct. Selon l'étude, « le phénomène de la traite résulte, dans une très large mesure, de la capacité des employeurs à créer en toute impunité [...] les conditions de travail qui leur chantent, conditions souvent fondées sur les abus ; il s'agit de secteurs informels "cachés" qui tirent parti de faiblesses législatives et d'un contexte socioculturel qui tolère certains types de discrimination et d'exploitation » (OIT, 2006, p. 3).

La réflexion sur la demande devrait également prendre en compte l'environnement qui la rend possible et l'influence, notamment, l'informalisation et la précarisation accrues des relations de production et d'emploi. Les conditions de l'économie informelle – sans droit du travail ni protection sociale, avec peu ou pas d'organisation et de représentation des travailleurs – facilitent l'incorporation des travailleurs migrants sans papiers et objets de traite. L'économie informelle – qui comprend le travail du sexe, le travail domestique et la sous-traitance – est largement invisible et échappe pratiquement aux normes du travail actuelles ; le recours au travail forcé y est donc possible et profitable.

L'État contribue également, bien qu'indirectement ou passivement, à soutenir la demande de personnes faisant l'objet de la traite. L'absence de législation spécifique, appropriée et efficace, constitue l'une des entraves majeures à la lutte contre la traite. La législation existante et son application dans la plupart des pays n'ont pas permis d'empêcher la traite ni de traduire les trafiquants en justice, en dépit de la gravité des délits. Ainsi, « même alors que la traite est légalement définie comme un crime, elle est parfois confinée à la traite à des fins d'exploitation sexuelle et ne couvre pas les autres formes de travail forcé, d'esclavage ou de servitude. Une telle approche, qui amalgame traite et prostitution, non seulement signifie que les trafiquants échappent souvent à la sanction méritée, mais peut également accroître la discrimination à l'égard des femmes victimes de la traite, en raison des attitudes biaisées des autorités chargées d'appliquer la loi et de la société en général vis-à-vis des prostituées. Par ailleurs, les victimes de la traite sont souvent punies plus sévèrement que les trafiquants eux-mêmes ; elles sont traduites en justice et expulsées au lieu d'être protégées. Les autorités ont tendance à les traiter comme des criminelles plutôt que comme des victimes, en raison de leur situation irrégulière en matière de résidence et d'emploi dans le pays de destination, ou parce qu'elles travaillent dans la prostitution. Ces actions incitent les victimes à se méfier des autorités et à refuser de coopérer dans les enquêtes, ce qui réduit la possibilité de poursuivre efficacement les trafiquants » (OIT, 2002).

Comprendre le marché du sexe

Pour expliquer pourquoi l'on ne mettra pas un terme effectif à la traite à des fins d'exploitation sexuelle en freinant la demande dans le secteur du sexe, il est crucial d'examiner les caractéristiques particulières du « marché du sexe », notamment ses ressorts économiques et sociaux.

En premier lieu, il ne s'agit pas d'un marché homogène, mais de nombreux segments de plus en plus variés d'un marché. Une étude antérieure de l'OIT en décrit l'hétérogénéité et la complexité : « Bien que la prostitution des adultes et des enfants fasse partie du secteur du commerce du sexe et qu'elle ait des fondements économiques et sociaux solides, la position sur la prostitution des enfants est sans équivoque, alors que les considérations sont différentes pour la prostitution des adultes. [...] Toutes les conventions internationales traitent de la prostitution des enfants comme d'une forme inacceptable de travail forcé, pour l'éliminer complètement. Dans le cas des adultes, la position est moins évidente, parce qu'il est possible d'établir une distinction entre la prostitution forcée et la prostitution volontaire [...] Les personnes adultes qui entrent dans le secteur du sexe le font pour une diversité de raisons. Certaines choisissent librement le travail du sexe comme expression de libération sexuelle ou comme décision économiquement rationnelle sur la base des potentiels de revenu, des coûts impliqués et des alternatives disponibles. D'autres sont contraintes par la pauvreté et la misère. D'autres encore font ouvertement l'objet de contraintes par des tiers, sous forme de tromperie et/ou de violence physique ou de menaces. En même temps, les conditions de travail varient dans le secteur du sexe, notamment en fonction des modes d'entrée dans le secteur. Les enquêtes nationales – en Malaisie, aux Philippines et en Thaïlande – confirment que les gains peuvent être beaucoup plus élevés que dans d'autres secteurs d'activité accessibles et que dans les segments "supérieurs" de ce marché, les termes et conditions de travail pourraient être très bons – relativement à ce qui existe sur les autres marchés. Par ailleurs, d'autres prostituées travaillent dans des conditions similaires à la servitude ou à l'esclavage et font l'objet d'exploitation et d'abus graves» (Lim, 1998, p. 212).

L'industrie du sexe est devenue hautement organisée, diversifiée et mondialisée. Des évolutions technologiques comme internet, l'expansion du tourisme et la multiplication des agences d'hôtesses et des médias qui font la publicité des services sexuels ont toutes contribué à la demande croissante de sexe commercial. Les arrangements se sont considérablement diversifiés pour satisfaire des segments spécifiques du marché, répondre à l'évolution et à la «sophistication» des goûts des consommateurs et surmonter les contraintes légales, en impliquant un nombre plus important d'intérêts nationaux et internationaux. Les opérateurs du commerce du sexe répondent à la demande avec des salons de massage, des boîtes de nuit – de la plus miteuse à la plus luxueuse –, des bars, des karaokés, des appartements privés et même des terrains de golf ou des restaurants. On trouve également des prostituées de rue exerçant pour leur propre compte, bien qu'elles s'appuient souvent sur une personne qui les protège contre le harcèlement.

Nous parlons d'industrie ou de secteur du sexe parce qu'il ne s'agit pas simplement d'acheteurs et de vendeurs individuels ou d'employeurs en quête de main-d'œuvre bon marché. La réalité crue est que le sexe commercial est devenu un «grand négoce» impliquant des structures de plus en plus organisées et un grand nombre d'intérêts établis, pas seulement les familles des prostituées qui comptent sur leurs gains ou les propriétaires, les gérants, les souteneurs et autres employés des établissements du sexe, mais aussi bien des personnes dans l'industrie des loisirs, du tourisme, des voyages, etc. De nombreux et puissants intérêts contrôlent et entretiennent ces structures, protégées et appuyées par des politiciens, des forces de police, des forces armées et des fonctionnaires véreux qui reçoivent des pots-de-vin, exigent des faveurs sexuelles et sont eux-mêmes des clients, voire les partenaires ou les propriétaires des établissements concernés.

L'industrie du sexe possède non seulement des bases économiques fortes, mais aussi des positions sociales solides. On trouve les racines de la prostitution dans les institutions et les traditions socioculturelles qui dictent les relations entre les sexes, entre parents et enfants, et vis-à-vis des groupes socialement marginalisés. Ainsi, il existe fréquemment un système moral avec deux poids, deux mesures, pour les hommes et les femmes, et les attributs de la féminité réputée traditionnelle – la passivité, la soumission, la sentimentalité et la désirabilité sexuelle souvent associées aux femmes asiatiques – sont exploités commercialement par le secteur du sexe. Les normes sociales n'évoluent que lentement – bien des familles élèvent toujours leurs filles dans l'obligation morale de gagner de l'argent pour les remercier des soins et de la protection qu'elles leur avaient assuré, même si cela doit les mener à la prostitution (Lim, 1998, p. 12-13). Le racisme, la xénophobie et les préjugés à l'égard des migrants, des minorités ethniques ou d'autres groupes marginalisés restent profondément ancrés – les clients peuvent estimer que les femmes et les fillettes issues de ces groupes ne sont pas des êtres humains à part entière, et donc les utiliser et abuser d'elles d'une manière qui ne serait pas acceptable pour leur propre groupe.

Lutter contre la traite en contrôlant la demande sur le marché du sexe : quelques implications

Il est possible de tirer quelques conclusions de ce qui précède et de mettre en évidence certaines implications de la lutte contre la traite et le travail forcé par le contrôle de la demande dans le marché du sexe.

En premier lieu, en raison de l'influence tant de l'offre que de la demande sur la nature et les résultats de la traite, nous devons comprendre la dynamique sous-jacente de ces deux facteurs. La prise en compte des seuls facteurs de l'offre ou de la demande n'est pas une bonne stratégie.

Pour aborder efficacement la traite, il faut prendre en compte à la fois l'exploitation sexuelle et l'exploitation du travail. « L'idée que l'on devrait supprimer l'ensemble du marché du sexe commercial afin de résoudre le problème de la traite en vue de la prostitution est aussi draconienne et obtuse que celle d'éliminer la demande de tapis pour résoudre le problème du travail forcé et du travail des enfants dans l'industrie du tapis» (Anderson et O'Connell Davidson, *op. cit.*, p. 11-12). « Le travail forcé et les pratiques comparables à l'esclavage peuvent exister dans de nombreux métiers. Mais là où les métiers sont légaux et où le travail de la main-d'œuvre est reconnu, on peut mieux dénoncer et mettre un terme à la violation des droits et prévenir les abus» (*Manifesto Sex Workers in Europe*, 2005). En rendant le marché du sexe illicite, on risque également de le rendre clandestin et ceci peut mener à la marginalisation totale de personnes ayant cruellement besoin de protection contre l'exploitation et les abus.

L'idée que la criminalisation de la prostitution permet de contrôler la demande sur le marché du sexe et de protéger les droits humains des prostituées est erronée. De fait, de nombreux pays traitent non pas les clients, mais les prostituées comme des criminelles et les punissent parce qu'elles gagnent leur vie. La criminalisation n'empêche pas nécessairement les prostituées de se livrer à ce travail, en particulier en l'absence d'alternatives viables, mais les empêche bel et bien de chercher ouvertement à bénéficier de services de santé sexuelle ou d'éducation sexuelle plus sûre, ou même de protection contre les abus.

Bien entendu, pour les personnes entrées dans la prostitution par la traite, le problème est constitué par la violation de leurs droits humains par le travail forcé. Pour les autres en revanche, les mesures de lutte contre la prostitution violeraient leurs droits humains et leur liberté civile de se livrer à une occupation librement choisie. Il est important de rappeler que toutes les personnes ont droit, entre autres, à la liberté d'expression et d'association, à la non-discrimination, à la santé et à la libre circulation, indépendamment de l'occupation qu'elles choisissent ou à laquelle elles sont contraintes. Pour les adultes qui choisissent librement le travail du sexe, les préoccupations politiques devraient être l'amélioration de leurs conditions de travail et de leur protection sociale, et l'égalité avec les autres travailleurs. Pour les personnes qui ont fait l'objet de traite et ont été soumises par la force, la tromperie ou la violence, la priorité devrait être de les sauver et de veiller à leur réhabilitation et leur réintégration dans la société.

Le simple fait de freiner la demande des clients ou des employeurs ne sera pas efficace, en grande partie à cause des puissants ressorts économiques sur lesquels la prostitution se développe. Les «tiers» ne sont pas simplement des individus opérant isolément. Les structures institutionnelles fortement organisées, les réseaux de personnes qui dépendent de ces activités, les liens étendus avec un grand nombre d'autres activités économiques légitimes et intérêts établis ne sont pas faciles à démanteler. Les hommes d'affaires, hommes politiques et criminels ne renonceront pas de leur plein gré à cette branche commerciale lucrative. Sévir contre certains segments du marché du sexe ne peut que rendre les activités moins visibles et plus difficiles à réglementer. La recherche a montré que le marché peut s'adapter et s'ajuster, et qu'il est de plus en plus varié et complexe [8].

Les ressorts sociaux de la prostitution doivent être pris en compte. La régulation du marché du sexe ne combat pas le racisme, la xénophobie ni les préjugés à l'égard des migrants, des minorités ethniques ou d'autres groupes marginalisés. «Tant que les gouvernements ne feront rien pour prendre en compte la dévalorisation sociale des migrants et leur marginalisation sociale, politique et économique, la réglementation ne servira qu'à renforcer les hiérarchies raciales, ethniques et nationales dans l'industrie du sexe» (Anderson et O'Connell Davidson, *op. cit.*, p. 44). La réglementation des marchés doit être définie au sein d'un programme plus large de sensibilisation du public. L'équipe d'Alliance Expert Coordination a appelé à «des campagnes de sensibilisation du public centrées sur l'acceptation des migrants et de leurs familles afin de réduire la discrimination et la stigmatisation à leur encontre» ; et également à «des campagnes de sensibilisation du public sur les biens et les services produits par une main-d'œuvre forcée et exploitée et sur le développement, afin d'aider les consommateurs à identifier les biens et services qui n'ont pas été produits au travers de l'exploitation» (OIT, 2004).

«La traite [...] ne devient pas un délit en raison du but pour lequel une personne se déplace ou est déplacée. Les éléments communs de la traite ne sont pas le mouvement ou le lieu de travail en soi, mais la marchandisation, l'absence de consentement et les conditions de travail fondées sur l'exploitation. Malheureusement, la plupart des initiatives sur la traite n'ont pas réussi à établir des distinctions et visent à mettre un terme au mouvement, en particulier des femmes, indépendamment du consentement du sujet, en se fondant sur l'hypothèse qu'elles sont victimes de la traite» (Kapur, 2002).

---

8. *La recherche a montré que les opérateurs du marché du sexe peuvent accroître le recours à une technologie de la communication sophistiquée – le recours aux téléphones portables et à internet, etc., et passer de formes visibles de prostitution à des formes moins aisées à détecter.*

Les mesures qui visent à protéger les femmes et les filles vulnérables contre la traite par l'interdiction ou la restriction de leur mobilité ne constituent pas non plus une réponse. Certains États imposent des politiques restrictives et discriminatoires qui ne prennent pas ou peu en compte les facteurs d'offre et de demande de main-d'œuvre, qui restreignent l'accès des femmes aux documents de voyage, notamment aux passeports et aux visas, ou qui stipulent que seules les femmes âgées de plus de trente-cinq ans peuvent émigrer, doivent avoir l'autorisation de leur conjoint ou d'un parent de sexe masculin et/ou être accompagnées par ce conjoint ou ce parent, etc. Un tel amalgame entre traite et migration renforce le biais de genre selon lequel les femmes et les filles ont besoin de la protection constante d'un homme ou de l'État et ne doivent pas avoir droit à la mobilité ou à gagner leur vie comme elles le choisissent. Ces politiques supposées protectrices portent atteinte à leur droit de ne pas subir de discrimination et à la liberté de quitter tout pays. Lorsque la migration est rendue difficile ou impossible par des lois et des politiques restrictives, la traite tend à se renforcer et/ou à entrer dans la clandestinité. En conséquence, le statut de migrant(e) irrégulier(e) devient souvent un outil très efficace pour les trafiquants et expose les personnes objets de traite à davantage d'exploitation. Les régimes restrictifs de migration ont souvent l'effet non escompté de favoriser la traite et d'aider et d'encourager les trafiquants. Il faut au contraire promouvoir des systèmes de migration de travail réglementés, ordonnés et humains[9].

Insister pour éviter l'amalgame entre traite et prostitution, souligner que les mesures contre la traite ne sont pas analogues à des mesures anti-prostitution et que le contrôle de la demande sur le marché du sexe ne résoudra pas le problème de la traite, ne signifie pas selon nous que rien ne peut être fait pour s'attaquer aux problèmes du marché du sexe. Même pour les prostituées qui n'ont pas fait l'objet de traite, les préoccupations prioritaires devraient toujours être la protection de leurs droits humains et de leur droit du travail, notamment le droit à des conditions de travail saines, à la liberté d'association et d'organisation, à l'accès à la santé et à la protection sociale, etc.

En tant que membre de l'OIT, je dois insister sur le fait qu'il n'appartient pas à cette organisation de prendre position sur la légalisation

---

9. *Voir par exemple OIT, 2006. L'objectif du Cadre non contraignant est de donner effet à la Résolution et aux conclusions d'un accord équitable pour les travailleurs migrants dans une économie globale, adopté par la 92ᵉ session de la Conférence internationale du travail en 2004.*

ou non de la prostitution. Il est tout aussi important de souligner que légaliser la prostitution ne revient pas à la légitimer ; nous ne nous trouvons pas sur le plan moral de la justification ou de la sanction. Les pays qui ont légalisé certains segments du marché du sexe, l'ont fait à travers des contrôles et des réglementations spécifiques.

En dernière analyse, les mesures visant à combattre la traite et également – à bien des égards –, la prostitution, doivent s'en prendre aux causes profondes liées au manque de travail décent. « La migration, aujourd'hui, est une migration de travail. S'attaquer au problème de la migration revient à promouvoir des opportunités pour les femmes et les hommes, nationaux et migrants, afin de leur offrir des emplois décents et productifs dans des conditions de liberté, d'équité, de sécurité et de dignité humaine. La migration dans des conditions insoutenables, l'exploitation et la traite des travailleurs migrants, surviennent dans des contextes de graves pénuries d'emplois décents – absence de droit du travail, insuffisance d'emplois productifs et rémunérateurs, manque de protection sociale adéquate et de représentation – dans les pays d'origine, de transit et de destination [...] On ne peut aborder la traite de manière effective sans combattre les insuffisances du marché du travail (hausse du chômage et du sous-emploi, mauvaises conditions de travail), la ségrégation professionnelle persistante et la position désavantagée des femmes par rapport aux hommes sur le marché du travail ; et sans examiner pourquoi et comment l'informalisation, la flexibilisation et la précarisation des relations dans la production et dans l'emploi amplifient la demande de migration de travail non réglementée » (OIT, 2002, p. 43).

Bibliographie

ANDERSON (Bridget) et O'CONNELL DAVIDSON (Julia), *A Multi-Country Pilot Study, International Organization for Migration*, IOM Migration Research Series, 15, Genève, Office international des migrations, décembre 2003.

HUDA (Sigma), *Integration of the Human Rights of Women and the Gender Perspective*, E/CN.4/2006/62, 62ᵉ session de la Commission des droits humains, 20 février 2006.

KAPUR (Ratna), « The Global War on Trafficking, Terror and Human Rights », *Alliance News*, 18 juillet 2002, p. 21-22.

LIM (Lin Lean) (ed.), *The Sex Sector. The Economic and Social Bases of Prostitution in Southeast Asia*, Genève, Organisation internationale du travail, 1998.

Manifesto Sex Workers in Europe, European Conference on Sex Work, Human Rights, Labour and Migration, Bruxelles, 15-17 octobre 2005. http://www.salli.org

OIT, *An Information Guide Preventing Discrimination, Exploitation and Abuse of Women Migrant Workers,* Booklet 6, Trafficking of Women and Girls, Genève, Organisation internationale du travail, Gender Promotion Programme, 2002.

OIT, *A Global Alliance against Forced Labour,* Global Report under the Follow-up to the ILO Declaration, Report I (B), 93ᵉ session de la Conférence internationale du travail, Genève, Organisation internationale du travail, 2004.

OIT, *Demand Side of Human Trafficking in Asia : Empirical Findings,* Bangkok, OIG, 2006.

OIT, *Multilateral Framework on Labour Migration : Non-binding Principles and Guidelines for a Rights-based Approach to Labour Migration,* Genève, Organisation internationale du travail, 2006.

III - VIOLENCES ET RÉSISTANCES: MILITARISME ET MOUVEMENTS FÉMINISTES TRANSNATIONAUX

Introduction

Francine Descarries et Jacqueline Heinen

D e la vindicte militariste de l'Administration Bush dénoncée par Zillah Eisenstein aux conflits frontaliers dans le Nord-Est de l'Inde évoqués par Paula Banerjee, en passant par le questionnement soulevé par Vivien Taylor au sujet de la marchandisation du concept de gouvernance, les trois premiers chapitres de cette partie invitent à interroger la façon dont les nouvelles configurations socio-économiques mondiales légitiment, sinon renforcent, des modèles anciens et nouveaux de la division sociale des sexes.

Bien qu'abordant trois thématiques distinctes, chacune des contributions montre à l'évidence combien les différents rapports sociaux – sexe, classe, race, Nord-Sud – cohabitent et sont imbriqués dans une dynamique de coproduction des pratiques sociales. Ce qui, face à l'hétérogénéité des réalités englobées par le concept de mondialisation, force au constat suivant : les multiples configurations empruntées par la division sexuelle du travail, de même que la variabilité des expériences et des positions des femmes qui en découlent, ne peuvent être comprises à partir du seul vecteur des rapports de sexe. En raison de leur caractère transversal, ceux-ci doivent néanmoins constituer une entrée pour une analyse-déconstruction du processus par lequel les rapports d'inégalité entre majoritaires et minoritaires [1] s'entrecroisent et se consolident pour induire tant la reconfiguration incessante des divisions et des hiérarchies entre les sexes que les clivages entre les femmes.

L'analyse féministe des rapports de pouvoir qui traverse chacun des articles montre aussi l'insuffisance flagrante des approches institutionnelles qui pourraient permettre de dégager le sens et la portée des discours dominants concernant la gouvernance et la mondialisation. Il faut, précise Taylor, savoir qui formule les concepts et avec quelles intentions. Il faut, ajoute Eisenstein, identifier qui sont ceux et celles qui utilisent les droits des femmes pour justifier des actions d'ingérence et

---

1. On entend ici « majoritaires » et « minoritaires » au sens politique et social, et non pas numérique.

d'agression inacceptables. Il faut, rappelle enfin Banerjee, voir comment la marginalisation et la violence dont sont victimes des femmes du Nord de l'Inde sont imputées à des causes externes/extérieures – infiltrations frontalières, migrations, présence d'étrangers sur le territoire –, comme si la réalité de ces femmes n'était pas aussi le produit de l'existence, au sein même de la communauté locale et nationale, de rapports patriarcaux de pouvoir érigés en système.

Dans un tout autre registre, les trois auteures mettent au premier plan l'idée développée par Susan Brownmiller [2] selon laquelle le viol constitue un acte de pouvoir utilisé à travers l'histoire comme une arme de guerre désignant les femmes comme butin du vainqueur. Les auteures attestent le fait que les luttes armées, les luttes internes entre factions, les querelles frontalières ou les conflits internationaux multiplient les actes de violence à l'égard des femmes, et les exposent à divers sévices physiques et psychiques. Banerjee montre comment, en période de crise, les femmes sont contrôlées et victimisées à la fois par les structures/systèmes de pouvoir externes et par les structures/systèmes de leur propre communauté. Guerres civiles, conflits armés et crises économiques, ajoute Taylor, fragilisent, sinon anéantissent les droits acquis par les femmes et exercent des pressions indues sur les finances gouvernementales au moment où la protection de l'État leur serait davantage nécessaire. Idée que complète Eisenstein en affirmant que de tels effets sont loin d'être limités aux femmes qui habitent les zones de combat. L'extraordinaire ponction que représentent les coûts de la guerre a un impact direct sur le bien-être de toutes les femmes : le financement de la guerre réduit considérablement toute possibilité de soutien à des programmes d'aide sociale, de prévention et de lutte contre la pauvreté.

Enfin, si nous souscrivons aux observations d'Eisenstein selon laquelle la rhétorique des droits des femmes a été manipulée par l'Administration Bush, dont l'environnement féminin – Condoleeza Rice et Laura Bush en tête – a été mobilisé pour « humaniser » au nom des droits des femmes ses visées militaro-capitalistes, et pour camoufler les aspects contradictoires d'une guerre prétendument entreprise pour « imposer » la démocratie, nous questionnons le vocable utilisé par Eisenstein pour les désigner, soit celui de *féministes impérialistes*. Car, s'il ne fait aucun doute que ces femmes ont développé un discours se réclamant du féminisme pour soutenir leurs visées politiques, ce qui leur vaut

---

2. *Susan Brownmiller,* Against Our Will : Men, Women and Rape, *New York (N. Y.), Simon and Schuster, 1975.*

incontestablement l'appellation de *néolibérales impérialistes,* dans la mesure où elles ont précisément contribué à l'utilisation d'un discours prétendument féministe contre des femmes, il nous semble souhaitable de les désigner très clairement comme «antiféministes» afin d'éviter les amalgames qui, précisément, facilitent les manipulations.

Ces trois textes convergent pour révéler que la coproduction des oppressions néolibérales et patriarcales est un phénomène complexe et multiforme. Ils soulignent l'importance pour les lectures dominantes de la mondialisation de s'ouvrir aux perspectives de genre, mais aussi l'intérêt pour les théories féministes d'approfondir leurs analyses dans des domaines comme ceux de la gouvernance, des guerres et des conflits.

Dans un deuxième temps, les contributions de Jules Falquet, Fatou Sow et Paola Bacchetta traitent de la mobilisation des groupes de femmes et des mouvements féministes au Sud et au Nord, de leurs revendications, des alliances tissées entre eux ou au contraire des antagonismes qui les séparent, ainsi que du rôle considérable que joue l'État colonial, postcolonial et/ou néolibéral dans la configuration du cadre politique où ces mouvements se déploient.

S'appuyant sur le cas mexicain et faisant écho au travail de Zillah Eisenstein, Jules Falquet analyse le paradoxe de l'État néolibéral, qui produit un discours et un certain nombre de réformes légales se prétendant en faveur des femmes, alors même qu'il s'abstient de défendre, et même attaque directement et avec une violence considérable, nombre d'entre elles, en particulier les femmes soumises au racisme (ici, indiennes), les femmes appauvries (ouvrières migrantes des zones franches) et les femmes en résistance contre le néolibéralisme (militantes indiennes et paysannes, travailleuses impliquées dans les mouvements sociaux).

À partir d'une approche historique concernant l'Afrique, Fatou Sow rend compte des transformations des mouvements de femmes, dans des contextes économiques se dégradant pour une grande partie des populations concernées – que ce soit en raison du processus de privatisation des ressources élémentaires et des services publics, du prix payé par les femmes dans les conflits armés ou du durcissement des politiques néolibérales. Cette approche montre le poids persistant de la domination masculine et des résistances auxquelles les revendications des femmes continuent de se heurter au sein des appareils politiques.

Pour sa part, Paola Bacchetta met l'accent sur les divergences de grille d'intelligibilité du monde et les oppositions qui séparent trop souvent les féministes dominantes des féministes soumises à d'autres discriminations, du fait de leur couleur de peau ou de leur sexualité – les lesbiennes issues de l'immigration occupant à ce titre une position emblématique. La situation concrète, les analyses, les aspirations et même la position de sujet des autres féministes tendent à être rendues invisibles ou niées par les femmes qui occupent une position dominante. Construire des alliances implique d'interroger profondément le pouvoir, que la mondialisation réorganise.

Concernant les revendications parfois fort différentes énoncées par des féministes aux positionnements sociaux très variés, l'affirmation de Bacchetta selon laquelle la notion de *choix* relèverait nécessairement et en tout temps d'une rhétorique s'alignant sur des stratégies marchandes mérite discussion. Les revendications énoncées par les femmes d'Afrique, dont Sow rend compte, montrent que même les plus opprimées formulent leurs aspirations en termes de choix et de libertés – droit à la scolarisation, libre accès aux ressources, à la terre, libre disposition de son corps, liberté de choix de vie en matière d'éducation, de travail, de sexualité et de fécondité. D'où la nécessité de distinguer les conséquences globales de la mondialisation et des rapports marchands, de ce qui relève de la conquête de l'autonomie à titre individuel. Car même si, dans bien des cas, un tel processus ne concerne qu'une minorité de personnes, il s'agit d'une minorité en action. Sow souligne que pour les Africaines, le protocole à la Charte africaine des droits de l'homme et des peuples relatif aux droits des femmes constitue un acquis majeur, quelles que soient ses limites concernant son application concrète.

Cette partie s'achève sur un appel à de nouvelles alliances : Falquet suggère de reconsidérer le poids politique des femmes dans les luttes, surtout celles des femmes appauvries et soumises au racisme ; Bacchetta insiste sur l'importance du fait que les actrices et les groupes qui s'allient ne se perçoivent pas, et ne perçoivent pas les autres comme des entités figées. Sow, quant à elle, souhaite la construction d'alternatives face au risque de découragement qui guette les associations féminines et féministes, confrontées aux résistances de leurs sociétés respectives dans la mise en pratique de droits pourtant conquis sur le papier. Autant d'éléments qui plaident en faveur du débat sur la recomposition et sur les alliances de courants féministes et de mouvements de femmes fort divers.

Chapitre 11 / *W* POUR *WOMEN* ?
RÉFLEXIONS SUR LE FÉMINISME ET « LA GUERRE DE/CONTRE LA TERREUR »[1]

Zillah Eisenstein

L ors d'un débat sur l'élection présidentielle américaine de 2004, à l'université de Cornell, à Ithaca (N. Y.), le 22 septembre 2004, la question suivante m'était posée : dans le slogan de campagne de George W. Bush, « *W for Women* », le W signifiait-il véritablement *Women* (femmes) ? Je me suis d'abord demandé si ce W n'était pas là plutôt pour *War* (guerre) ou pour *World domination* (domination mondiale) et non pas pour « femmes ». C'est pourquoi j'aurais peut-être dû intituler cet article « *À propos d'Abu Ghraib et de la Convention républicaine* ».

Je me suis ensuite demandé comment ce W aurait pu être « pour » ou « du côté » des femmes, alors que le Parti républicain pensait que le meilleur moyen de ridiculiser quelqu'un était de le traiter – comme l'avait fait Arnold Schwarzenegger – de « femmelette » ? Les positions masculinistes du Parti républicain étaient au comble de leur arrogance. La Convention républicaine décrivait les démocrates comme un parti inefficace, essayant de conduire une politique extérieure plus gentille et plus douce, comme si la gentillesse pouvait transformer quelqu'un en froussard, en femme, en être non viril, incapable d'être commandant(e) en chef et de mener une « guerre contre la terreur ». Les républicain(e)s utilisaient un langage dont les connotations de genre visaient à humilier et à déprécier : les femmes sont des chochottes, les hommes commandent ; les démocrates sont comme des femmes. Ce ton méprisant rendait quasiment impossible de penser, de parler et d'être compris.

Je me suis demandé comment le W de « *W for Women* » avait été inventé. Ce W créait la toile de fond pour masculiniser George W. Bush fils. La question suivante était : à quelles femmes pensaient les républicain(e)s ? À des femmes comme Laura Bush, Mary Matalin, Karen Hughes ? Il s'agit là de femmes de la classe moyenne supérieure,

1. *Article traduit de l'anglais par Jules Falquet.*

aisées, blanches et conservatrices. Pensaient-ils à des femmes comme la précédente conseillère à la Sécurité nationale puis secrétaire d'État, Condoleeza Rice – une femme riche, noire, bien intégrée dans le monde de l'entreprise et passant ses week-ends avec les Bush ?

Toujours est-il que ce W ne représentait pas, je crois, la majorité des femmes, ni dans les pays dévastés par la politique impériale de la guerre des États-Unis, ni dans les usines d'assemblage de Nike au Salvador ou au Bangladesh. Mais ce qui est encore plus problématique pour moi, c'est la façon dont cette phrase dissociait les femmes du reste de l'humanité, alors que les êtres de sexe féminin en sont le cœur. Femmes et hommes sont plus semblables que différents et ne sont certes pas différents de la manière dont le prétend le masculinisme. Les hommes et les femmes partagent des différences communes et des points communs différents. Mais le W marque le genre. Il est censé séparer les femmes des hommes et les discipliner.

George W. Bush a déjà par le passé fait beaucoup de tort aux femmes, ce qui démontre amplement l'inhumanité de son programme. Les femmes sont toujours affectées par les politiques publiques, en partie comme les hommes, en partie de manière spécifique en tant que personnes de sexe féminin. Mais les standards du masculinisme nient ce double aspect, universalisant le genre à partir des privilèges de la masculinité. Le patriarcat établit l'étalon de mesure masculin comme le seul possible, excluant et invisibilisant les personnes de sexe féminin. Or, les femmes doivent définir leur propre situation dans le cadre plus large de la construction de la féminité et des identités de classe et de « race » [2]. Quand je parle des femmes, je parle en même temps de la position des personnes de sexe masculin de toutes les couleurs et de toutes les classes, pour inclure aussi les hommes. C'est pourquoi il est réellement important d'analyser le passif de Bush vis-à-vis des femmes, aux États-Unis et dans le reste du monde, pour les femmes *et* pour les hommes.

────── ## Le H de Bush n'a rien à voir avec l'Humanité

Le bilan de George W. Bush sur la guerre, l'environnement, la santé publique, l'emploi, etc., est mauvais pour la majorité des hommes et des femmes. Des hommes et des femmes meurent en Irak ou en reviennent

---

2. *Les guillemets pour le mot « race » en français sont un choix de la traductrice pour ne pas naturaliser ce concept ; elles n'existent pas dans le texte anglais.*

mutilé(e)s, d'autres sont incarcéré(e)s et souffrent dans nos prisons – dont un nombre disproportionné de personnes de couleur. La guerre et la destruction de l'environnement sont néfastes pour tous les êtres humains. Les êtres humains, au contraire, ont besoin d'attention dans le domaine de la santé et de l'éducation, d'un salaire juste et d'un emploi correct. Les réductions d'impôt pour les riches signifient qu'il y a moins d'argent à dépenser pour le reste d'entre nous. Une guerre en Irak qui coûte un milliard de milliards de dollars implique qu'il y a moins de dépenses pour les nécessités de la vie : écoles, hôpitaux, médicaments, recherche scientifique, routes, aéroports, ponts, etc. Ces dépenses auraient pu couvrir l'assurance santé de quarante-trois millions de personnes. Le sida aurait pu être vécu différemment avec une nouvelle orientation de la médecine, davantage autour de la prévention que de la surveillance. Cette réalité affecte les femmes et malgré cela, elle n'est pas comprise comme une question de femmes.

Le sida est une épidémie mondiale. Cependant, sous la présidence Bush, les États-Unis ont refusé de financer des programmes permettant à des Africaines atteintes du sida d'interrompre leur grossesse. Pourtant le nombre de femmes infectées en Afrique a augmenté de manière exponentielle. Ces politiques ont été catastrophiques pour l'ensemble de l'humanité, principalement pour les femmes. Aux États-Unis, en 2003, les femmes noires représentaient 70 % des nouvelles infections. Actuellement, près de 50 % des nouvelles infections dans le monde touchent les femmes, et le chiffre est passé en Afrique de 59 à 75 % chez les femmes entre 15 et 24 ans. Ces femmes meurent au terme d'une longue agonie, mais rien n'est fait pour elles. Stephen Lewis soutient que « quand il s'agit des droits des femmes, le monde marche à l'envers » (2004, p. 27). La politique de Bush a tué quantité de femmes noires et africaines, pendant que Condoleeza Rice paradait à Camp David et distillait ses conseils de sécurité nationale au président américain. Les politiques de Bush et son fantasme de l'abstinence ont représenté une folie extrême-droitiste responsable d'une crise de santé mondiale. Le plus gros des quinze milliards de dollars que Bush avait promis à l'Afrique, en 2004, n'a pas été dépensé parce que les programmes ne répondaient pas aux critères de moralité sexuelle de son Administration.

Bush a dissimulé sa politique antifemmes derrière un frontispice féminin. Cinq membres de son cabinet étaient des femmes conservatrices, surtout Elaine Chao, ministre du Travail, Gale Ann Norton à l'Intérieur et Ann Veneman à l'Agriculture. Sur ces cinq femmes, une seule avait des enfants ; deux étaient célibataires ; deux mariées, sans enfant. La confidente et conseillère favorite de Bush, Karen Hughes, a écrit dans son livre *Ten minutes from normal* que les femmes ne pouvaient pas tout avoir ; elle-même avait, à ses débuts, quitté la Maison-Blanche pour s'occuper de son fils, et n'est revenue à son poste qu'une fois celui-ci admis au collège. Pourtant, ni elle, ni aucune femme de l'Administration Bush, n'ont proposé de crèches à des prix abordables aux couples qui travaillent. Au contraire, Mary Matalin, assistante du vice-président, quitta l'équipe pour se consacrer à ses deux filles. Elle avait auparavant joué un rôle majeur dans la mise au point des tactiques de la « guerre pour les femmes afghanes » de Bush. Sa ligne affreusement machiste consistait à dire que « nous [les femmes, NDA] sommes différentes en tous points » des hommes (Matalin, 2004, p. 103). Condoleeza Rice n'a pas d'enfant – excepté le président Bush. Elle dit être républicaine parce que le Parti républicain la traite comme un individu et non pas comme membre d'un groupe. Elle a pourtant été une femme noire défendant la politique d'un homme blanc. Comme elle, d'autres femmes ont fait le travail de Bush et combattu pour lui. Elles ont servi à brouiller la réalité de sa politique, qui n'était rien d'autre que la guerre sous une autre forme. Et, ici, le W signifiait bien *War* (guerre), une guerre qui n'est ni du côté, ni en faveur des femmes.

Toutes les « femmes de Bush » ont ouvertement manifesté leur hostilité envers tous les mouvements féministes et même envers la « discrimination positive » et les interventions volontaristes du gouvernement contre la discrimination à l'égard des femmes. Pourtant, elles se sont servi de la question du droit des femmes en Afghanistan pour mobiliser le pays en faveur de la guerre. Les femmes de guerre de Bush, qui ont protesté contre la burqa, ont enveloppé d'une rhétorique des droits des femmes les bombes larguées sur des hommes, des femmes et des enfants. Pourquoi des femmes, qui chez elles n'ont jamais épousé la cause des femmes, ont-elles choisi de l'utiliser à l'étranger ? Pour quelles femmes ?

À la maison, voilà le véritable sens du W

Dès sa prise de fonction, le président Bush a fermé ou réduit à la portion congrue les départements administratifs chargés des intérêts et des droits des femmes. Plus troublant encore, il a décidé la fermeture de la direction du Bureau des femmes, au ministère du Travail, d'où la difficulté aujourd'hui de trouver des données sur les salariées ou sur les différences de salaires, car il n'y a plus aucun suivi. Le Bureau des femmes a été supprimé au moment même où les « femmes de Bush » plaidaient en faveur de la guerre en Afghanistan et des droits des femmes afghanes. La base légale pour l'égalité des chances des travailleuses a été entamée et l'initiative pour l'égalité des salaires interrompue. Le ministère du Travail a annulé l'autorisation de congé pour raisons familiales. Il a réduit les budgets des crèches et de l'aide au développement, sapant le programme *Head Start* [3] pour les enfants de familles à faibles revenus, et amputé les programmes fédéraux pour les activités parascolaires. Il a mis fin au travail du Bureau de la Maison-Blanche, créé en 1995 pour coordonner les initiatives politiques touchant la vie des femmes. La plupart des programmes pour les femmes battues ont perdu leurs crédits. Aucune attention n'a été prêtée aux interventions pour le contrôle du port d'armes à feu dans le cadre de la lutte contre la violence domestique. Malgré le problème du harcèlement sexuel et du viol dans l'administration militaire, le rôle du Comité consultatif sur les femmes du ministère de la Défense a été limité. Catherine Aspy, l'une des séides de Bush, a traité des femmes militaires de « mères célibataires adolescentes qui utilisaient l'armée comme un foyer social ».

Dans le domaine de la justice, les personnes nommées sous la présidence Bush fils ne soutenaient pas les lois protégeant la population dans son ensemble, refusaient celles contre le harcèlement sexuel et démantelaient la législation contre la discrimination de sexe. Ces personnes souhaitaient revenir sur la jurisprudence Roe vs Wade – relative à l'interruption volontaire de grossesse –, rejetant le fondement même de la doctrine des droits civils. De fait, le président Bush s'est rendu célèbre avec la nomination, à des postes importants dans le domaine des droits reproductifs, d'hommes et de femmes hostiles aux droits des femmes, comme David Hager, opposé au contrôle des naissances, à l'Agence fédérale des médicaments.

Le W, ailleurs

Sur le plan international, Bush a tenté de bloquer la Convention pour l'élimination de toutes les discriminations à l'encontre des femmes (Cedaw), pourtant fort utile pour combattre ces discriminations lorsqu'il

---

3. *Littéralement « une tête d'avance », programme de soutien scolaire en faveur des enfants défavorisés.*

n'y a pas de législation nationale. Il s'est vanté d'avoir écarté les talibans, mais les seigneurs de guerre sont revenus et la plupart des Afghanes portent toujours la *burqa*. Des écoles ont rouvert leurs portes dans le pays, mais il est trop risqué pour les fillettes de s'y rendre. En Irak, Saddam Hussein n'est plus, mais le désordre politique s'est installé, avec le viol rampant. Les femmes craignent la montée des mouvements islamiques extrémistes et l'érosion de leurs droits, comme l'accès au travail et le libre choix vestimentaire, qui existaient avant l'intervention étatsunienne.

L'équipe de George W. Bush a coupé les crédits au Fonds des Nations unies pour la population (Fnuap) dans les 142 pays où celui-ci opère, pour ne pas soutenir indirectement la politique d'avortement de la Chine. Des projets concernant notamment la formation de sages-femmes en Algérie, la lutte contre le sida en Haïti et la réduction de la mortalité maternelle en Inde se sont tous effondrés. Bush a refusé l'usage de fonds américains pour la planification familiale, mais soutenu les projets d'abstinence sexuelle, alors que dans le monde, 500 000 femmes meurent en couches chaque année, que cent millions souffrent de malnutrition et que 60 % des fillettes ne sont pas scolarisées. Ses politiques ont puni les plus vulnérables, tandis que le langage du conservatisme compassionnel cachait l'usage cru et brutal du pouvoir et de l'empire.

Lors de voyages en Corée du Sud, en Inde, à Cuba, au Pakistan ou en Égypte, j'ai constaté que les femmes avaient bien compris que pour elles, bénéficier de meilleures conditions de vie dépendait directement de l'amélioration de la situation de leur pays et que, pour y parvenir, la politique impériale de Bush devait cesser. Pourquoi, se demandaient-elles, les femmes et les féministes des États-Unis ne pouvaient-elles pas mieux faire leur boulot et dire « non » aux politiques guerrières de Bush ? « Après tout, disaient-elles, n'êtes-vous pas en démocratie ? On ne vous entend pas ! » Et d'ajouter souvent : « Si vous ne pouvez pas vous débarrasser de Bush, Cheney, Wolfowitz et compagnie, alors nous devrions au moins pouvoir voter lors de vos élections, puisque nous sommes obligées de vivre selon leur bon vouloir, dans leur scénario impérial. » Ne pouvant voter et devant notre impuissance, elles nous demandaient de faire au moins savoir aux femmes dans le monde l'opposition des Américaines à cette voracité, à cette opulence et à cette guerre dont Bush est le représentant.

Pour tout dire, j'aime les « femmelettes » et je voudrais des démocrates plus efféminés. Les personnes efféminées prennent en compte les expériences genrées et racialisées, et la vie des femmes. J'adorerais voter pour une femme efféminée. Mais revenons-en au W, aux femmes et à la guerre. Il se trouve que c'est le même parti qui, à sa convention, tentait d'humilier le Parti démocrate en le faisant passer pour une bande de lâches attendant sa *dominatrix* ; qui était informé de la torture et de l'humiliation à Abu Ghraib, à Guantanamo et en Afghanistan. Ni George W., ni Laura Bush, n'ont jamais parlé au nom des intérêts des femmes, ni de la majorité des hommes. Laura appuyait son mari et autorisait la dégradation des conditions de vie d'autres femmes. Lynn England, Barbara Fast, la générale de brigade Karpinski et Condoleeza Rice sont des femmes agissant comme des hommes. Leurs actions n'avaient rien à voir avec les droits des femmes, l'égalité des sexes ou le féminisme.

Finalement, le W de Bush signifiait «guerre» et «domination mondiale» (*War and World domination*). Nous, femmes des États-Unis, devons lutter avec les femmes du monde entier contre notre propre humiliation et la leur. Le président Bush a militarisé la rhétorique des droits des femmes pour légitimer la guerre. Les femmes ont, elles aussi, été militarisées et masculinisées dans ce processus. Les horreurs d'Abu Ghraib témoignent de la distorsion et de la confusion du genre dans cette guerre.

Humiliation sexuelle, confusion des genres et horreurs à Abu Ghraib

Reportage dans le *New York Times*, mars 2004 : des prisonniers détenus à Abu Ghraib ont été libérés. La photo montre un jeune homme de dix-sept ans entouré de sa mère et de ses sœurs. Son corps est complètement affaissé dans leurs bras protecteurs. Il a deux ans de moins que ma fille. Se remettra-t-il jamais de l'horreur vécue ?

On a décrit les hommes musulmans comme sexuellement humiliés à Abu Ghraib. Des femmes blanches de la classe ouvrière ont été utilisées pour agresser des hommes musulmans. Quelle est la signification de cette dyade ? J'ai été frappée par l'usage du terme «humiliés», plutôt que «torturés» ou «violés». Les femmes emmenées de force dans des camps pour y être violées pendant la guerre de Bosnie n'étaient pas décrites comme humiliées, mais comme victimes de viols. Le choix des mots est révélateur. Les hommes, violés et sexuellement dégradés, ont été «humiliés» précisément parce qu'ils ont été traités comme des femmes ; ils ont été forcés à être des femmes, sexuellement dominées

et dégradées. Voir des hommes nus et exposés nous a rappellé la vulnérabilité généralement associée au fait d'être une femme. Les hommes
bruns d'Abu Ghraib ont été construits comme efféminés et évoquaient
un sous-texte d'homosexualité.

La première fois que j'ai vu les photos des tortures d'Abu Ghraib,
j'en ai eu le cœur brisé. « Nous » étions les fanatiques, pas eux. Comment
autant de femmes pouvaient-elles avoir été impliquées dans ces atrocités ? Trois des tortionnaires, Megan Ambuhl, Lynn England et Sabrina
Harman, placées au cœur de cette narration photographique, étaient
des femmes blanches. Comme l'étaient la générale de brigade Janis
Karpinski, responsable des prisons en Irak, et la générale-major Barbara
Fast, l'officier le plus haut placé des renseignements américains, chargé
de surveiller le statut des détenu(e)s. Condoleeza Rice, étant une femme
noire, a rendu ce paysage un peu plus complexe. En revanche, les
images de torture montraient uniformément des hommes bruns musulmans. Les abus et les viols commis sur des femmes musulmanes
prisonnières par des soldats américains ont été largement passés sous
silence dans la description des tortures d'Abu Ghraib. Ce point est
important, car les silences racialisés et les confusions de genre dans le
récit d'Abu Ghraib permettent de mieux comprendre ce moment de la
militarisation, à la fois dans son unicité et dans sa banalité. Abu Ghraib
a été une révélation horrifiante de la guerre, de ce qu'elle produit iné-
vitablement, et de ce qu'est la guerre « de/contre la terreur » dans la
mondialisation militarisée unilatérale.

Vraiment, j'ai beaucoup de questions et peu de réponses. Pourquoi
des femmes sont-elles arrivées à cet endroit précis du pouvoir, dans
ce moment militarisé et militaire où le masculinisme était à son comble ?
Peut-être parce que ces lieux, ces positions, sont devenus des lieux de
pouvoir anachroniques au fur et à mesure qu'avançait la privatisation
entrepreneuriale du militaire. Donald Rumsfeld, le ministre de la Défense,
a réduit et restructuré l'armée et peut-être les femmes ont-elles été
autorisées à y entrer juste au moment où ces lieux de pouvoir institutionnalisé perdaient une partie de leur importance. C'est peut-être pour
cela qu'il a été si facile de faire peser tout le poids de la responsabilité
sur cet échelon précis. Ces femmes devaient être tenues pour responsables. Et en effet, nous devons leur demander des comptes, bien qu'elles
soient aussi des leurres de genre.

À chaque fois que le pouvoir et la domination sont affichés crûment
comme à Abu Ghraib, les significations sexuelles et racialisées du pouvoir apparaissent. Le racisme et le sexisme sont toujours en jeu ensemble,

parce que chacun construit l'autre. Quand l'un se révèle, l'autre est là, sous-jacent. On trouve des exemples patents de la relation hybride entre « race », sexe et genre dans le procès d'O. J. Simpson, dans les auditions de confirmation de Clarence Thomas, dans les violences contre Rodney King et Abner Louima, ou dans leurs effets. Il était impossible de savoir avec certitude si ces questions étaient du sexisme racialisé ou du racisme sexualisé, ou même si l'on pouvait faire la distinction entre ces deux phénomènes. Dans le cas d'Abu Ghraib, l'encodage racial a été utilisé pour distiller de profonds contenus sexuels ; confondre les significations étant un moyen de construire l'empire.

Un homme traité comme une femme devient moins qu'un être humain, non pas un homme blanc ou une femme blanche, mais une femme noire esclave. Les hommes musulmans ou juifs sont vus comme non virils, à la différence des hommes blancs, un peu comme l'homme noir esclave, forcé à regarder le maître violer la femme qu'il aime ou son enfant. Sauf que l'homme noir est construit comme « différent » de l'homme blanc par son hypersexualité, plus que par son homosexualité. C'est pourquoi l'homme noir est également lynché et mutilé/châtré. La dépravation masculiniste est un discours politique qui peut être adopté par des mâles comme par des femelles.

Tout ceci est d'autant plus méprisable que George W. Bush a utilisé le langage des droits des femmes pour justifier les bombardements, qualifier la guerre contre les talibans en Afghanistan de guerre en faveur des femmes, et stigmatiser les atroces chambres de torture et de viol qui existaient sous Saddam Hussein. Il n'est pas étonnant que les « femmes de Bush », Laura, Matalin et Hughes, qui critiquaient régulièrement le féminisme sous toutes ses formes, aient été à l'origine de l'articulation de cette justification *impériale* de la guerre par les droits des femmes. Le féminisme impérialiste obscurcit l'usage des leurres de genre : les femmes sont à la fois victimes et criminelles, contraintes et pourtant libres, ni exactement commandantes, ni leurres.

Que se passerait-il si l'on considérait le viol et « l'humiliation sexuelle », non pas comme des aberrations de la guerre, mais comme « d'autres moyens de faire la guerre » ? On verrait alors autrement le désordre et le chaos en Irak, qui poussent des femmes à se barricader chez elles de peur d'être violées ou capturées si elles s'aventurent dans les rues. Cela éclaire aussi les nombreuses accusations d'agression sexuelle et de viol portées contre leurs camarades militaires, par des dizaines des femmes en service dans le Golfe. Entre 2002 et 2004, pas moins de 112 dossiers d'abus sexuels ont été ouverts par des soldates nord-américaines, en Irak, au Koweït et en Afghanistan (Schmitt, 2004).

De qui donc est cette guerre, au juste ? Pourquoi les récits de guerre prennent-ils cette tournure ? Pourquoi dans les guerres des Balkans, le viol des femmes constituait-il un récit central de diabolisation du nationalisme serbe, alors que le viol et les humiliations sexuelles pratiquées sur des prisonniers mâles musulmans étaient largement passés sous silence ? Et pourquoi, au moment d'Abu Ghraib, le récit central a-t-il été celui de l'humiliation des hommes musulmans, alors que la violence contre les femmes musulmanes était largement tue ? Parce que le masculinisme militariste d'aujourd'hui opère hors des différenciations obligées entre femmes et hommes, et réalise une permutation du genre en basant désormais l'altérisation et la différenciation sur un regard sur soi hétérosexuel qui utilise des leurres femelles blancs. Je crois cependant que ces silences *forcent* à une déconnection/ «différenciation» entre hommes et femmes que la centralité de la violence racialisée/sexualisée dans la guerre rend fausse et impossible. Cette déshumanisation partagée témoigne aussi de son contraire : l'humanité partagée des hommes et des femmes.

Le sexe et la race se combinent et se reformulent ici. Les corps sont déconnectés de leur signification genrée. Des hommes bruns deviennent comme des femmes de toutes les couleurs. Pourtant ce sont des femmes blanches qui sont supposées dominer et tenir le fouet, des femmes blanches également violées par leurs compagnons d'armes. L'échange et la confusion des genres deviennent des leurres dans cette *frénésie* militariste, et oblitèrent les personnes réelles dans leur humanité. De cette façon, les structures de pouvoir et de domination qui définissent les contours de leurs vies sont placées hors champ.

Barbara Ehrenreich soutient qu'Abu Ghraib a rendu manifeste que le féminisme – cette idée que les femmes doivent obtenir leur liberté et avoir les mêmes droits que les hommes – était une stratégie insuffisante. C'est juste, mais cela conduit en partie à une mauvaise lecture d'Abu Ghraib. Cet épisode, écrit-elle, a été un moment «d'arrogance impériale, de dépravation sexuelle et d'égalité de genre» (2004). Or, il n'y avait aucune égalité de genre dans tout cela, uniquement de la *dépravation* de genre ou, tout au mieux, une égalité déformée dont personne ne pourrait vouloir ; cette fois-ci, même les femmes ne se sont pas vantées d'une quelconque égalité. La plupart des féministes de la planète et beaucoup aux États-Unis savent que singer les hommes ne signifie ni l'égalité, ni la liberté. Des questions parallèles se sont posées lorsque Colin Powell et Condoleeza Rice sont devenus les symboles de cette guerre. Leur présence n'a nullement impliqué une égalité raciale et/ou de sexe pour la plupart des hommes noirs et des femmes.

En réalité, une quantité disproportionnée de Noir(e)s, hommes et femmes, croupissent dans les prisons américaines, dénudé(e)s brutalement, abusé(e)s. Ce qui est réellement effrayant, c'est qu'Abu Ghraib ait pu passer pour quelque chose de féministe : cela ne ressemble à aucun féminisme que je (re)connaisse personnellement. Abu Ghraib est le masculinisme hyperimpérialiste devenu fou. Des femelles ont été exhibées pour cacher la misogynie qui préside à l'édification de l'empire.

La majorité des femmes entrent à l'armée à cause des effets économiques désastreux de la mondialisation et de ses conséquences sur la restructuration de la force de travail aux États-Unis, par volonté d'accéder à des études et/ou à un travail. Jessica Lynch avait posé sa candidature pour un travail à Wal-Mart. Refusée, elle décidait de s'engager. Elle est devenue héroïne de guerre pour un jour, mais devra vivre le reste de ces jours dans un corps mutilé. Lori Ann Piestewa (tuée en Irak) et Shoshanna Johnson (blessée, capturée, déclarée disparue puis retrouvée), qui combattaient avec Lynch, étaient des mères célibataires qui voulaient poursuivre des études. Les trois femmes reconnues coupables de crimes à Abu Ghraib appartiennent à la classe ouvrière. Il s'agit bien de *nécessité* et non d'égalité.

Je ne voudrais pas simplifier à l'excès la variété et les différences qui existent parmi les soldat(e)s dans cette guerre, et plus particulièrement dans ce cas, parmi les femmes. Johnson, une femme noire cuisinière militaire, avait été faite prisonnière de guerre, puis sauvée et renvoyée à la maison. Lors d'une émission de Larry King, elle répondait à des questions sur Lynn England : « En aucun cas et pour rien au monde, je ne mettrais quelqu'un en laisse pour le promener nu. Même menacée de cour martiale ou des pires punitions, je ne le ferais pas. » Elle rajoutait qu'aucun(e) soldat(e) ne devrait obéir à un ordre inhumain. Elle avait eu peur, en captivité, pour sa sécurité, peur du viol, mais elle avait été traitée avec respect. Jessica Lynch aussi, a affirmé avoir été traitée avec attention et responsabilité, même si elle semble, d'après son livre *I am a Soldier too*, avoir été battue et abusée sexuellement (Bragg, 2003). Malgré les atteintes importantes subies dans sa chair, elle a refusé de diaboliser l'Irak ou de parler favorablement de cette guerre.

Des femmes ont été utilisées dans le compte-rendu photographique d'Abu Ghraib pour protéger une normativité hétérosexuelle. Nous avons vu des femmes abuser des hommes et protéger une hiérarchie. Ces femmes de milieu modeste n'étaient clairement pas en position de contrôler grand-chose ; elles servaient en quelque sorte de caution à des pratiques répugnantes auxquelles elles auraient dû refuser de se livrer. Mais leurs actions ne témoignaient pas de leur propre pouvoir ou privilège, même si elles mettaient en œuvre le pouvoir impérial de femmes blanches sur des hommes musulmans. Elles agissaient dans le cadre d'un système de pouvoir et de punition hiérarchique et hétérosexiste. Ce même système de pouvoir les a livrées ensuite en pâture à l'opinion publique. La toile d'araignée complexe du sexe, de la « race », du genre et de la classe qui s'est ainsi sournoisement tissée débouche sur Abu Ghraib. Il est vraiment significatif que Fast et Karpinski aient été blanches, et que l'on n'ait pas vu de femmes noires dans ces positions de commandement, ou impliquées dans des crimes sexuels, comme England. À cause des effets inversés de la sexualité racialisée, Johnson n'a jamais été placée dans la position de leurre de genre.

Il n'est pas insignifiant non plus qu'aux États-Unis, les hommes comme les femmes aient été horrifié(e)s de voir des femmes dégrader des prisonniers à Abu Ghraib. Certain(e)s d'entre nous espéraient même que les femmes étaient au-dessus de ce genre d'action. Bien évidemment, l'essentialisme primaire – les femmes sont plus maternantes, attentionnées ou pacifiques – n'est pas la vérité. Il n'est pas vrai non plus qu'étant donné leur vie et leurs responsabilités parentales, beaucoup de femmes soient tout autant portées à la guerre que la plupart des hommes. Femmes et hommes répondent à des forces qui s'exercent sur elles et eux et qui les construisent. Ni l'essentialisme de genre, ni le constructionnisme, ne permettent de mieux comprendre la guerre. Alors, oui, Abu Ghraib témoigne d'un problème plus vaste que celui d'un petit groupe de soldat(e)s de moralité douteuse décidant d'abuser et de torturer des prisonniers. La pratique obscène de dégradation d'êtres humains existait déjà en Afghanistan, comme dans les prisons américaines. On sait que d'ancien(ne)s gardien(ne)s de prison, signalé(e)s pour de graves abus, des interrogateurs des détenus de Guantanamo et des officier(e)s de la guerre en Afghanistan ont instruit le personnel militaire à Abu Ghraib. Il ne s'agit pas seulement du rôle joué par Donald Rumsfeld, Condoleeza Rice, Stephen Cambone et Geoffrey Miller. Il s'agit d'un système plus vaste de masculinité racialisée, porté à son comble en cette *frénésie* de militarisation unilatérale. Le système structurel de privilèges hiérarchiques et de pouvoir altérise quiconque n'est pas impliqué(e) dans la construction de l'empire. Aujourd'hui, il ne reste pour ainsi dire plus de civil(e)s. Les individu(e)s genré(e)s/racialisé(e)s ne sont jamais ce qu'elles et ils semblent de prime abord.

Mais le genre est complexe. Il constitue un matériau parfait pour confondre les esprits. Quand Kofi Annan convient d'investir « sur » les femmes en Afrique pour vaincre le sida, quand les gens dépendent du formidable engagement des femmes aux États-Unis pour mobiliser en faveur de la paix, quand des Afghanes et des Irakiennes deviennent d'importantes dirigeantes de la lutte démocratique, et que *simultanément* des femmes sont mobilisées pour des nécessités économiques et mises au combat dans cette « guerre de/contre la terreur », rien n'est aisé à clarifier. Ceux/celles qui sont au pouvoir useront jusqu'à la corde les engagements réels pour l'égalité entre les sexes et mobiliseront la différenciation de genre pour la guerre *et* pour la paix. Voilà l'odieux visage du patriarcat réorganisé pour le capitalisme-guerre. La « guerre de/contre la terreur » de Bush cachait sa *realpolitik* : celle d'une misogynie capitaliste et raciste travaillant opiniâtrement à la construction unilatérale de l'empire.

Abu Ghraib nous a montré que l'humanité et l'inhumanité prenaient toutes les couleurs et tous les genres. La guerre nous prépare à tuer, à rester sur nos gardes, à ne pas avoir confiance en celles et ceux désigné(e)s comme les ennemi(e)s. La guerre détruit le sens de l'humanité qui nous permet de nous voir dans l'autre, de saisir les liens qui nous unissent au lieu des différences. La brutalité reflète ce processus qui consiste à voir, puis à ne plus voir, l'humanité de l'autre. Voir de loin les prisonniers irakiens émasculés d'Abu Ghraib a obligé les États-Unis à regarder la guerre bien en face. Nombre d'entre nous ont vu plus que ce qu'elles et ils n'auraient voulu : la guerre des États-Unis « de/contre la terreur » est vraiment laide et a pris une sale tournure. La guerre en Irak est un échec ; nous ne sommes pas différent(e)s de Saddam Hussein.

La construction du genre est sans cesse changeante. Et avec elle, la guerre elle-même change. Masculinité et féminité, avec leurs significations racialisées spécifiques, sont aussi sans cesse en mouvement. Linda Burnham a attiré notre attention sur la « sexualisation de la conquête nationale » à Abu Ghraib, analysant la domination sexuelle comme un élément de « l'hypersexualité militariste » (2004). Cette *frénésie* hypersexuelle est révélée, car le racisme sexualisé apparaît dès que les systèmes de pouvoir sont en crise et qu'une trop grande partie de la vérité de la guerre est mise à nu.

Le pouvoir unilatéral est aveuglé par son arrogance totale. L'Administration Bush se pensait au-dessus des lois, hors de portée d'un quelconque devoir de rendre des comptes. La torture ne posait pas de problème : personne n'était innocent, il n'y avait pas de civil(e)s. L'armée américaine allait s'autoréguler, elle possédait ses propres instances judiciaires. Mais il n'existait pas de protection pour les prisonnier(ère)s.

La « guerre de/contre la terreur » est terrifiante pour quiconque entre en contact avec elle. Les séparations entre combattant(e)s et civil(e)s, droits et dégradation, entre hommes blancs, noirs et bruns, et entre femmes, ont été réorganisées et reconstruites. Or, ces fluctuations du genre prennent place au sein des contraintes du patriarcat racialisé et du genre masculinisé.

Les corps nus d'hommes musulmans torturés à côté de femmes blanches tenant cigarettes et fouets, et l'absence ou la réduction au silence des femmes d'Abu Ghraib, nous ont rappellé de manière déchirante que la guerre est obscène. Ce serait un double crève-cœur de penser que les gens aux États-Unis soutiennent la moindre part des abus qui ont été commis à Abu Ghraib, surtout au nom du féminisme. Espérons que l'effroyable exposition photographique de la torture à Abu Ghraib nous engagera à nouveau, toutes et tous, à lutter du côté d'une humanité féministe-antiraciste qui inclue la libération de tou(te)s et de chacun(e) sur la planète.

Bibliographie

BRAGG (Rick), *I Am a Soldier Too*, New York (N. Y.), Alfred Knopf, 2003.

BURNHAM (Linda), « Sexual Domination in Uniform : An American Value », *War Times,* 2004. http://www.war-times.org

EHRENREICH (Barbara), *What Abu Ghraib Taught Me*, 20 mai 2004. http://www.alternet.org/story/18740/

LEWIS (Stephen), « AIDS has a Woman's Face », *Ms. Magazine*, 14 (3), automne 2004.

MATALIN (Mary), *Letters to My Daughter*, New York (N. Y.), Simon et Schuster, 2004.

SCHMITT (Eric), « Military Women Reporting Rapes by U.S. Soldiers », *New York Times*, 26 février 2004.

Chapitre 12 / MONDIALISATION, MARCHANDISATION DE LA GOUVERNANCE ET JUSTICE DE GENRE [1]

Viviene Taylor

Dans ce chapitre, je me concentre sur trois points principaux. En premier lieu, je soutiens que l'on ne peut examiner les processus de mondialisation sans en percevoir les liens avec la gouvernance. Ma recherche entreprise dans des pays du Sud sur la politique et la transformation sociale montre à quel point les gouvernements, et plus largement, la gouvernance, ont été marchandisés. Ensuite, je fais valoir que les processus de mondialisation économique déterminent les termes de l'inclusion dans la sphère de la gouvernance et de l'acception des différences. Ceux-ci sont en train d'être établis dans des régions et dans un contexte global de prépondérance du Nord. Ces différences – Sud/Nord, hommes/femmes, race, etc. – laissent intactes les inégalités entre les sexes et, de fait, permettent leur reproduction. Dès les années 1980, l'analyse de DAWN [2] révélait que le travail des femmes était au cœur de la production et de la reproduction sociale. C'est leur travail, rémunéré ou non, que les firmes transnationales et d'autres s'approprient comme main-d'œuvre bon marché, qui sert à assurer l'entretien social des ménages et des communautés (Sen et Grown, 1987). En examinant la façon dont la gouvernance et la vie des femmes se recoupent dans la mondialisation, on est en mesure de mieux comprendre comment les questions de justice de genre sont prises en compte, incorporées et cooptées. Ceci attire également l'attention sur certains des espaces mondiaux et régionaux dans lesquels s'établissent les règles, les procédures, les normes et les termes de la mondialisation économique et de la gouvernance. Enfin, j'étudie les

---

1. *Article traduit de l'anglais par Aminata Sow.*
2. *Development Alternatives with Women for a New Era. DAWN est un réseau de féministes du Sud dont l'analyse de la condition des femmes met en exergue les interrelations entre les crises systémiques de la dette, la détérioration des services sociaux, la dégradation de l'environnement, l'insécurité alimentaire, les fondamentalismes religieux, les militarismes et les conservatismes politiques.*

questions liées à la militarisation croissante dans le contexte mondial de frontières internationales poreuses. Les discours sur la sécurité humaine enrichissent-ils notre réflexion sur les conflits, la violence parrainée par l'État, celle à l'égard des femmes et des personnes déplacées ?

Mondialisation et gouvernance

Dans l'après-guerre froide, fin 1980-début 1990, le concept de gouvernance avait acquis une prééminence dans les discours nationaux et internationaux. Selon Shirin Rai (2004), il y avait eu, en partie en réponse aux besoins de l'économie capitaliste mondiale genrée, un changement d'accent notable du concept de gouvernement à celui de gouvernance, déterminé par les luttes discursives et physiques menées contre les conséquences de la mondialisation économique ; d'où la contestation des termes de gouvernance et de démocratie.

Les féministes progressistes soutiennent que ces termes reposent sur des hypothèses spécifiques ayant trait à la distribution, à l'utilisation du pouvoir et à ses conditions d'utilisation. Même si l'on dépasse le système étatique national pour examiner les questions relatives à la gouvernance mondiale, on s'interroge : qui doit voir ses intérêts garantis, sur la base de quel consensus, comment cela se passe-t-il dans une « communauté globale » qui n'existe pas et avec une forme de gestion qui n'a pas grand-chose à voir avec la gouvernance (Streeten, 2001) ? La gouvernance se réfère de plus en plus à la gestion d'une économie mondiale de marché visant à garantir les intérêts du capital mondial. C'est le cas quand on examine les décisions prises au sein des Nations unies, des institutions multilatérales de la Banque mondiale, du Fonds monétaire international et de l'Organisation mondiale du commerce. Celles-ci deviennent les sites de contestation concernant les besoins qui comptent. Elles concentrent le pouvoir et l'influence et déterminent les règles et les procédures des décisions économiques.

Selon Mélissa Lane (2001), la mondialisation est en train de transformer, lentement, mais sûrement, notre perception de l'éthique elle-même, comme cela avait été le cas lors de la proclamation de la Déclaration universelle des droits de l'homme, le 10 décembre 1948. Répondant aux questions soulevées au lendemain d'une guerre mondiale qui avait entraîné des attaques massives et notamment génocidaires contre la population civile, l'ONU – récemment établie – avait instauré une nouvelle ère d'éthique. Les débats contemporains sur le sens des droits et sur leur mise en application dans le contexte de la mondialisation renforcent l'importance d'une approche fondée sur les droits, et l'obligation éthique qui incombe aux États signataires des conventions et des traités connexes de leur donner effet. La mondialisation éthique et la promotion des droits humains transnationaux ont été modulées après les attentats du 11 septembre 2001. La réaction des États-Unis et du Royaume-Uni à ces attaques a éclipsé l'émergence des droits humains fragiles et des mouvements de mondialisation éthique. La mobilisation des gouvernements dans une guerre contre le terrorisme mondial a réorienté la justice économique entre les sexes et les préoccupations normatives des agendas politiques nationaux à des agendas mondiaux. Elle a mis au premier plan les questions de sécurité et le pragmatisme géopolitique.

En dépit de l'érosion des libertés civiles et de la violence implacable qui sévit dans les zones déchirées par la guerre et les conflits, après le 11 Septembre, les mouvements féministes et ceux des droits humains continuent de lutter pour des valeurs de la démocratie, de la mondialisation éthique et du respect des droits humains, au-delà des frontières nationales. Ils contestent de manière explicite les objectifs sous-jacents et les résultats des processus de mondialisation et de gouvernance économiques. Aussi est-il crucial, pour la justice entre les sexes et la transformation sociale, d'élaborer des théories sur le fait que les femmes, en particulier celles du Sud, subissent les impacts et les processus qui en résultent. Mais comment parler de la mondialisation et de la gouvernance, et comprendre les réseaux complexes des processus étatiques et non étatiques, sans critiquer leurs conceptions dominantes et typiquement male*stream* [3] ? D'où l'importance d'un discours féministe critique.

Le discours dominant de la mondialisation et de la gouvernance a tendance à homogénéiser, à simplifier et à minimiser les schémas divers et complexes de pouvoir qui influent sur les décisions aux plans national et transnational. À l'échelle mondiale, on assiste à de nouveaux réalignements avec des États qui ne s'organisent plus autour de questions géopolitiques – territoriales –, mais forgent des alliances autour des préoccupations géostratégiques avec des États pivots, notamment pour le contrôle des ressources naturelles – minerais, pétrole, etc.

---

3. *Jeu de mot sur une expression classique du vocabulaire des institutions internationales, « mainstream », que l'on peut traduire par « intégration dans le courant principal » (du développement, par exemple) et* male*stream, que l'on peut traduire par « courant masculin ».*

Les coalitions et les partenariats entre gouvernements pour mener « la guerre globale contre le terrorisme » conduisent à une diplomatie opportuniste qui ferme les yeux sur l'oppression domestique et les abus à l'encontre des droits humains, en échange de la coopération dans la chasse aux « terroristes ». Il est paradoxal que la quête de droits humains et de droits des femmes serve à justifier les agressions militaires contre des pays supposés abriter des « terroristes ». Dans d'autres régions, ma recherche (Taylor, 2000) montre que la libéralisation économique effrénée dans les démocraties émergentes peut amoindrir les capacités de l'État à gouverner de manière responsable et à assurer à ses citoyens les biens et les services publics indispensables. Les objectifs de développement social des gouvernements sont de plus en plus entravés, car les priorités sont transférées de l'affectation et de la redistribution des ressources publiques visant la lutte contre la pauvreté et d'autres formes de dénuement, à la promotion de conditions propices aux marchés économiques et à l'accumulation de capital.

Pourtant, même si les exigences de compétitivité de l'économie globale ne cessent d'affaiblir les États-nations, le pouvoir politique et économique d'institutions multilatérales – Banque mondiale, Fonds monétaire international et Organisation mondiale du commerce – continue de se renforcer. C'est dans ce contexte que sont redéfinis et reconfigurés des contre-pouvoirs tels que les nouveaux mouvements sociaux et surtout l'activisme des mouvements des femmes, des droits humains et de l'environnement, en faveur de la justice sociale et de la justice de genre.

Sites et aspects changeants

Les disparités entre les sexes se creusent dans le cadre de la mondialisation. Le travail des femmes est utilisé, en toute impunité, pour rendre les marchés compétitifs et pour rehausser l'avantage comparatif des pays. Les processus de mondialisation économique et l'insécurité des personnes ne surviennent pas par osmose ou par accident. Ils ne peuvent être compris ou pris en compte sans reconnaître les inégalités structurelles du système mondial actuel et l'importance de la gouvernance. Si le genre est bien au cœur de ces processus, ces inégalités dépassent les questions de genre, même si elles sont souvent relayées à travers des hiérarchies de genre. Les inégalités sont inscrites dans l'interaction des hiérarchies de race, de classe, d'ethnie, de nationalité et d'identification religieuse. La perspective de genre permet de comprendre comment les inégalités structurelles opèrent et sont institutionnalisées, légitimées et reproduites dans le monde. Elle aide à contester et reformuler le discours dominant sur la gouvernance, la mondialisation, la militarisation ou la sécurité humaine.

La mobilisation des femmes contre les inégalités entre les sexes a abouti à quelques gains, en particulier grâce aux diverses conférences de l'ONU. Toutefois, on tente toujours de comprendre comment la mondialisation économique recoupe de nouvelles formes de colonialisme, de patriarcat, d'ethnicité, de racisme, de sexisme, de fondamentalisme et de nationalisme restreint. Le débat international dominant sur la gouvernance a été réduit à la question de savoir quel est le type de gouvernement nécessaire pour le marché mondial. L'accent est mis sur l'efficience et sur les moyens d'entrer en interaction avec les forces du marché dans un environnement compétitif.

La mondialisation a renforcé l'interdépendance concernant un certain nombre de questions de sécurité globale (11 septembre 2001), de santé (VIH/sida ; SRAS), de politique (occupation de l'Irak) et d'économie mondiale. Les impacts sont contradictoires et différenciés pour les pays du Sud. L'analyse montre que les institutions et les règles mondiales n'apportent pas de solutions aux problèmes que les marchés ne peuvent résoudre – et que souvent ils créent ou exacerbent, notamment les problèmes d'équité et de justice au plan international, national et régional. La gouvernance à l'échelle nationale et mondiale se réduit alors à la gestion de l'économie et à la garantie de la (dé)réglementation afin d'assurer un avantage compétitif.

Les crises financières et économiques semblent être des éléments inévitables du processus de mondialisation économique. Non seulement elles appauvrissent les familles et les communautés à la suite de la perte de salaire, de la hausse du chômage et de la réduction de la consommation, mais elles imposent une contraction aux finances publiques dans des périodes où des politiques protectrices font cruellement défaut, dans une grande partie du monde comme dans les démocraties nanties (Hicks et Zorn, 2005).

Militarisation, conflits et sécurité humaine

La multiplication des conflits internes continue de mettre en danger la survie, les moyens d'existence et la dignité d'un nombre croissant de civils. En 2000, 23 des 25 conflits armés majeurs étaient internes, survenant surtout dans les pays les plus pauvres et, pour plus de la moitié, en Afrique. En plus des souffrances humaines, des victimes civiles et des populations déplacées, les conflits internes détruisent les foyers, les biens économiques, les récoltes, les routes, les banques et les systèmes de services publics.

Si les statistiques décrivent la situation, elles ne vont pas au cœur du problème. Dans ses travaux sur les femmes et la guerre, Jean B. Elshtain affirme avoir cristallisé sa perception de la guerre, de la nation et de l'identité après avoir écouté les récits de guerre de centaines de femmes. Le sacrifice en ressortait comme un thème récurrent. En effet, « le jeune homme va à la guerre, pas tant pour tuer que pour mourir, pour sacrifier son propre corps à un corps plus vaste, le corps politique, un corps le plus souvent présenté et représenté comme féminin : une mère patrie liée par des citoyens qui parlent la langue maternelle » (1992, p. 141-142).

Ce thème du sacrifice, du sacrifice des femmes qui élèvent leurs fils par civisme pour les envoyer à la mort comme partie intégrante de ce devoir, comme mesure de la citoyenneté, nous renvoie à Jean-Jacques Rousseau et aux conceptions spartiates des rôles des femmes dans la guerre et dans la citoyenneté. Le point de vue d'Elshtain nous oblige à regarder au-delà de l'évidence pour prendre en compte d'autres moyens d'expliquer la guerre et la militarisation dans la société contemporaine. « La solidarité créée par la guerre » permet aux États et aux entités non étatiques d'affirmer leur souveraineté, leur identité et de s'assurer une reconnaissance. « L'État libre est celui qui peut se défendre, qui se fait reconnaître par les autres et que les citoyens perçoivent comme la source de tous les droits » (Elshtain, 1992, p. 143). Toutefois, c'est une perception de la liberté où prédomine la protection des citoyens contre la crainte et le dénuement, et *d'où la liberté d'être est absente.* Cette *liberté d'être* s'avère vitale lorsqu'il s'agit des préoccupations des femmes à propos du contrôle de leurs corps et de leur vie, et l'affirmation de leurs droits humains. Leurs préoccupations en ce qui concerne la citoyenneté et les droits sont, à bien des égards, liées à la guerre et aux conflits. Cependant, mes travaux de recherche (Taylor, 2000, 2004) dans des pays tels que le Sri Lanka et l'Afrique montrent que les femmes sont en première ligne dans la consolidation de la paix et travaillent activement à promouvoir des formes alternatives de citoyenneté fondée sur les droits humains.

Les politiciens externalisent les menaces contre les communautés et les États pour légitimer des systèmes étatiques irresponsables, tout en renforçant la surveillance et la militarisation. Aussi, les femmes n'acceptent-elles plus la perception officielle qu'offre l'État des droits et de la citoyenneté dans les contextes de guerre et de conflits. Les réalités auxquelles elles sont confrontées dans leur vie quotidienne, en temps de paix comme en période de conflit, révèlent la brutalité de l'érosion discrète de leurs droits et de ceux des populations à l'intérieur des frontières nationales. Les principes de patriotisme et de nation sont progressivement contestés, en partie du fait que c'est de l'intérieur de ces frontières que proviennent les menaces et les atteintes contre les personnes. Dans certains cas, les gouvernements garantissent la sécurité en même temps qu'ils portent atteinte aux droits des personnes. L'hypothèse qui veut que les gouvernements soient des protecteurs publics est contestée, dans la mesure où dans certains pays, les systèmes étatiques ne protègent plus les droits des populations, mais sont complices de leur violation.

Les questions de mondialisation économique, de gouvernance et de conflits résultent d'une convergence de rapports de pouvoir à la fois internes et externes. Les exemples de l'Afghanistan, de l'Irak, du Liberia, de la Sierra Leone et de la Somalie montrent que la disponibilité d'armes et d'autres instruments de guerre stimule l'économie politique des conflits dans ces pays. Les industries militaires jouent un rôle croissant dans les processus de maintien de la paix et de gouvernance, de même que les forces paramilitaires et les forces de sécurité accentuent la déstabilisation des processus démocratiques dans les pays déchirés par la guerre (PNUD, 2002). Les violences contre les personnes, surtout les femmes et les enfants, et le nombre très élevé de décès dans des situations de guerre et de conflits deviennent acceptables, et des euphémismes tels que «dommages collatéraux» sont utilisés pour décrire ce qui leur arrive.

Les récits sur les femmes et la guerre illustrent à quel point la nation, la souveraineté et la citoyenneté se recoupent et comment la militarisation croissante des États va de pair avec la propension aux conflits. Jeanne Prinsloo (1999) affirme que le sentiment d'identité, en tant que ressortissant ayant certaines loyautés envers tel ou tel État-nation, est le produit d'un travail culturel et idéologique continu. En période de conflit, le nationalisme s'inscrit en tant que position masculine dans laquelle la citoyenneté recouvre des identités masculines variées et dominantes (Prinsloo, 1999). Mes recherches (Taylor, 2000) dans les régions du Sud global révèlent la capacité d'adaptation du patriarcat dans les systèmes étatiques modernes et montrent comment il restreint la citoyenneté et les identités des femmes, en relayant des symboles que les forces dominantes considèrent comme faisant partie intégrante des identités collectives des peuples.

Cinq pays se partageaient la quasi-totalité des exportations mondiales d'armes conventionnelles entre 1996 et 2001 : les États-Unis (45 % du total mondial), la Russie (17 %), la France (9 %), le Royaume-Uni (7 %) et l'Allemagne (5 %) ; les autres pays comptant pour le reste (17 %). Alors que ces pays, membres permanents du Conseil de sécurité – sauf l'Allemagne –, dominent les exportations mondiales d'armement, l'examen des budgets des pays étudiés révèle une hausse des dépenses militaires dans de nombreux pays d'Asie du Sud et d'Afrique. Ceci, en dépit de la pauvreté chronique et de la réduction significative de l'offre de services sociaux dans ces régions. L'examen des budgets dans une perspective de genre a permis à la société civile et aux activistes féministes de dénoncer les inégalités au regard de certaines affectations de dépenses budgétaires nationales. Ainsi l'Afrique du Sud, un État fortement militarisé avec de très hauts niveaux de dépenses pour la défense, a réduit de moitié son budget militaire entre 1990 et 1998, notamment en raison de ses programmes de démobilisation, de démantèlement de l'industrie d'armement nucléaire et de la destruction des surplus d'armements (PNUD, 2002, p. 19). Mais le pays a justifié des achats récents d'avions de chasse et de navires de guerre par le besoin de reconstituer sa capacité militaire, afin – théoriquement – de garantir la paix. D'autres pays ont renforcé leur capacité militaire pour cette même raison. Il est paradoxal que la mort lente de la sécurité humaine des personnes privées de droits sociaux et économiques ne soit pas traitée avec le même sérieux que la défense de la paix par l'achat d'armes.

Les discours sur la sécurité humaine apportent-ils de la valeur ajoutée ?

Les fondements épistémiques de la sécurité humaine associée aux droits humains soulèvent plusieurs questions. Les activistes des droits humains et les mouvements progressistes de femmes se méfient des initiatives récentes. Leurs préoccupations et leur scepticisme portent en grande partie sur la manière dont cette sécurité en viendrait à restreindre des victoires acquises de haute lutte. Il est indéniable que les droits humains et la sécurité humaine sont des notions contestées. Quelle est l'importance de la sécurité humaine et sa valeur ajoutée aux droits humains, dans ces processus de mondialisation ?

Alors que la sécurité humaine et ses liens avec le développement des droits humains, la consolidation de la paix, la prévention des conflits, la démocratisation et la gouvernance sont propulsés au premier plan de l'agenda international, on note parallèlement à ces courants une reconnaissance croissante que les processus contemporains de mondialisation économique, étayés par le néolibéralisme, génèrent davantage de risques et d'insécurité pour les populations les plus pauvres. Les institutions en place ne peuvent traiter de tels problèmes globaux.

On reconnaît généralement trois conceptions de la sécurité humaine (Hampson et Hay, 2002, p. 5). La première prend appui sur les droits naturels et le principe légal de cette sécurité, reposant sur l'hypothèse libérale des droits individuels à «la vie, la liberté et la recherche du bonheur». La communauté internationale se doit de les protéger et de les promouvoir. La seconde est une vision humanitaire, davantage liée à l'ONU. Elle inspire les efforts internationaux pour renforcer le droit international, combattre les génocides, les crimes de guerre et les immenses dégâts produits par les armes sur les civils et les non-combattants. Les interventions humanitaires de l'ONU en faveur des populations réfugiées et déplacées relèvent de cette appréhension de la sécurité humaine. Ces deux conceptions se concentrent sur les droits humains fondamentaux et sur la privation de ces droits. Elles peuvent être opposées à une troisième conception, plus vaste, qui suggère que la sécurité humaine doit être comprise plus largement pour inclure des dimensions économiques, environnementales, sociales, etc., des dommages causés aux moyens d'existence et au bien-être des individus. Cette idée comprend un volet de justice sociale et prend davantage en compte les menaces contre la survie des personnes (PNUD, 1994 ; Nef, 1995). Les débats portent sur la conception de la sécurité humaine qui répondrait le mieux aux préoccupations des populations les plus durement affectées.

Cette réflexion a évolué avec la reconnaissance de la menace des États répressifs et autoritaires sur les populations. La violence et les conflits détruisent les vies humaines et les infrastructures sociales. L'aggravation de la pauvreté, les inégalités accrues et de nouvelles menaces contre la survie humaine comme le sida, incitent à se saisir d'une approche intégrée du développement et des conflits. Concentrer l'attention sur la sécurité humaine devrait permettre de traiter des défis mondiaux actuels que sont la pauvreté, les inégalités et la prévention des conflits.

Les perspectives féministes constituent une contribution vitale aux discours sur la sécurité humaine, car elles clarifient les questions d'inégalité, d'exclusion et de marginalisation. Les féministes remettent en cause les sens de la citoyenneté et de la démocratie dans les situations de paix et de conflit en dénonçant l'exclusion des femmes des systèmes de prise de décision. L'hypothèse selon laquelle le renforcement de leurs capacités consiste à leur offrir du travail repose sur des arguments d'efficience économique, mais s'inquiète peu de garantir leurs droits humains. Or, à propos de sécurité et de la violation des droits humains des femmes durant les conflits, les féministes offrent de nombreuses perspectives.

En premier lieu, les féministes déconstruisent les connaissances empiriques en y incorporant des réflexions, analyses et actions féministes dans le cadre plus large des discours sur la sécurité humaine. Elles éclairent les intersections des formes personnelles et institutionnelles de pouvoir, et le jeu des forces entre les arènes privées et publiques des processus de conflits et de développement. En second lieu, elles mettent en évidence les liens complexes entre les processus politiques micros et macros, les hiérarchies entre les sexes au sein des institutions étatiques et non étatiques, ainsi que leurs conséquences sur les populations et sur les femmes. V. Spike Peterson et Anne Sisson Runya (1993) comme Deborah Steinstra (1994) poursuivent leur réflexion sur ces questions. Elles se préoccupent de la manière dont les discours dominants distinguent la violence physique directe de la violence structurelle. En d'autres termes, leurs recherches se concentrent sur le fait que l'on ignore la violence contenue dans les systèmes de domination et découlant des inégalités structurelles ; à ce titre, on limite la justice sociale et de genre. En troisième lieu, des perspectives féministes révèlent à quel point les discours dominants et les cadres théoriques sapent la portée des expériences des femmes. Ces discours sur la sécurité humaine et la mondialisation occultent le contrôle et la concentration du pouvoir dans les systèmes économiques et politiques. Les perspectives féministes, au contraire, soulignent la violence de l'économie mondiale sur les expériences féminines dans les ménages et les communautés.

L'approche féministe de la sécurité humaine peut-elle stimuler les débats sur la nécessité de faire passer les femmes du stade de sujet de discussion à celui d'agents de changement «transformateur»? Il faut répondre par l'affirmative, car la sécurité humaine peut lier le micro au macro, le besoin de libertés individuelles au besoin de changement systémique. Cette approche reconnaît que les femmes, comme individus, ont droit aux libertés fondamentales et que comme catégorie sociale, elles se situent au sein de systèmes étatiques profondément sexués, asymétriques, sous-tendus par le patriarcat.

Si l'on reconnaît que la négation de droits et les privations multiples sont les produits d'actions étatiques et non étatiques, il faut accepter la nécessité d'efforts concertés pour développer des normes, des processus et des institutions qui prennent ces problèmes en compte de manière systématique. La promotion et la protection des droits humains présentent de graves lacunes, quand il s'agit des besoins de milliers de personnes déplacées internes et de migrants. Il n'existe ni principes et protocoles clairs garantissant leurs droits humains, ni disposition internationale de surveillance effective de violation des droits des femmes et de la population civile par des acteurs non étatiques – forces paramilitaires ou firmes de sécurité. Il faut combler ces lacunes et mettre un terme à l'impunité des auteurs de violations des droits humains. Tout aussi urgente est la réponse à apporter aux besoins vitaux des populations avec l'assistance humanitaire. L'exclusion des femmes de la prise de décision en situation de conflit, comme dans les processus de reconstruction et de développement postconflit, reste une préoccupation majeure, car cette exclusion reproduit les hiérarchies de pouvoir existantes et restreint les possibilités de transformation sociale. Il est donc important de débattre pour savoir si notre perception de la sécurité humaine offre aux femmes les moyens de passer des marges au centre, de transformer l'agenda sécuritaire de l'État en sécurité des populations. Dans les conflits armés, les femmes sont surtout perçues comme des victimes et des bénéficiaires passives de la bienveillance étatique et patriarcale, plutôt que comme des participantes dotées de connaissances, d'expériences et de ressources. Alors qu'elles sont visibles dans la mobilisation et les propositions de changements qui affectent la sécurité au plan mondial, c'est à l'échelle régionale et internationale que les systèmes d'inégalités et la répression restent intacts, en raison de l'ancrage du patriarcat dans l'État et dans ses institutions. Toutefois, la production de hiérarchie de genre et d'inégalités sociales crée les conditions qui génèrent des conflits et des crises sociales récurrentes. Comme le soutiennent Peterson et Sisson Runyan (1993), la dichotomie de genre globale du masculin/féminin alimente la production d'autres divisions qui modèlent la politique mondiale : de « guerre/paix » et « nous/eux » à « moderne/traditionnel », « production/reproduction » et « culture/nature ».

Dans les choix de politiques publiques, la complexité des États modernes et des systèmes interétatiques crée de plus en plus de clivages entre les individus, les ménages et les communautés, reléguant souvent à l'arrière-plan les préoccupations et les intérêts des plus pauvres et des femmes. Les discours féministes sur la construction de l'État comme base de pouvoir historiquement masculine, reproduisant le patriarcat avec de nombreuses incidences sur les femmes, étoffent l'analyse critique des États et de la sécurité humaine. Le recours à une analogie, pour montrer l'injustice subie par les femmes dans les arrangements familiaux existants, permet à Amartya Sen d'affirmer qu'il n'est pas nécessaire de montrer que les femmes seraient mieux loties si elles vivaient en dehors des familles. Il suffit d'indiquer la répartition inéquitable des avantages et des tâches entre les sexes dans les différents arrangements familiaux. Pour lui, la question de l'équité globale relève de ce type de question de distribution. Pour s'en assurer, les chercheuses féministes se demanderont peut-être si cette injustice et ces arrangements inégalitaires sont un principe structurant fondamental de la société, et si la famille établie ou d'autres arrangements institutionnels sous-tendent de telles inégalités comme un aspect nécessaire du maintien du pouvoir et du *statu quo* (Taylor, 2004).

Aux États-Unis, après le 11 septembre 2001, les interventions de l'État contre le terrorisme ont suscité des débats sur le risque de compromettre les droits humains pour des raisons de sécurité nationale (PNUD, 2002). Les féministes contestent de plus en plus la dynamique contradictoire des États comme protecteurs et arbitres contre les menaces extérieures, alors que leur responsabilité sur la pauvreté, la violence et d'autres problèmes sociaux reste minimale. Le discours des féministes sur la sécurité de l'État et le système interétatique révèle l'importance des femmes comme actrices dans la prise en compte des structures de domination et dans la résistance à ces structures. L'analyse des politiques d'action et d'inaction de l'État fournit donc un autre prisme à travers lequel les discours féministes renforcent notre perception du rôle disciplinaire de l'État par rapport aux femmes et à d'autres exclus de la société.

Les États-nations ont un rôle à jouer dans la (re)configuration des identités individuelles et collectives, dans la détermination de l'histoire des populations et dans la promotion de formes de nationalisme qui en retour influencent les décisions de politique publique sur la guerre, la paix, la justice de genre et la gouvernance. Les formations de la société civile, comme les institutions étatiques, se concentrent sur l'importance que revêt la sécurité humaine. Ainsi, des contre-pouvoirs, s'appuyant sur un débat éclairé, peuvent se développer pour freiner la dynamique disciplinaire du pouvoir, des États et des forces rétrogrades au sein de la société civile. Une perspective fondée sur la sécurité humaine reconnaît que les menaces sont non seulement politiques et militaires, mais aussi sociales, économiques et environnementales (PNUD, 1994 ; Tadjbakhsh, 2002). C'est pour cela qu'il est important de se concentrer sur le rôle de la sécurité humaine et sur ses implications pour les individus et les communautés, ainsi que pour les États nationaux au sein du système global. La sécurité humaine reconnaît que la protection personnelle de l'individu n'est pas simplement liée à la préservation de l'État en tant qu'unité politique, mais aussi à l'accès au bien-être et à la qualité de vie individuels.

Que la perte de sécurité humaine soit un processus lent et silencieux (comme la perte quotidienne de dignité et l'érosion de l'estime de soi qui sont le lot de millions de femmes et de pauvres) ou une urgence grave et brutale (comme dans les guerres, les catastrophes naturelles ou les crises soudaines), des choix de politique sont nécessaires. Ces choix doivent inscrire les préoccupations des populations au cœur de la sécurité. Ceci nécessite un changement d'orientation : de ne plus percevoir les menaces comme étant uniquement extérieures, mais possiblement internes, et de passer de la sécurité des frontières à celles des personnes, à l'intérieur et à travers les frontières. Affronter la mondialisation économique et tous ses processus contradictoires requiert, je pense, une critique féministe des systèmes de gouvernance et des discours tels que celui de la sécurité humaine. Car c'est à travers de ces discours que les féministes interrogent et créent des espaces pour développer des alternatives aux systèmes inégalitaires.

Bibliographie

ACHARYA (Alka), « Human security : East versus West », *International Journal*, 3, 2001, p. 442-460.

ANNAN (Koffi), *Déclaration lors du Sommet des Nations unies sur les Objectifs de développement du millénaire*, New York (N. Y.), UNIC, 2000.

Commission on Global Governance, *Our Global Neighbourhood*, Oxford, Oxford University Press, 1995.

Commission on Human Security, *Human Security Now : Protecting and Empowering People*, New York (N. Y.), 2003.

ELSHTAIN (Jean Bethke), « Sovereignty, Identity, Sacrifice », dans *Gendered States : Feminist Visions of International Relations Theory*, V. Spike Peterson *et al.*, Boulder (Colo.), Lynne Rienner, 1992.

HAMPSON (Fen O.) et HAY (John B.), *Human Security: A Review of the Scholarly Literature*, New York (N. Y.), Commission on Human Security, 2002.

HICKS (Alexander) et ZORN, (Christopher), «Economic Globalisation, the Macro Economy and Reversals of Welfare Expansion in Affluent Democracies, 1978-1994», *International Organisation* 60, juillet 2005, p. 631-662.

International Commission on Intervention and State Sovereignty, the Responsibility to Protect, Ottowa, IDRC, 2001.

LANE (Melissa), *Globalization and Human Rights*, Notes for a Meeting, Centre for History and Economics, King's College, Cambridge University, 2001.

NEF (Jorge), *Human Security and Mutual Vulnerability: An Exploration into the Global Political Economy of Development and Underdevelopment*, Rugby, ITDG Publishing, 1995.

PARIS (Roland), «Human Security: Paradigm Shift or Hot Air», *International Security*, 26 (2), p. 87-102, Boston (Mass.), MIT, 2001.

PETERSON (V. Spike) et al., *Gendered States: Feminist Visions of International Relations Theory*, Boulder (Colo.), Lynne Rienner, 1992.

PETERSON (V. Sike) et SISSON RUNYAN (Anne), *Global Gender Issues*, Boulder (Colo.), Westview Press, 1993.

PRINSLOO (Jeanne), «Cheer the Beloved Country? Some Thoughts on Gendered Representations, Nationalism and the Media», *Agenda*, 40, 1999, p. 45-53.

Programme des Nations unies pour le développement (PNUD), *Human Development Report 1994*, New York (N. Y.), Oxford University Press, 1994.

Programme des Nations unies pour le développement (PNUD), «Deepening Democracy in a Fragmented World», *Human Development Report 2002*, New York (N. Y.), Oxford University Press, 2002.

Programme des Nations unies pour le développement (PNUD), «Deepening Democracy in a Fragmented World», *Human Development Report 2002*, New York (N. Y.), Oxford University Press, 2002.

RAI (Shirin), «Gendering Global Governance», article présenté à la conférence intitulée *Global Governance* à l'University de Warwick, septembre 2004.

SEN (Amartya), «Global Inequality and Persistent Conflicts», Conférence de remise du Prix Nobel, Oslo, 2002.

SEN (Amartya), *Development as Freedom*, Nelson, Anchor Press, 1999.

SEN (Gita) et GROWN (Caren), *Development, Crises and Alternative Visions : Third World Women's Perspectives*, New York (N. Y.), Monthly Review Press, 1987.

STEINSTRA (Deborah), *Women's Movements and International Organizations*, New York (N. Y.), St. Martin's Press, 1994.

STREETEN (Paul), *Globalisation : Threat or Opportunity?* Copenhage, Copenhagen Business School Press, 2001.

TADJBAKHSH (Shahrbanou), « A review of National Human Development Reports and the Implications for Human Security », New York (N. Y.), article non publié, 2002.

TAYLOR (Viviene), *Marketisation of Governance*, Le Cap (Afrique du Sud), Sadep/DAWN. 2000.

TAYLOR (Viviene), « From State Security to Human Security and Gender Justice », *Agenda*, 59, Durban (Afrique du Sud), 2004, p. 65-70.

TAYLOR (Viviene), « Governance and Gender Justice : Feminists Contesting the Terrain », dans *Genre et politiques néolibérales*, Afard/DAWN/Femnet, Rabat, 7-8 avril 2006.

TICKNER (J. Ann), « Feminist Perspectives on Security in a Global Economy », dans Thomas Cole, Paul Wilken Paul *et al.*, *Globalization, Human Security and the African Experience*, Boulder (Colo.), Lynne Reinner, 2000.

Paula Banerjee[1]

L e 11 juillet 2004, une jeune femme du nom de Thangjam Manorama était violée, torturée et assassinée par les membres de l'*Assam Rifles* qui l'avaient arrêtée quelques heures auparavant. Les manifestations contre cet acte odieux prirent la forme d'un soulèvement de masse, où les femmes *Meira Paibies* – femmes porteuses de torches – étaient au premier rang. L'*Assam Rifles* accusa Manorama d'avoir été une activiste de l'Armée de libération du peuple (PLA) – interdite – et d'avoir tenté de s'enfuir. Les *Meira Paibies* et d'autres organisations de la société civile affirmèrent au contraire qu'il ne s'agissait que d'une action de plus de l'État contre les femmes de l'Inde du Nord-Est, une région frontalière où les femmes sont confrontées à de multiples injustices depuis la période coloniale. Elles soulignèrent que la majeure partie de ces injustices faisaient suite à l'adoption de l'Afspa – *Armed Forces Special Powers Act*, une loi relative aux pouvoirs spéciaux des forces armées –, en 1958, en Inde du Nord-Est. Cette loi, adoptée constitutionnellement au Parlement, a permis certains des pires abus en Inde du Nord-Est. Je décrirai ici brièvement le sort tragique des femmes vivant dans cette zone frontalière caractérisée comme hostile par l'État indien majoritaire[2]. Je montrerai également que ces femmes n'acceptent pas passivement cette situation et qu'elles négocient de manière novatrice, tant avec l'État indien qu'avec les mouvements rebelles de la région, afin de créer un espace où elles peuvent être écoutées et accroître leur capacité d'action.

Pourquoi privilégier les expériences des femmes ? Non seulement parce qu'elles appartiennent à ces dangereuses zones frontalières, mais aussi parce qu'elles créent et forment ces expériences. Selon Nira Yuval-Davis (1998, p. 26), la citoyenneté universaliste des discours

---

1. *Article traduit de l'anglais par Aminata Sow.*
2. *On emploie le concept d'État* majoritaire *dans un sens politique (notamment face aux peuples autochtones et aux groupes ethnicisés) : il s'agit de l'État indien.*

socio-démocrates – et libéraux – occulte l'exclusion des femmes des identités nationales qui sous-tendent la citoyenneté. Les constructions idéologiques de l'État maintiennent ainsi généralement les femmes aux frontières de la démocratie. Toutefois, en période de forte tension, celles-ci deviennent parfois centrales. Dans les zones de conflit, les hommes, poussés par les nécessités de la guerre et de l'autodéfense, se retirent de la vie civile. La sphère publique se replie alors dans la sphère privée et les femmes constituent l'essentiel de la société civile, assumant des rôles totalement nouveaux, affrontant et négociant quotidiennement avec l'État. De plus, en tant que relais des valeurs culturelles, les femmes construisent des différences qui tracent l'avenir de la démocratie. C'est ce que montrent les rôles qu'elles assument dans la région. L'Inde du Nord-Est est constituée de huit États, dont cinq au moins sont confrontés à des conflits violents. Ces conflits État-communautés sont présentés comme une réalité masculine : la plupart des commentaires et des travaux sont axés sur les hommes et les logiques du pouvoir masculin, ignorant l'engagement des femmes. Le présent chapitre vise à combler cette lacune. Il traite des femmes d'Inde du Nord-Est et des négociations qu'elles mènent avec un État qui privilégie traditionnellement des valeurs qui leur sont souvent étrangères. Par leur engagement, ces femmes transforment les définitions traditionnelles de la démocratie, du nationalisme et de la résistance.

L'Inde du Nord-Est : une poudrière

Les huit États d'Inde du Nord-Est, ayant des frontières communes avec le Bangladesh, le Bhoutan, la Chine et la Birmanie, peuvent être appelés États frontaliers. Du fait de son caractère frontalier, la région est fortement contrôlée, d'autant qu'on y trouve un certain nombre de mouvements irrédentistes.

Les Britanniques avaient commencé à administrer la zone par une série de lois, dont celle de 1873 (*Inner Line Regulation*) qui reposait sur l'idée que « la libre-circulation des sujets britanniques d'Assam et des tribus sauvages frontalières menait fréquemment à des querelles et parfois à des perturbations sérieuses » (Hazarika, 1996, p. 74). L'administration britannique souhaitait aussi contrôler le commerce du caoutchouc, encore aux mains des populations des collines et qui provoquait entre elles de fréquentes escarmouches. La réglementation *Inner Line* était un moyen de séparer les populations *civilisées* des plaines et les populations *sauvages* des collines. Loin d'accorder la souveraineté à ces dernières, elle permettait de délimiter les zones administratives, les civilisés rencontrant supposément des problèmes de cohabitation avec les sauvages. Le projet de loi de 1935 classa les collines d'Assam en zones exclues et partiellement exclues, ce qui aboutit à une évolution politique séparée pour ces zones, celles des collines n'ayant pas été démarquées afin de protéger l'autonomie régionale – en réalité, pour tenir à l'écart les groupes récalcitrants, progressivement diabolisés par les discours officiels. Ces zones restèrent ainsi exclues de toutes les expériences constitutionnelles de l'Inde britannique.

Durant les débats de l'Assemblée constituante, le processus se poursuivit. Lors des discussions visant à établir un Conseil autonome pour les collines naga, certaines déclarations reflétèrent l'attitude des membres des groupes dominants, architectes de la Constitution, à l'égard de ces populations. Ainsi, Kuladhar Chaliha, d'Assam, déclarait : « Les Nagas sont un peuple très primitif et très simple qui n'a pas oublié ses anciennes manières de rendre une justice sommaire. Si vous leur permettez de nous diriger ou de nous administrer, ce sera une négation de la justice et de l'administration et instaurera l'anarchie [3]. » Moins virulents, beaucoup affirmèrent pourtant que les Nagas n'avaient pas leur place, comme le dirigeant rebelle Braheshwar : « les responsabilités de la vie parlementaire peuvent être assumées par ceux qui sont compétents, sages, justes et instruits. Remettre des pouvoirs politiques larges entre les mains des tribaux est le moyen le plus sûr de provoquer le chaos, l'anarchie et le désordre dans tout ce pays [4]. » Même Gopinath Bordoloi, le Premier ministre de l'Assam, déclara qu'aucune des tribus ne pouvait encore prétendre, à cette époque, se gouverner elle-même [5].

Les élus qui discutaient l'élaboration d'une constitution démocratique pour l'Inde n'étaient pas seulement obsédés par l'idée du maintien de l'ordre. Également occupés à construire une citoyenneté loyale à l'ordre qu'ils cherchaient à maintenir, ils élaboraient des principes et un discours sur qui inclure ou exclure, créant une hiérarchie de la citoyenneté où la plupart des groupes tribaux du Nord-Est occupaient le bas de l'échelle. Leur différence déclarée était considérée comme une

---

3. *Shri Kuladhar Chaliha, dans* Constituent Assembly Debates, *volume IX, 6 septembre 1949, p. 1-2. http://parliamentofindia.nic.in/debates/vol9p3a.htm*
4. *Shri Brajeshwar Prasad, dans* Constituent Assembly Debates, *volume IX, 6 septembre 1949, p. 3. http://parliamentofindia.nic.in/debates/vol9p3a.htm*
5. *Shri Gopinath Bordoloi, dans* Constituent Assembly Debates, *volume IX, 6 septembre 1949, p. 4. http://parliamentofindia.nic.in/debates/vol9p3a.htm*

déviance ; ces groupes étaient au mieux traités avec condescendance, au pire, dénigrés. Tout le monde estimait que ces populations n'étaient pas *nous,* et étaient donc indignes d'être autonomes. Même aux premiers temps de l'Assemblée constituante, les dirigeants de la nation avaient recours au langage de leurs colonisateurs pour traiter ceux qu'ils considéraient comme *autres*/déviants, déterminant l'attitude de l'État vis-à-vis de la région. Une analyse des lois ultérieures telles que l'Afspa, la loi relative à la sécurité nationale, montre également comment ces groupes ont été caractérisés comme récalcitrants par l'élaboration progressive de lois sur les zones frontalières, puis traités comme des criminels.

Adoptée en 1858, l'Afspa – *Armed Forces Special Powers Ordinance* –, qui durcit l'ordonnance britannique de 1942, concernait non plus l'ensemble du pays, mais seulement les collines naga et certaines parties du Manipur. Elle visait à réprimer la société civile, freiner la contestation et légitimer la violence étatique. Entrée en vigueur en 1958 pour six mois, elle n'a jamais été abolie, bien que largement contestée dans tout le pays. L'Afspa conférait au gouvernement de l'État le pouvoir de définir n'importe quelle zone comme perturbée et de mobiliser l'armée à chaque fois qu'il le souhaitait. L'Afspa montrait bien comment la démocratie légitimait la violence à l'égard de populations qu'elle considérait comme dévoyées/déviantes, puis d'une zone, puis de toute une région. Un de ses nombreux articles énonçait que les forces armées pouvaient abattre n'importe qui sur la simple présomption de terrorisme. Il y a quatre ans, une femme du nom d'Irom Sharmila commença une grève de la faim contre cette loi. Elle vit encore aujourd'hui, alimentée de force par sonde nasale, car l'État ne peut guère se permettre d'avoir une autre martyre non violente – une spécialité de beaucoup de femmes de la région, des tribus naga, kuki ou meitei.

L'histoire de l'Afspa et de son application montre comment les femmes ont souffert entre deux patriarcats : les rebelles et les forces armées (Banerjee, 2001). Certains des premiers écrits connus sur les femmes de l'Inde du Nord-Est sont l'œuvre d'administrateurs britanniques tels B. C. Allen (2002, p. 35-36), qui a également écrit sur la migration et ses effets sur les femmes : « En 1901, [...] il n'y avait que 982 femmes pour 1 000 hommes. Cette disproportion entre les sexes est toutefois due essentiellement à la présence d'étrangers. » L'Afspa militarisa l'ensemble de la région, provoquant notamment une nouvelle arrivée massive d'hommes travaillant pour les structures répressives du gouvernement.

En effet, la construction de routes sûres pour transporter des troupes requiert un personnel qualifié et technique, essentiellement masculin. En outre, l'arrivée dans la région de forces de sécurité masculines renforça le ratio sexuel en faveur des hommes, coïncidant avec la montée de la violence à l'égard des femmes et réduisant leur pouvoir de négociation.

La région est caractérisée par la pauvreté endémique, les déséquilibres sociaux et la violence politique. On y note un nombre croissant d'abus des droits humains et de violence politique contre les femmes des groupes considérés comme marginaux par l'État majoritaire. Le viol, la torture et, pire, la traite et le commerce du corps des femmes, se sont multipliés. Contrairement au discours étatique, les victimes de multiples injustices ne sont pas seulement les femmes du Bangladesh, de Birmanie ou du Népal : les journaux soulignent souvent la situation précaire des femmes du Nord-Est de l'Inde. Un article signalait que « récemment, la traite des femmes se faisait à partir d'Assam et d'autres États du Nord-Est, et qu'une filière bien établie envoyait les malheureuses femmes vers les métropoles du pays [6] ». Un autre article récent affirmait que « la traite humaine n'est pas un problème nouveau dans notre pays. Ce qui est préoccupant, c'est que ces derniers temps, le Nord-Est est devenu une zone d'approvisionnement pour la traite des femmes et des enfants – pas uniquement pour le commerce de la chair, mais aussi pour le travail forcé, le travail des enfants, les transplantations d'organes, le recrutement de chamelier et autres [7]. » Les conflits de longue date qui opposent l'État aux communautés et les communautés entre elles n'ont rien arrangé. Ils ont augmenté la violence dans l'ensemble de la région, conduisant à la marginalisation des femmes.

L'expérience des femmes dans les zones frontalières de l'Inde du Nord-Est

Selon Yuval-Davis (1998, p. 27), les femmes ont une relation double avec l'État : « D'une part, les femmes sont toujours incluses, du moins dans une certaine mesure, dans le corps général des citoyens de l'État et dans ses politiques sociales et juridiques ; d'autre part, il y a toujours, du moins dans une certaine mesure, un corps distinct de lois ayant trait spécifiquement à celles-ci, en tant que femmes. »

---

6. « Trafficking in Women », Meghalaya Guardian, *13 septembre 2004*.
7. « Anti-trafficking Consultation : An Eye-opener », Imphal Free Press, *1ᵉʳ octobre 2005*.

Dans le cas des zones frontalières de l'Inde, ce double rapport des femmes avec les collectivités nationale et ethniques a accru la discrimination envers elles. Or, avec le temps, les attitudes sociales se transforment en dispositions juridiques. Ainsi, ces femmes sont non seulement contraintes de vivre sous des lois nationales draconiennes du fait de l'endroit où elles habitent, mais aussi de supporter d'autres traditions et pratiques discriminatoires, en vertu de leur sexe.

Vivant à la frontière, ces femmes sont affectées non seulement par la migration, mais aussi par la « sécurisation » régionale – la migration étant considérée comme un des risques sécuritaires les plus graves de la région. La menace du terrorisme est souvent présentée comme venant de l'extérieur, justifiant l'Afspa. La plupart des journaux qui font état de cette question en Inde du Nord-Est sont sensationnalistes et fortement anti-immigrants. Ils mettent l'accent sur l'insécurité pour les enfants du terroir et décrivent des « éléments infiltrés, vêtus de *lungi* (pagne) et armés de fusils de fabrication locale, qui attaquent les maisons [8] ». La situation est si tendue qu'il y a désormais des attaques ouvertes contre les travailleurs migrants, tant de l'intérieur que de l'extérieur du pays. En 2005, la presse a largement couvert l'agression de 70 émigrés népalais par des jeunes Khasi [9]. Les infiltrations sont donc considérées comme une des plus grandes menaces contre les femmes de la région. La frontière étant poreuse, il est facile pour des criminels d'attaquer les femmes – d'un côté comme de l'autre – puis de disparaître en passant la frontière – les viols sont un phénomène courant, mais toujours imputés aux personnes venues de l'autre côté. À la suite de l'un de ces viols, Poomima Advani, la présidente de la Commission nationale des femmes, affirma : « La frontière est poreuse et il n'y a guère de sécurité dans la région, ce qui expose les femmes et les filles à des attaques par des éléments infiltrés bangladeshi [10]. » Rares sont les personnes qui relient ces faits à la montée générale de la violence à l'égard des femmes, notamment aux enlèvements et au viol conjugal qui surviennent dans la région [11].

Une tendance encore plus insidieuse se dessine. Certaines parties de l'Inde du Nord-Est sont habitées par des tribus matrilinéaires – les Khasi, Garo et Jayantia. La migration sert de prétexte pour tenter de

---

8. « B'deshi dacoits penetrate security cover dans Khowai », *Tripura Observer, 21 août 2003.*
9. Meghalaya Guardien, Shillong Times, *9 janvier 2005.*
10. *Poornima Advani citée dans le* Shillong Times, *8 janvier 2005.*
11. *NCW Report cité dans* Hindustan Times, *3 janvier 2005.*

modifier leurs modes d'héritage et leur imposer l'adoption du système patriarcal. En 1997, le Conseil du District autonome des collines khasi, qui dispose d'une compétence constitutionnelle sur le « droit coutumier » khasi, avait voté un projet de loi sur la coutume du lignage, qui codifiait le système d'héritage à travers la lignée féminine. Celui-ci fit l'objet d'une vive controverse, donnant lieu à une demande de modification du système matrilinéaire, notamment sous l'égide d'une organisation entièrement masculine, le SRT (*Syngkhong Rympei Thymai*). Le SRT tenta de mobiliser l'opinion publique : « Dès que nous nous marions, nous devenons comme des réfugiés, à la merci de nos beaux-parents [12] », déclarait Teibor Khongee, un membre exécutif du SRT. « Nous sommes réduits à l'état de taureaux et de *baby-sitters*, sans pratiquement aucun rôle au sein de la société [13] », ajoutait-il. L'indignation du SRT et du KSU (Union des étudiants khasi) résulte du fait qu'un nombre croissant de femmes khasi épousent des non-tribaux. Ces organisations disent que beaucoup d'étrangers sont attirés par les femmes khasi parce qu'elles disposent de biens importants. « Il y a de la frustration chez les jeunes Khasi », déclarait Peter Lyngdoh, « Je pense que ceci devrait changer. Nous n'avons ni terre, ni entreprise et notre génération prend fin avec nous [14] ». Le KSU et le NSF (Fédération des étudiants naga) ont publié des communiqués attaquant les hommes extérieurs qui épousent des femmes de la communauté. Le NSF en particulier s'est fortement insurgé contre « les immigrants illicites qui épousent des femmes naga [15] ». La question de l'infiltration est donc devenue un prétexte au renforcement de certains groupes d'hommes au détriment des femmes, déjà marginalisées.

La violence à l'égard des femmes des zones frontalières du Nord-Est de l'Inde ne s'arrête pas là. Il y a en plus des preuves de l'existence d'une traite, notamment sexuelle et de travail. En 2004, un journal de la région signalait que « l'Inde figurait au nombre des sept nations asiatiques inscrites sur la "liste noire" américaine de pays impliqués dans la traite des êtres humains [16] », ajoutant que « L'Inde est [...] également devenu un point de transit pour les prostitués de pays voisins

---

12. *Seema Hussain*, « Khasi men question their role in matriarchal society ». *http://www.khasi.ws/khasimen.htm*
13. Ibid.
14. Ibid.
15. « *Non-Nagas marrying Naga girls to face action warns NSF* », Assam Tribune, *23 août 2003*.
16. « *Human trafficking cases in Meghalaya draw US attention* », Shillong Times, *16 juin 2004*.

tels que le Bangladesh, Myanmar et le Népal [17] ». La traite de femmes et d'enfants serait florissante, avec un certain nombre d'itinéraires vers et à partir de l'Inde du Nord-Est. Les journaux locaux sont emplis de nouvelles concernant l'essor de la traite des femmes et des enfants du Bangladesh et du Népal vers cette région. Un article parlait d'enfants de neuf ans pouvant rapporter jusqu'à 60 000 roupies dans des mises aux enchères impliquant même des personnes des pays du Golfe, spécifiant que : « Un segment important des prostituées que l'on retrouve à Kamathipura ou Sonagachi, les tristement célèbres quartiers chauds de Mumbai et Calcutta, sont d'origine népalaise. Plus perturbant encore, sur les 5 à 7 000 jeunes Népalaises victimes de la traite en Inde tous les ans, la moyenne d'âge est passée de 14-16 ans à 10-14 ans en dix ans [18]. » Toutes ces femmes transitent par l'Inde du Nord-Est et certaines restent même dans les maisons closes de la région.

La traite s'accompagne souvent de fléaux tels que le sida, devenu à la fois une question de contrôle de la migration, des migrants et de la sexualité des femmes. Dans la plupart des journaux, le sida est présenté comme une maladie venant de l'extérieur : « Ce sont essentiellement les prostituées issues de la population immigrée, qui sont les principaux vecteurs du virus [19]. » Les professionnelles du sexe constituent une cible facile pour certains médias, qui leur imputent clairement la propagation du sida en Inde du Nord-Est. Presque tous les mois, ce genre de nouvelles paraît dans les médias de la région : « Une hausse alarmante du nombre de patients infectés par le VIH dans la vallée de Barak, en Assam du Sud, et un essor de la prostitution dans la ville de Silchar ont déclenché l'alerte [20]. » D'une façon ou d'une autre, l'intention est d'impliquer les femmes et de les rendre responsables de la propagation du sida dans la région. Des récits encore plus extravagants circulent sur des femmes appartenant à des communautés en conflit avec l'État qui s'infecteraient sciemment afin de contaminer les membres des forces armées : « Des organisations militantes de cette région auraient menacé les fusiliers d'Assam d'envoyer des femmes infectées par le VIH contaminer les *jawans* affectés à Meghalaya, Manipur, Nagaland et Tripura [21]. »

---

17. Ibid.
18. « Strengthening Cross Border Networks to Combat Trafficking of Women and Girls », *Proceedings of Workshop organized by NNAGT and supported by Unifem, Katmandou, juillet 2001, p. 42.*
19. Ibid.
20. « *Arunachal wakes up to flesh trade & HIV risks* », Hindustan Times, *13 mai 2005.*
21. « *AIDS threat to army in NE* », Nagaland Post, *25 septembre 2005.*

La situation des femmes de l'Inde du Nord-Est montre qu'en temps de crise, les femmes sont persécutées non seulement par les structures du pouvoir de l'extérieur, mais aussi par celles de leurs propres communautés. L'Afspa sert souvent d'excuse pour violer et brutaliser les femmes non conformes, comme l'illustrent les cas de Thangjam Manorama et d'Irom Sharmila. L'arrivée des groupes migrants déstabilise les femmes, les hommes au pouvoir en profitant souvent pour confirmer leur contrôle sur les ressources, comme récemment dans l'État de Meghalaya, où résident des tribus matrilinéaires comme les Khasi et les Garo. Les femmes migrantes, sans ancrage, sont en situation de plus en plus précaire, ce qui sert de prétexte à leur exploitation sexuelle. Les femmes réinstallées se trouvent souvent impliquées dans des conflits État/communauté auxquels leurs parents et alliés ethniques participent. Elles sont de ce fait qualifiées d'étrangères par le pouvoir étatique autoritaire qui les marginalise. Pourtant, elles ne se soumettent pas.

Femmes, mouvements de protestation et paix en Inde du Nord-Est

Les femmes de l'Inde du Nord-Est ont organisé un certain nombre de protestations, avec des groupes comme la NMA (*Naga Mothers Association*) et les *Meira Paibies*. Elles ont négocié avec les structures du pouvoir, pour leur propre survie, mais aussi pour celle de l'ensemble de leurs communautés. L'une des caractéristiques de leurs luttes est d'être particulièrement inclusive. La communauté internationale reconnaît mieux le rôle des femmes dans la résolution des conflits armés et les processus de réconciliation : elles sont non seulement très créatives dans l'élaboration de mécanismes de survie, mais jouent souvent un rôle important, quoique méconnu, pour mettre un terme à la violence organisée. Les événements de Manipur reflètent l'importance des groupes de femmes dans la société civile de la région, dont elles constituent désormais la majeure partie, du fait du départ massif des hommes. La résolution des conflits dans le Nord-Est ne peut avoir lieu sans elles. Cependant, incapables d'expliquer la nature de ces contestations de masse, peu d'ouvrages traitent de leurs efforts pour la paix. Certains tentent même de dénigrer le mouvement en prétendant qu'il est suscité par des «insurgés», ce qui n'a d'autre résultat que de restreindre l'espace pour les négociations et le dialogue. Or, il faut analyser la manière dont les femmes négocient pour mettre fin à la violence depuis quelques décennies, dans le Manipur, le Nagaland et de nombreuses régions du Nord-Est.

Il faut pour cela explorer d'autres sources et procéder à une analyse qui compare les types de paix promus par les femmes et leurs interventions. Ces pratiques diffèrent-elles de la définition dominante de la paix ? Prises dans la tourmente, ces femmes redéfinissent les catégories d'analyse existantes. Tout en gardant foi en leur propre *cause*, qu'est-ce qui les pousse à œuvrer en faveur d'une résolution des conflits ? Quelles sont leurs stratégies ?

Dans la majeure partie du Nord-Est, la politique institutionnelle marginalise les femmes. Ainsi, lors des élections parlementaires de 1996, dans le Manipur, il n'y avait que deux candidates pour vingt-huit sièges. Les élections récentes n'ont pas amélioré la situation. Les femmes du Nagaland ne sont guère plus représentées dans la politique électorale. Dans le Nord-Est, la politique est donc totalement dominée par les hommes, en dehors de quelques représentations symboliques. Selon Aparna Mahanta, cette « exclusion délibérée » leur est imposée par les hommes. Pourtant, dans la politique en faveur de la paix, les femmes se sont aménagé des espaces de participation : les mouvements pour la paix sont appuyés très majoritairement, voire dirigés, par les femmes.

Les organisations pacifistes féminines peuvent être réparties en trois groupes. Certaines organisent des mouvements ponctuels sur des questions spécifiques, comme *Sajagota Samities* et *Mahila Samities* dans l'Assam. D'autres tentent de collaborer avec différents groupes pour organiser des mouvements pacifistes. D'autres encore tentent d'adopter une position indépendante à la fois de l'armée et des insurgés. Durant et après les atrocités commises par l'armée à Nalbari en 1989 et au Nord-Lakhimpur en 1991, un certain nombre d'associations de femmes pour la paix furent créées, dont le *Matri Manch*, installé dans le Guwahati, point de ralliement des mères de disparus. De nombreuses femmes qui n'étaient pas mères adhérèrent également au mouvement, pour manifester contre les abus faits aux femmes, organisant des manifestations contre la violence et les abus sexuels. Initialement tolérées lorsqu'elles dénonçaient des violences étatiques, elles furent menacées par différents groupes rebelles lorsque leur contestation devint plus globale. L'État, pour sa part, les considérait clairement comme des voix contestataires récalcitrantes. Le mouvement devint bientôt victime de l'inertie et de l'apathie dominantes auxquelles se confronte l'activisme des femmes. D'autres groupes organisent des actions et des manifestations pacifistes autour de questions spécifiques, comme le *Bodo Women's Justice Forum*, qui conteste le sous-nationalisme d'Assam. Toutefois, ces associations étant considérées comme proches des groupes rebelles, les appareils d'État ignorent leur contestation – ce qui est moins facile avec les actions des *Meira Paibies* et des *Naga Mothers*.

Dans la vallée du Manipur, l'activisme des femmes est symbolisé par les *Meira Paibies* – les porteuses de flambeaux – qui se réclament des faits militaires de Leima Linthoingambi [22], célèbre pour avoir sauvé son palais des attaques ennemies. Au cours du siècle dernier, deux femmes avaient mené des soulèvements contre les Britanniques. Aujourd'hui, c'est d'un marché de femmes, appelé *Nupi Keithel*, qu'est partie leur révolte collective. Selon Yumnam Rupachandra du *North-East Sun*, les *Meira Paibies* sont aujourd'hui devenues une véritable institution. Elles ont commencé en tant que *nasha bandis*, groupes luttant contre la forte consommation d'alcool chez les hommes, attirant peu à peu l'attention du PLA (People's Liberation Army). Le PLA imposa une interdiction de la contrebande et de la consommation d'alcool en janvier 1990. Deux mois plus tard, cédant aux pressions du Front législatif uni (United Legislative Front), le gouvernement décrétait la prohibition des boissons alcoolisées dans le Manipur ; c'était une victoire pour les *Meira Paibies*. La campagne de nettoyage social avait, disait-on, suscité un appui populaire. Selon certains critiques, les militants Meitei appuient activement ces associations de femmes. Les événements récents indiquent que les *Meira Paibies* bénéficient du soutien de la majeure partie de la société civile du Manipur. En 2004 et 2005, elles ont élargi leur domaine d'action et fait campagne contre les atrocités commises par les forces de sécurité. Elles assurent également des gardes nocturnes contre les attaques et dialoguent avec les forces contre-insurrectionnelles pour les convaincre d'épargner les innocents. Elles ont lancé récemment un mouvement sans précédent contre la loi Afspa qui a suscité l'intérêt de tous les groupes favorables à la paix. Aux premiers rangs de la contestation de la violence, l'État ne peut guère aujourd'hui ignorer leurs revendications.

La NMA (*Naga Mothers Association*) du Nagaland est également très active pour la paix dans la région. Créée en 1984, l'association énonce dans son préambule que « les mères naga du Nagaland sensibiliseront les citoyens à un mode de vie plus responsable et au développement

---

22. *Il s'agit d'une reine meitei du XV*ᵉ* siècle.*

humain[23] ». L'adhésion est ouverte à toute femme naga adulte, mariée ou célibataire. Les femmes peuvent adhérer par l'intermédiaire des organisations féminines de leurs propres tribus. L'organisation encourage le développement humain à travers l'éducation, lutte contre les problèmes sociaux et l'exploitation économique, pour la paix et le progrès. Face à la détérioration de la situation, en 1994, la NMA a lancé une campagne baptisée *Plus de sang versé*, dénonçant non seulement les tueries commises par l'armée, mais aussi par les rebelles insurgés. En 1995, la NMA écrivait que « la manière dont notre société est gérée, que ce soit par le gouvernement officiel ou par le gouvernement clandestin, est devenue tout simplement intolérable ». Chaque 12 mai, la NMA célèbre la fête des Mères et renouvelle son appel à la paix. Elle a aussi travaillé à la rénovation sociale du Nagaland confronté à l'abus généralisé d'alcool et de drogue, organisant des structures de désintoxication en collaboration avec une fondation spécialisée de Mumbai. La NMA a également lancé des tests anonymes pour le VIH, notamment auprès des femmes enceintes, chez qui la contamination est en hausse, et prend en charge les malades de façon novatrice. Surtout, la NMA collabore avec la plupart des organisations de femmes naga, dont les *Hohos* et l'Union des femmes naga du Manipur. Son poids dans la politique naga est confirmée par le fait que c'est le seul groupe féminin d'Asie du Sud ayant participé à une négociation (réussie) de cessez-le-feu – en jouant un rôle d'intermédiaire entre le gouvernement indien et la faction (IM) du NSCN en 1997.

On le voit, pour des associations comme les *Meira Paibies* et la NMA, la paix ne se définit pas simplement par la fin du conflit armé. Pour elles, la paix peut être réalisée par le dialogue et les négociations politiques : les solutions militaires seules ne peuvent l'instaurer. Assimilant la paix à la justice et au développement, elles œuvrent à améliorer la situation de leur propre société.

Dans son commentaire novateur sur le féminisme et le nationalisme, Kumari Jayawardena (1986, p. 10) déclarait : « Les mouvements ne femmes ne surgissent pas dans le vide : ils correspondent à des mouvements sociaux plus larges dont ils font partie et qui les déterminent dans une certaine mesure. La prise de conscience générale de la société sur elle-même, son avenir, sa structure et sur le rôle des hommes et

---

23. Constitution of the Naga Mother's Association, *reprinted in Kohima*, *1992*.

des femmes, impose des limites au mouvement des femmes, qui déterminent généralement ses buts et ses méthodes de lutte. » En effet, les mouvements de femmes ne naissent pas dans le vide. Ils ne sont pas simplement déterminés par les mouvements sociaux plus larges, mais contribuent aussi à définir ces mouvements. Le fait qu'il y ait pléthore de mouvements pacifistes dans l'Inde du Nord-Est révèle non seulement l'opposition active des femmes et leur marginalisation par rapport à la politique institutionnelle, mais aussi leur courage indomptable et leur capacité à innover dans des situations difficiles, canalisant leur énergie dans des mouvements pacifistes locaux. Une logique sous-tend ces initiatives pacifistes : il s'agit du type de mouvements tolérés par les structures de pouvoir dominantes. Il en résulte une résurgence constante de ces mouvements, qui bien que généralement ponctuels et relativement peu efficaces, maintiennent vivant le rêve de paix des populations.

Les mouvements des femmes *Meira Paibies* et naga sont beaucoup plus efficaces et fructueux. Ces femmes ont été plus à même de soutenir leurs mouvements que les nombreux groupes féminins pacifistes sporadiques, attachés à des questions spécifiques ; c'est ce que montre clairement la légitimité qu'elles ont conquise dans leur propre société, mais aussi vis-à-vis de l'État. Elles ont réussi à convaincre toutes les parties en présence qu'elles n'étaient manipulées par aucune faction. Si la plupart restent attachées à leur *cause*, elles sont dans le camp de la paix comme leurs actions le montrent. Elles poursuivent leurs buts à travers des actions politiques et non par la violence. Les mouvements féminins pacifistes du Manipur et du Nagaland ont remporté des victoires considérables. Ils sont devenus une composante importante et nécessaire de leurs propres sociétés. L'appareil d'État tente même de recourir à eux pour promouvoir la paix. Leur succès s'explique par plusieurs raisons. D'abord, les femmes ont réussi à inscrire leurs actions politiques dans leurs rôles traditionnels. Pour elles, la paix n'est pas un simple phénomène politique, mais aussi économique et social, le développement étant une clé indispensable. Elles appellent à une paix juste, qui tend à l'équité et qu'elles assimilent au progrès. Elles ont su combiner le travail social et leurs actions politiques. Lorsqu'elles sont confrontées à une opposition politique, elles changent d'orientation pour travailler sur des questions de santé ou de droits des femmes. Leur engagement dans le développement a accru leur efficacité et leur acceptation au sein de leur propre société.

Les *Meira Paibies* et du NMA maîtrisent l'art de créer une plate-forme commune pour l'ensemble des groupes de la société civile. Les manifestations des Meira Paibies montrent qu'elles n'agissent pas simplement contre l'Afspa, mais aussi contre la machinerie militaire masculiniste qui s'est déchaînée contre elles lors du conflit. C'est dans ce cadre qu'elles ont réussi à créer leur propre espace dans la lutte politique pour la paix. Les femmes naga ont fait de même, à travers leur campagne *Plus de sang versé*. Les expériences des zones frontalières montrent que là où elles se sont approprié le rétablissement de la paix, les femmes ont remporté davantage de succès. Il ne s'agit pourtant pas de faire une analyse essentialiste. Les sociétés dominées par les hommes considèrent souvent le rétablissement de la paix comme le travail des femmes, sans toutefois lui reconnaître un caractère politique. Les expériences de l'Inde du Nord-Est soulignent qu'à travers la restauration de la paix, les femmes négocient des espaces dans la sphère publique. Cette reconnaissance les aide alors dans d'autres négociations – y compris dans des sociétés traditionnelles – comme la reformulation des droits de propriété. Ainsi, non seulement les femmes redéfinissent la paix, mais en luttant pour la paix, elles redéfinissent leur propre situation.

Bibliographie

ALLEN (B. C.), *Gazetteer of Naga Hills and Manipur*, New Delhi, Mittal Publication, 2002, p. 35-36.

BANERJEE (Paula), « *Between Two Armed Patriarchies : Women in Assam and Nagaland* », dans Rita Manchanda (ed.), *Beyond Victimhood to Agency : Women War and Peace in South Asia*, Londres, Sage, 2001.

HAZARIKA (Joysankar), *Geopolitics of Northeast India : A Strategical Study*, New Delhi, Gyan, 1996.

JAYAWARDENA (Kumari), *Feminism and Nationalism in the Third World*, Londres, Zed Books, 1986.

YUVAL-DAVIS (Nira), « Gender and Nation », dans Rick Wilford and Robert L. Miller (eds), *Women, Ethnicity and Nationalism : The Politics of Transition*, Londres, Routledge, 1998.

Chapitre 14 / L'ÉTAT NÉOLIBÉRAL ET LES FEMMES
LE CAS DU « BON ÉLÈVE » MEXICAIN

Jules Falquet

Nous sommes aujourd'hui face à un curieux paradoxe. D'une part, la mondialisation néolibérale provoque une grave détérioration de la situation matérielle de la majorité des femmes dans le monde – dans leur immense diversité de « race », de nationalité et de classe notamment. De l'autre, se développe un discours « enchanté » qui prétend qu'au-delà des « inconvénients » de la mondialisation, on assiste quand même à une amélioration de la situation... des femmes, qui n'auraient jamais été aussi près d'atteindre l'égalité avec les hommes, grâce à l'extension de la « démocratie » (de marché). Suivant les analyses du courant féministe autonome latino-américain et des Caraïbes, j'ai souligné ailleurs le rôle crucial qu'ont joué les institutions internationales – dont l'ONU, autour d'une série de conférences internationales culminant en 1995 à Pékin – dans la construction de ce discours légitimateur de la mondialisation néolibérale, au moment même où elles contribuaient fortement à la mise en place de politiques économiques très défavorables aux femmes (Falquet, 2008). J'ai montré comment toute une phraséologie de genre et quelques mesures « pro-femmes » étaient utilisées pour tenter de confondre l'opinion et masquer le traitement concret réservé aux femmes. Mais pourquoi une telle mystification et pourquoi les femmes sont-elles ainsi placées au centre comme les supposées bénéficiaires du néolibéralisme ? Pourquoi tant d'attention envers elles et pourquoi mobiliser un discours pseudo-féministe, alors même que le mouvement féministe a toujours été combattu par les groupes dominants ?

Il s'agit ici d'approfondir la réflexion, en se plaçant cette fois au niveau de l'État, à partir d'un cas concret : celui du Mexique, qui est particulièrement emblématique [1]. D'abord, parce qu'il s'agit de l'un des plus proches

---

1. *Je remercie chaleureusement Hélène Roux pour ses précieux commentaires. On pourra se reporter à sa récente synthèse de l'expérience de la Commission civile internationale d'observation des droits humains (CCIODH) (Roux, à paraître).*

« associés » des États-Unis et d'un excellent élève néolibéral – son ex-président Salinas était le candidat favori des États-Unis à la présidence de l'OMC en 1995, à une époque où les privatisations avaient fait apparaître au Mexique des dizaines de milliardaires en même temps que des millions de pauvres. Le pays est d'ailleurs le deuxième exportateur mondial de main-d'œuvre. Le Mexique possède également une forte tradition de luttes sociales, depuis la révolution du début du XXᵉ siècle où s'illustra Zapata, jusqu'au mouvement (néo)zapatiste apparu le 1ᵉʳ janvier 1994 en opposition au Traité de libre commerce (TLC) avec les États-Unis et le Canada. En outre, il s'agit du pays où survit la plus importante population indienne du continent [2], une population en première ligne dans les luttes antinéolibérales, comme le montre sa participation centrale dans le mouvement zapatiste, ainsi que dans de nombreuses autres mobilisations.

Pour explorer les contours du paradoxe « discours gouvernemental "en faveur des femmes"/actions et omissions contre elles », je procéderai en trois temps. Je ferai d'abord un bref rappel de la situation du Mexique néolibéral. Ensuite, j'analyserai les discours et les pratiques de l'État mexicain, envers les femmes indiennes plus particulièrement. Enfin, je réfléchirai sur la manière dont cette (in)action faussement paradoxale de l'État mexicain peut être analysée comme une tentative pour effrayer l'ensemble des femmes, et plus spécifiquement les plus appauvries et racisées, les travailleuses et les militantes, en attaquant directement ces dernières pour briser leur résistance et permettre leur exploitation maximale. Je concluerai en montrant ce que ces attentions non désirées de l'État envers les femmes révèlent de leur place dans la mondialisation néolibérale.

Le Mexique néolibéral

Économie et politique

C'est après la crise de la dette d'août 1982 que le président De la Madrid (1982-1988) engage résolument le Mexique dans la voie des réformes néolibérales. Couronnement de ces orientations, le Traité de libre commerce avec les États-Unis et le Canada entrait en vigueur le

---

2. *Les estimations – toujours réductrices – font état de 13,5 millions d'Indien(ne)s au Mexique ; le pays suivant étant le Pérou, avec 12,7 millions.*

1ᵉʳ janvier 1994, moment choisi précisément par les Indien(ne)s zapatistes du Chiapas pour lancer leur soulèvement contre ce projet, mais
aussi contre l'absence de démocratie dans le pays. Le Mexique était en
effet gouverné depuis la révolution de 1910-1920 par le même parti,
le Parti révolutionnaire institutionnalisé (PRI). Le mouvement zapatiste
contribue à la fin de ce monopole politique : en 2000, on assiste à la
double victoire du Parti d'action nationale (PAN, clairement de droite)
à l'élection présidentielle, et du Parti révolutionnaire démocratique
(PRD, se réclamant de la gauche) à la mairie de México – la capitale
comptant un quart de la population du pays. Le mouvement zapatiste
donne aussi une impulsion nouvelle aux multiples luttes sociales déjà
existantes dans le pays et ailleurs. En particulier, en faisant explici-
tement du néolibéralisme son ennemi principal, lors de la « Première
rencontre intercontinentale contre le néolibéralisme et pour l'humanité », à l'été 1996, il s'est placé à la tête des résistances anti et altermondialistes internationales.

Au cœur du soulèvement indien zapatiste se trouve la question
agraire : une des conditions capitales du Traité de libre commerce
posées par les États-Unis était le démantèlement de la propriété collective de la terre, inspirée des pratiques indiennes, gagnée de haute lutte
pendant la révolution et garantie par l'article 27 de la Constitution.
Or, privatiser la terre signifie condamner les populations indiennes, et
plus largement, paysannes à une double mort – mort de faim *et* mort
culturelle. C'est pourquoi les populations indiennes sont particulièrement actives dans les luttes actuelles. Parmi elles, les femmes jouent
un rôle considérable, quantitativement et qualitativement, même si elles
sont rarement dans une position de direction. On pense en particulier
aux commandantes zapatistes Ramona, symbole de la résistance, Ana
María, organisatrice de la prise militaire de San Cristóbal le 1ᵉʳ janvier 1994 (CSPCL, 1995 ; CYBP, 1997), Ester, qui prononça un discours
historique devant le Congrès de l'Unión en 2001, ainsi qu'à toutes les
militantes anonymes des mouvements des femmes mazahua de México,
aux Indiennes nahuas en lutte pour l'accès à l'eau, à celles du Guerrero
opposées au barrage hydro-électrique de la Parota, aux résistantes
de l'Assemblée populaire des peuples d'Oaxaca (APPO), à celles qui
s'opposent à l'installation au Chiapas de sociétés transnationales minières
venues du Canada ou des États-unis, et à bien d'autres encore. On peut
même penser que les femmes indiennes et/ou paysannes forment le
cœur de la classe des femmes au Mexique, dans le sens où elles constituent une des parties les plus exploitées, mais aussi une des catégories
les plus organisées et revendicatives (Gall et Hernández Castillo, 2004).

Troublantes « avancées » pour les femmes

À certains égards, le gouvernement mexicain paraît « tendre la main » aux femmes. D'abord, sur le plan des politiques publiques. Ainsi, le programme Progresa, lancé en 1997, se distingue par le fait que l'État remet *directement aux femmes* des familles pauvres une *aide financière sonnante et trébuchante* (Magaña García, 2009). Le Progresa a été encensé au plan international et imité depuis par plus de 30 pays. Mais quelles sont les raisons de cet enthousiasme ? Les sommes versées se montaient au mieux à 12 euros par mois en mai 2008, à quoi il faut ajouter éventuellement entre 5 et 8 euros au titre de bourse pour les enfants de sexe féminin qui poursuivent des études, ainsi que des compléments alimentaires pour les femmes enceintes. Et encore, il faut pour cela être reconnue comme particulièrement pauvre et accepter la surveillance des médecins et des enseignant(e)s, qui doivent certifier que l'on se soumet à des visites médicales et que les enfants vont régulièrement à l'école. En 2008, le programme touche presque 5 millions de femmes. En réalité, ce qui déclenche l'admiration d'autres gouvernements, c'est le faible coût de Progresa, qui se passe quasiment de toute administration, la désignation des bénéficiaires et la distribution de l'argent étant effectuée par des femmes bénévoles, la surveillance exercée par les enseignant(e)s et les médecins étant réalisée sur leur temps de travail ordinaire (Magaña García, 2009). Toujours est-il que ce programme a donné au Mexique une aura de leader mondial en matière de politiques « favorables aux femmes pauvres ».

Sur le plan législatif, le Mexique s'est doté toutes ces dernières années d'un ensemble de textes « favorables aux femmes », en particulier dans trois domaines que le féminisme latino-américain et des Caraïbes considère comme centraux : la lutte contre la violence faite aux femmes, la maternité libre et volontaire, et la « libre option sexuelle ». D'abord, en avril 2005, une loi importante contre la violence faite aux femmes et aux fillettes a été votée [3], créant un Système national contre la violence [4]. Plus surprenant, en novembre 2006, après cinq ans de bataille législative, une *Ley de convivencia*, reconnaissant une forme de partenariat-union entre personnes du même sexe, a été adoptée par l'assemblée de

---

3. *http://mujeresabordo.blogspot.com/2005/05/mxico-aprueban-ley-contra-la-violencia.html*
4. *Un récent rapport de Human Rights Watch montre cependant que la loi est insuffisante et peu appliquée (http://www.hrw.org/en/reports/2008/01/30/world-report-2008), signalé par l'agence informative féministe mexicaine Cimac (http://www.cimacnoticias.com/site/08013108-Mexico-ley-insufic.31927.0.html)).*

Mexico DF[5]. En décembre 2009, cette loi est confirmée par le parlement de la capitale qui légalise, pour la première fois en Amérique latine, le *mariage* entre personnes de même sexe[6]. Certes, ces lois ne concernent que la capitale et font l'objet d'âpres critiques des milieux conservateurs, mais pour ce pays très catholique, il s'agit d'une ouverture impensable encore dix ans plus tôt[7]. Enfin, alors que dans toute la région, seule Cuba a entièrement dépénalisé l'interruption volontaire de grossesse, depuis avril 2007, les femmes peuvent avorter légalement dans la capitale du pays[8].

Ainsi, malgré les limites manifestes de ces programmes et de ces lois, force est de constater qu'on assiste à des avancées qui semblent répondre à certaines revendications des femmes, et même des féministes et des lesbiennes. Faut-il y voir un réel intérêt de l'État mexicain pour le sort des femmes? Observons le sort qu'il réserve aux plus appauvries d'entre elles.

L'État et les femmes indiennes : protecteur ou bourreau ?

Quand le gouvernement « protège » les Indiennes

En 1996, le gouvernement mexicain avait signé en grande pompe avec l'armée zapatiste (EZLN) des accords prévoyant de réformer la Constitution afin d'y inclure le respect des droits et des « us et coutumes indiennes ». Las, quand l'assemblée vote finalement la mise en pratique de ces accords, en 2001, la réforme constitutionnelle adoptée est presque entièrement privée de son sens – par exemple, elle ne reconnaît pas les droits collectifs des populations indiennes sur la terre et les richesses du sous-sol. Or, un des arguments avancés à plusieurs reprises par les porte-paroles du gouvernement et les parlementaires pour minimiser la légitimité des « us et coutumes indiennes », était précisément que

5. *http://www.eluniversal.com.mx/notas/386988.html*
6. *http://www.liberation.fr/monde/0101609994-le-mariage-homosexuel-autorise-a-mexico-une-premiere-en-amerique-latine*
7. *Ces mesures « progressistes », prises par une assemblée législative de la capitale dominée par la « gauche » (PRD), peuvent aussi être analysées comme un coup porté contre la droite chrétienne (PAN) qui contrôle le pouvoir fédéral. Je remercie Hélène Roux pour cette remarque. De fait, d'autres États dans le pays ont considérablement durci la répression légale de l'avortement, allant jusqu'à prévoir des peines de 50 ans de prison.*
8. *http://www.rfi.fr/actufr/articles/088/article_51308.asp*

les coutumes indiennes porteraient atteinte aux droits des femmes (indiennes). Cette soudaine sollicitude pour elles, de la part du gouvernement, aurait pu prêter à sourire si elle ne touchait pas un sujet aussi complexe *et central pour les Indiennes*.

De fait, il est exact que les « us et coutumes indiennes », bien qu'extrêmement divers et en constante transformation, contiennent des pratiques défavorables aux femmes. Des Indiennes l'exprimaient bien avant 1994, mais leurs voix étaient souvent délégitimées au prétexte qu'il se serait agi de propos de « féministes » métisses ou étrangères infiltrées parmi les Indiennes authentiques, tout à fait heureuses de leur sort. Le soulèvement zapatiste apporta pourtant une éclatante confirmation de leur insatisfaction. En effet, un des premiers textes que le mouvement zapatiste fit connaître, dès mars 1994, fut précisément une loi révolutionnaire des femmes zapatistes qui dénonçait certaines « coutumes » dont elles ne voulaient plus (Rojas, 1994 ; CSPCL, 1995 ; Falquet, 1996 ; CYBP, 1997). Depuis, l'effervescence organisationnelle et politique des Indiennes, zapatistes ou non, au Chiapas et dans le reste du pays, a été considérable (Rojas, 1995 ; Rovira, 1996 ; Palomo et Lovera, 1997 ; Masson, 2006, 2008). Qu'elles se revendiquent ou non du féminisme, les Indiennes sont diverses, parfois ambivalentes et traversées de contradictions (Falquet, 1999 ; Hernández Castillo, 2001), comme le montrent notamment les difficultés rencontrées par les militantes critiques dans les instances nationales indiennes (Sánchez Nestor, 2005). Pour celles qui luttent contre leur oppression de sexe au sein de leur famille, de leurs communautés et de leurs associations, tout autant que dans la société globale, l'espace politique est étroit : elles doivent combattre certaines pratiques patriarcales bien réelles en milieu indien – comme ailleurs –, sans donner d'arguments à l'État, ni à la société raciste et classiste qui les entoure (Sánchez Nestor, 2005). Cette situation de *double bind* est bien connue des (ex)colonisées, des migrantes, et des femmes racisées et appauvries en diverses époques et régions (pour les États-Unis, voir par exemple Volpp, 2006).

Ainsi, si les Indiennes peuvent difficilement être dupes du discours soudain plein de sollicitude à leur égard de l'État mexicain qui depuis tant de siècles leur nie si brutalement le droit à l'éducation, à la santé, voire à l'alimentation, elles sont mises en difficulté par certaines attentions trop pressantes de ce même État. La stratégie de ce dernier remplit la double fonction d'essayer de diviser les populations indiennes (entre femmes et hommes) et de tenter d'opposer des mouvements sociaux – ici, féministe et indien. Et, en effet, cette manipulation perverse de certaines thématiques qui peuvent sembler féministes, met particulièrement en porte-à-faux les Indiennes (pro-)féministes, ainsi que les féministes antiracistes et/ou alliées aux luttes indiennes, en les fragilisant face à leurs allié(e)s « naturel(le)s ».

Que faisaient la police et l'armée ?

Le discours de l'État « protecteur » des Indiennes mérite d'être comparé à ses agissements répressifs, tout particulièrement envers les femmes indiennes les plus organisées et les plus revendicatives – en l'occurrence, les indiennes zapatistes ou supposées l'être –, visées à la fois comme pauvres, comme indiennes et *comme femmes*. Illustrons-le par deux cas devenus emblématiques, qui concernent des Indiennes chiapanèques, civiles et désarmées.

Le premier est celui des trois femmes tzeltal qui, se rendant en ville, furent arrêtées puis violées à un barrage militaire près d'Altamirano en juin 1994. Il s'agit du tout premier cas dénoncé de viol commis par des soldats contre des Indiennes dans le cadre de la répression contre le mouvement zapatiste. L'affaire, qui avait été signalée à l'époque comme le début d'une « sale guerre » menée par le gouvernement contre la population indienne, a connu un retentissement international. Pourtant, dix ans après, aucun responsable n'a été poursuivi [9].

Le deuxième est celui du massacre d'Acteal. Le 22 décembre 1997, à proximité d'un cantonnement de l'armée, 45 Indien(ne)s tzotzil réfugié(e)s dans l'église du hameau d'Acteal furent massacré(e)s cinq heures durant à coup de machette et de fusil à bout portant par un groupe paramilitaire. Parmi elles, seize enfants des deux sexes et vingt femmes, dont sept étaient enceintes. Certaines furent éventrées et le fœtus sorti de leur ventre, avec une barbarie remarquable visant de toute évidence leur statut de femmes, centrales dans la reproduction physique et culturelle du groupe. L'agression visait le mouvement zapatiste mais dans les faits, elle a frappé surtout des femmes, indiennes, civiles et

---

9. *Saisie en 1996, la Commission interaméricaine des droits de l'homme a estimé en avril 2001 que l'État mexicain avait bafoué une série de droits fondamentaux et que le viol subi par les trois femmes constituait un acte de torture. Elle recommandait que l'État conduise une enquête exhaustive, par le biais des tribunaux civils (et non militaires). Le gouvernement mexicain a accepté de rouvrir le dossier, mais celui-ci relève toujours de la juridiction militaire, quoiqu'avec une certaine participation du procureur civil. Dans cette affaire, les demandeurs ont toutefois déclaré que l'enquête n'avait pas progressé (Amnesty International, 2004).*

désarmées. Pour beaucoup d'analystes, Acteal a été un véritable crime d'État (Mauro, 1998). Après le massacre, 5 000 soldats supplémentaires ont été envoyés au Chiapas dans toutes les zones contrôlées ou influencées par l'EZLN, sans que les membres des groupes paramilitaires soient inquiétés. Un rapport de la présidence a indiqué qu'une semaine après le massacre on avait confisqué un – seul ! – fusil AK-47 (CCIODH, 1998). Douze ans plus tard, les responsabilités matérielles, et surtout intellectuelles et politiques de ce massacre, n'ont pas encore été établies et les responsables encore moins sanctionnés, hormis quelques exécutants supposés dont la plupart ont déjà été libérés.

Dans ces deux cas, l'État apparaît comme doublement responsable, comme garant de la justice et de la sécurité des personnes qui faillit à sa mission et comme perpétrateur direct de la violence à travers son appareil policier, militaire et paramilitaire. Et il se montre dans la pratique, contrairement à son discours de protecteur des femmes indiennes, comme leur bourreau cynique et décidé.

——— Terroriser les femmes pauvres ?

Viol et détention pour les militantes des mouvements sociaux

D'importants mouvements sociaux sont apparus au Mexique ces dernières années. Les mouvements d'Atenco et de Texcoco sont particulièrement significatifs des nouvelles formes de répression mises en œuvre par le gouvernement mexicain, cette violence contre les femmes prenant un tour nouveau et un rôle central. La population de ces municipalités rurales proches de México et à forte composante indienne, s'était distinguée, en 2001, par sa lutte décidée contre l'expropriation de ses terres communales pour la construction d'un nouvel aéroport. Le 3 mai 2006, à la suite d'un conflit entre les autorités locales et des horticulteurs, et malgré des négociations en cours, la police locale tentait de déloger des vendeurs de fleurs ambulants installés sur la place centrale du bourg, tandis qu'en signe de solidarité, les habitant(e)s bloquaient une route, déclenchant à leur tour une intervention massive de la police de l'État et de la police fédérale (Escarpit, 2006). Le 4 mai, alors que les affrontements étaient diffusés en boucle par les médias – en particulier le tabassage d'un policier –, 3 000 policiers envahissaient Atenco. Ce jour-là, plus de 200 personnes étaient arrêtées. À différents endroits de la ville, le même scénario se répétait : les personnes arrêtées étaient entassées dans des fourgonnettes, y compris des blessé(e)s laissé(e)s sans soins pendant près de six heures. Dans les véhicules, la police se livrait à des agressions sexuelles et des viols – que 23 femmes sur les 47 arrêtées dénonçaient officiellement. Le caractère apparemment systématique de ces techniques répressives et le fait qu'aucune condamnation n'aie été prononcée depuis, témoignent du développement d'une inquiétante impunité et d'une manière « nouvelle » d'intimider et de punir les militantes supposées (CCIODH, 2007) [10].

Féminicide de travailleuses

L'impunité caractérise également les « féminicides » de Ciudad Juárez, à savoir plus de cinq cents assassinats et disparitions de femmes, qui se produisent depuis 1993 dans cette ville emblématique de la mondialisation néolibérale (González Rodríguez, 2002). La plupart des femmes, assassinées avec sauvagerie et après avoir subi diverses tortures sexuelles, ont comme caractéristiques communes d'être jeunes, plutôt « brunes » comme des Indiennes, souvent migrantes récentes d'origine rurale et pauvre – il s'agit pour beaucoup d'ouvrières des usines d'assemblage des zones franches qui ont poussé comme des champignons dans cette zone frontalière (Washington Valdez, 2005).

Plusieurs lignes d'analyses ont été développées (Lagarde, 2006). Certaines voient là l'explosion d'une violence urbaine anomique liée à la déliquescence sociale, à la misère et au narcotrafic. De fait, les assassinats assortis de tortures diverses se sont multipliés de manière impressionnante dans l'ensemble du pays et surtout au Nord – on a compté 5 620 exécutions liées au « crime organisé » en 2008, dont 40 décapitations et exécutions multiples (Castillo García, 2008). D'autres soulignent que la violence est favorisée par la pauvreté des femmes et leur vulnérabilité sur les chemins sans lumière, entre les baraques en tôle regagnées à quatre heures du matin après le tour de nuit à l'usine ou dans les bars du centre-ville. Un regard féministe très matérialiste met en évidence la concurrence que ces femmes, majoritaires en ville et préférées par les employeurs des usines d'assemblage, signifie pour les travailleurs de sexe masculin, et pose la violence contre les femmes comme une possible réponse défensive. D'autres réflexions, plus psychologisantes, y voient une volonté masculine de remettre en place des femmes qui renverseraient les rôles de sexe traditionnels en migrant et

---

10. *http://www.frantzfanoninternational.org/IMG/pdf/CONCLUSIONS_ET_ RECOMMANDATIONS_DE_LA_VIeme_CCIODH_AU_MEXIQUE.pdf*

en gagnant l'argent sonnant et trébuchant d'une redoutable autonomie, si minime soit-elle. Toujours est-il que le caractère en quelque sorte systématique de ces assassinats semble indiquer l'implication de grands réseaux de narcotrafiquants et non d'individus isolés. Selon les travaux particulièrement stimulants de Rita Laura Segato (2003, 2005), cette barbarie (in)contrôlée exercée sur le corps de femmes serait un nouveau langage entre hommes, un langage de terreur, de pouvoir et de contrôle sur le territoire, typique des nouveaux groupes mafieux « néolibéraux » qui fleurissent dans les zones frontières.

Cependant, il convient surtout de s'interroger sur l'impunité totale dans laquelle depuis plus de quinze ans, continuent à avoir lieu ces disparitions de femmes, ces viols aggravés et ces assassinats. La police fait preuve d'une négligence totale. Les dossiers, les pièces à conviction et même les restes des corps sont mélangés ou perdus. Les familles cherchant une « disparue » sont insultées, menacées. Quelques *ideal suspects* – deux chauffeurs de bus, un « Égyptien » venu des États-Unis et le frère d'une victime enquêtant d'un peu trop près dans les commissariats – ont été arrêtés et « confondus » à coup de brûlures de cigarettes, et leurs avocat(e)s menacé(e)s de mort. Dans ce climat de violence chaque fois plus généralisé, les féminicides se poursuivent, avec 157 femmes assassinées ou disparues à Ciudad Juárez en 2009 [11]. Quantité d'organisations sociales demandent justice, le gouvernement américain a proposé plusieurs fois l'intervention du FBI et l'ONU a réalisé plusieurs missions du plus haut niveau, en pure perte. Cette impunité, au stade actuel, peut être d'autant plus assimilée à de la complicité active, que le système de justice de l'État de Chihuahua ainsi que le système fédéral de justice – qui devraient enquêter sur l'inaction de la police locale – sont fermement tenus par les principaux notables régionaux du parti au pouvoir, le PAN, sur lesquels l'ex-président Fox avait construit son ascension politique.

Or, que signifie cette complicité de l'État ? La piste d'une virulente mysogynie commune aux travailleurs pauvres, aux petits et grands narcotrafiquants, et aux responsables gouvernementaux est trop courte. La réflexion passionnante de Segato doit être poursuivie et enrichie. En effet, le point le plus important à examiner dans les féminicides de Juárez est la caractéristique centrale de la plupart des femmes violentées : il s'agit de travailleuses pauvres. Et l'on constate alors que si un

---

11. *file:///Users/sylvaincalzati/Desktop/16%20exécutions%20dont%20la% 20153%20femme%20à%20Juarez...%20déc%202009.webarchive*

État permet d'assassiner et de terroriser impunément les travailleuses pauvres, ou se fait complice d'une nouvelle géographie du pouvoir qui s'exprime crûment sur les corps des travailleuses assassinées et à travers eux, alors il faut analyser à nouveau le rôle de l'État dans l'organisation de l'exploitation du travail, selon le sexe, la « race » et la classe.

Lorsqu'on réfléchit *simultanément* à la *violence* contre les femmes appauvries et/ou racisées, notamment en tant que travailleuses et/ou militantes, exercée ou « couverte » par l'État, et à son *discours « pro-femmes »*, à son instrumentalisation d'un « pseudo-féminisme », dans le cadre d'une analyse des *mécanismes d'imposition du néolibéralisme*, une perspective nouvelle se dessine, comme le montre le cas du Mexique.

Que penser des discours et des mesures « pseudo-féministes » de l'État ? Le mouvement féministe aurait-il réussi, même de manière inattendue, à rendre centrale la question des femmes ? Il est hélas permis de penser que les choses sont plus complexes. La rhétorique des États (post- ou néo-) coloniaux ou impériaux de « protection » des femmes brunes contre les hommes bruns a largement été analysée depuis les travaux fondateurs de Spivak (1988). Elle permet de diviser les groupes racisés et de fausser les tentatives d'alliances entre les femmes racisées et racisantes. En mettant en scène « l'oppression » particulière de certaines femmes, ce discours tente de faire croire, aux unes, qu'elles sont incroyablement privilégiées et n'ont donc plus rien à réclamer ; aux autres, que leur lutte est spécifique et ne peut être partagée par les premières. Le seul groupe qui sort indemne de tout cela est précisément celui des hommes racisants et dominants, qui se placent au-dessus de la mêlée, hors d'atteinte des critiques et donnant des leçons de vertu à tout le monde. Ce faisant, ils réussissent partiellement à affaiblir les mouvements sociaux les plus menaçants pour l'ordre établi, comme le sont les mouvements antiracistes et féministes.

Du côté de la coercition, la violence contre les femmes semble si « naturelle » et banale que le seul fait de s'y arrêter est un progrès. À mesure que son caractère massif est mis en évidence, des explications passablement naturalistes fleurissent, notamment en termes de « mentalités », de « coutumes » ou de mysogynie. Je propose au contraire de dépasser résolument ces pistes : pour comprendre le caractère absolument central de la violence contre les femmes dans la mise en place de la mondialisation néolibérale, il faut l'envisager de manière beaucoup plus sociologique, politique et matérialiste, comme une manière (1) de montrer très clairement aux femmes en rébellion individuelle ou dans des mouvements sociaux les limites qu'elles ne doivent pas franchir, en punissant directement celles qui les dépassent, (2) comme un moyen de démoraliser l'ensemble des femmes à travers la répression particulièrement dure exercée sur certaines d'entre elles, technique typique de la « guerre de basse intensité », appliquée ici en temps de paix.

La question qui se pose alors, unissant cœrcition et persuasion, est la suivante : quel est le groupe social qui est au centre des attentions non désirées de l'État néolibéral, tant de sa violence que de ses tentatives de séduction ? Les cibles principales sont des femmes appauvries et/ou racisées, des travailleuses et des militantes. Il faut alors constater que ce qui se passe aujourd'hui dans le monde n'est pas centralement réalisé contre ou sur le dos des hommes racisés et/ou pauvres, ou des femmes blanches et/ou plus riches. Au contraire, lorsqu'on déplace le regard hors du triple solipsisme masculin, blanc et de nanti(e)s qui cache la crudité de la situation, on ne peut qu'être frappé(e) de ce que la violence comme la « douceur » déployées par l'État contre les femmes racisées et/ou appauvries, les désignent *comme le segment de la main-d'œuvre le plus important pour le système d'accumulation néolibéral et la réalisation concrète du travail.* Bien avant de viser les hommes racisés ou les femmes blanches, l'État néolibéral cherche d'abord à convaincre et à contraindre ces femmes appauvries et/ou racisées à travailler encore plus dur. C'est bien d'ailleurs ce qui éclaire leur participation décidée aux mouvements sociaux qui s'opposent à la mondialisation.

Leurs luttes sont particulièrement importantes à étudier, puiqu'il s'agit de luttes au cœur du système néolibéral, menées par les principales forces productives sur lesquelles il tente de s'appuyer. Elles ont beaucoup à nous apprendre sur l'imbrication des rapports sociaux de sexe, de « race » et de classe, et sur la manière de s'organiser et de formuler un projet alternatif dans l'espace politique qu'elles tentent de construire non sans mal entre les sirènes de la persuasion et la répression brutale qui les vise directement. Ces luttes nous permettent aussi de constater que, loin d'avoir disparu ou de constituer un rempart contre le néolibéralisme, l'État tient un rang important parmi les acteurs qui organisent la division, la confusion et la répression féroce de la main-d'œuvre en vue de son exploitation.

Bibliographie

Amnesty International, *Mexique. Femmes indigènes et injustice militaire*, document public, Londres, 23 novembre 2004. http://www.amnesty.org

CASTILLO GARCÍA (Gustavo), « Consolidación de nuevos *cárteles* del *narco* recrudece ola de ejecuciones », *La Jornada*, 31 décembre 2008.

CCIODH, *Rapport sur la situation au Chiapas du 15 au 28 février 1998*, Paris, Commission civile internationale d'observation des droits humains, Ronéo, 1998. Consultable en espagnol sur le site : http://cciodh.pangea. org

CCIODH, *Conclusions et recommandations de la VIᵉ CCIODH au Mexique*, 2007. Consultable à l'adresse : http://www.frantzfanoninternational. org/IMG/pdf/CONCLUSIONS_ET_RECOMMANDATIONS_DE_LA_VIeme_ CCIODH_AU_MEXIQUE.pdf

CECEÑA (Ana Ester) et SADER (Emir) (dir.), *La Guerra infinita. Hegemonía y terror mundial*, Buenos Aires, Clasco, 2002.

CSPCL, *Mujeres !*, Paris, Collectif de solidarité avec les peuples du Chiapas en lutte, Ronéo, 1995.

CYBP, *Más mujeres !*, Paris, Collectif Ya Basta, Paris, Ronéo, 1997.

ESCARPIT (Françoise), « A... comme Atenco », *L'Humanité*, 29 juillet 2006.

FALQUET (Jules), « Les Indiennes veulent que leurs oppresseurs les regardent dans les yeux », *Futur Antérieur*, 1996, p. 121-130.

FALQUET (Jules), « La coutume mise à mal par ses gardiennes mêmes : revendications des Indiennes zapatistes », *Nouvelles Questions féministes*, 20 (2), 1999, p. 87-116.

FALQUET (Jules), *De gré ou de force. Les femmes dans la mondialisation*, Paris, La Dispute, 2008.

GALL (Olivia) et HERNÁNDEZ CASTILLO (Aída), « La historia silenciada : el papel de las campesinas indígenas en las rebeliones coloniales y postcoloniales de Chiapas », dans Romo Pérez-Gil, Elena Sara et Patricia Ravelo Blancas (eds), *Voces disidentes. Debates contemporáneos en los estudios de género en Mexico*, México, Miguel Angel Porrúa, 2004.

GONZÁLEZ RODRÍGUEZ (Sergio), *Huesos en el desierto*, Barcelone, Anagrama, 2002.

HERNÁNDEZ CASTILLO (Aída), « Entre el etnocentrismo feminista y el esencialismo étnico. Las mujeres indígenas y sus demandas de género », *Debate Feminista*, 12 (24), 2001.

LAGARDE (Marcela), « Presentación », dans *La Violencia feminicida en 10 entidades de la Republicana mexicana*, Congrès de l'Unión, Camara de diputados, México DF, 2006.

MAGAÑA GARCÍA (Celia), *La « Genderisation » des politiques sociales au Mexique (1989-2005), images des femmes dans le Progresa et dynamique locale d'un « rancho » à l'ouest du Mexique*, thèse, Universités de Guadalajara (Mexique)/Paris I-Panthéon-Sorbonne, 2009.

MASSON (Sabine), « Sexe/genre, classe, race : décoloniser le féminisme dans un contexte mondialisé », *Nouvelles Questions féministes*, 25 (3), 2006, p. 56-75.

MASSON (Sabine), « Histoire, rapports sociaux et mouvements de femmes indiennes au Chiapas (Mexique) », *Cahiers du Genre*, 44, 2008, p. 185-203.

MAURO (Braulio), « Mexique. Le massacre d'Acteal », *Imprecor*, février 1998.

PALOMO (Nellys) et LOVERA (Sara) (dir.), *Las Alzadas*, México, CIM, Convergencia socialista, 1997.

ROJAS (Rosa) (ed.), *Chiapas, y las mujeres, qué ?*, tome 1, México, La Correa feminista/CICAM, Colección del dicho al hecho, 1994.

ROJAS (Rosa) (ed.), *Chiapas, y las mujeres, qué ?*, tome 2, México, La Correa feminista/CICAM, Colección del dicho al hecho, 1995.

ROJAS (Rosa), *Del Dicho al hecho... reflexiones sobre la ampliación de la ley revolucionaria de mujeres del EZLN*, México, La Correa feminista, 1996.

ROUX (Hélène), *Au regard de l'expérience de la Commission civile internationale d'observation des droits humains (CCIODH), rôle de l'observation internationale dans le conflit social à Oaxaca (Mexique) en 2006-2007*, à paraître.

ROVIRA (Guiomar), *Mujeres de maíz, la voz de las indígenas de Chiapas y la rebelión zapatista*, Barcelone, Virus editorial, 1996.

SANCHEZ NESTOR (Martha), « Construire notre autonomie. Le mouvement des femmes indiennes au Mexique », *Nouvelles Questions féministes*, 24 (2), 2005, p. 50-64.

SEGATO RITA (Laura), *Las Estructuras elementales de la violencia. Ensayos sobre genero entre la antropología, el psicoanálisis y los derechos humanos*, Buenos Aires, Universidad Nacional de Quilmes/Prometeo, 2003.

SEGATO RITA (Laura), *Territorio, soberanía y crímenes de segundo estado. La escritura en el cuerpo de las mujeres asesinadas en Ciudad Juárez*, 2005. Consultable en ligne : http://www.terrelibere.org

SPIVAK (Gayatri), « Can the Subaltern Speak ? », dans Cary Nelson et Larry Grossberg (eds), *Marxism and the Interpretation of Culture*, Chicago (Ill.), University of Illinois Press, 1988, p. 271-313.

VOLPP (Leti), « Quand on rend la culture responsable de la mauvaise conduite », *Nouvelles Questions féministes*, 25 (3), 2006, p. 14-31.

WASHINGTON VALDÉS (Diana), *Cosecha de mujeres. Safari en el desierto mexicano*, México, Oceano, 2005.

Chapitre 15 / IDÉOLOGIES NÉOLIBÉRALES ET DROITS DES FEMMES EN AFRIQUE

Fatou Sow

evelopment as Freedom, c'est ainsi qu'Amartya Sen définissait le développement (1999). Il estimait que «la liberté est la fin ultime du développement, mais aussi son moyen principal» et que «toute évaluation des progrès du développement doit prendre en compte la qualité de vie des populations et les libertés objectives dont elles disposent» (2005, p. 69). L'analyse de Sen rejoint, de manière pertinente, les débats sur la liberté comme droit citoyen des temps modernes, débats qui ont lieu dans les cercles intellectuels, politiques et associatifs africains. Cette analyse reste d'actualité, tant ce droit citoyen paraît encore un luxe inaccessible pour les sociétés africaines. Les pouvoirs dirigeants, de l'époque coloniale aux indépendances, tout en se vantant de représenter des États de droit, n'ont pas hésité à violer, dès qu'alloués, les droits libellés «démocratiques». Les premiers ont réprimé ces droits en «disciplinant» la colonie, afin d'en exploiter les ressources matérielles et humaines ; les seconds, avec leurs dérives politiques autoritaires, les auront piétinés sous prétexte de construire un État fort et de promouvoir le développement. La confiscation des droits démo-cratiques pour renforcer les pouvoirs en place, souvent avec le soutien des anciennes puissances coloniales soucieuses de préserver leurs intérêts politiques et économiques, a instruit bien des géostratégies, aujourd'hui néolibérales. Les nombreuses critiques des sociétés civiles à l'encontre de l'État ont été utilisées, de manière perverse, par les institutions internationales. Ainsi, pour justifier les Politiques d'ajustement structurel (PAS) des années 1980-1990 comme remèdes à la crise éco-nomique et à la dette, les dites institutions ont qualifié l'État africain de système «corrompu, patrimonial et source de la crise africaine» (Mama, 2000), alors que les situations politiques sont complexes et hétérogènes, et impliquent diverses responsabilités. C'est dans ce contexte contraignant sur les droits humains, qu'ont été appliquées les politiques néolibérales. Il faut en tenir compte pour évaluer leurs impacts sur les sociétés africaines et discuter des alternatives proposées par les mouvements de femmes.

On soulèvera ici quelques-unes des questions qui voient les organisations féminines et féministes d'Afrique subsaharienne se confronter aux effets de la mondialisation, puis on discutera leurs analyses et contributions au débat global sur les alternatives transnationales contemporaines pour préserver les droits humains des femmes.

Le mouvement mondial des femmes : la participation africaine

Le Mouvement mondial des femmes (Antrobus, 2007) existe bel et bien, même si « les disparités liées à la classe sociale, la race, la nationalité, l'origine ethnique, la réalité géographique, l'âge, l'orientation sexuelle, la capacité physique, la religion et l'allégeance politique engendrent souvent d'importantes divisions », affirmait l'auteure (2007, p. 21). Mais, se demandait-elle, comment ce mouvement « peut-il contribuer, dans le cadre de la lutte mondiale pour la justice sociale, à la recherche de voies alternatives vers un monde meilleur ? » (2007, p. 21). Ses analyses de l'impact de la mondialisation sur ses dynamiques et ses stratégies multiples, face aux défis du néolibéralisme, l'amenaient à conclure que « le mouvement des femmes possède l'expérience, le pouvoir et les réseaux pour faire avancer les choses » (2007, p. 261). De même, *Regards de femmes sur la globalisation* (Bisilliat *et al.*, 2003) montrait comment, à partir d'expériences historiques et politiques à la fois différentes et proches, les organisations dans le monde avaient proposé « des alternatives et des actions concertées à l'échelle mondiale contre la crise, la précarité et la flexibilité grandissantes du travail des femmes » (Hirata, 2003, p. 23). Lors des crises liées à l'ajustement structurel (1980-1990), les Africaines ont combattu la précarité grâce à leur implication dans des secteurs d'activité où l'on ne les attendait pas – entreprenariat local et international, travaux publics.

Leur contribution significative au mouvement de contestation d'un ordre mondial inégal et patriarcal planétaire est sous-estimée, voire ignorée, par un mouvement international féminin qui entretient en son sein des relations complexes de domination et/ou de collaboration. Des rapports de pouvoir subsistent toujours entre ces différents mouvements. Je partage les propos de Paola Bacchetta sur les difficultés des alliances féministes « internationales », concernant les modes de *représentation/effacement/configuration* de « l'autre » par le discours féministe dominant. J'ai souvent critiqué une certaine « invisibilisation » ou « particularisation » de l'autre reposant sur la priorisation différentielle des questions, des conditions ou des situations en jeu, de même que « l'ethno-anthropologisation » apparemment irréductible des études occidentales sur les « femmes d'ailleurs », surtout africaines. La pensée dominante peut ou non mettre en relief des « registres du pouvoir » dans lesquels « le sexe, la race, la sexualité, la classe, la postcolonialité, etc., fonctionnent comme un tout inséparable » (voir le chapitre de Bacchetta dans cet ouvrage). La question de la race difficilement posée par les mouvements féministes en Amérique du Nord et du Sud l'a été aussi dans une Afrique du Sud démocratique multiraciale (« *Rainbow* ») en 1994. Or, ces registres constituent ce tout inséparable que Danièle Kergoat (2001) pose comme « consubstantialité des rapports sociaux » et DAWN [1] comme « interrelations » complexes entre divers paramètres (Sen et Grown, 1992).

Le discours de l'universalisme ne provient pas d'une source unique. Il se construit à partir des similitudes et diversités, des divergences et convergences des unes et des autres. Une telle problématique contextualisée, ouverte et pluraliste permettrait certainement de mieux partager les concepts et les alliances utiles dans ces crises mondialisées.

La contribution des Africaines est d'autant plus significative que celles-ci n'ont pas cessé de développer des problématiques, actions et entreprises pour souligner leur implication dans l'actualité mondiale. *Gender, Globalization and Resistance* (Fall *et al.*, 1999) reprend la dénonciation de l'aliénation introduite par l'ordre capitaliste mondial qui « exploite systématiquement le travail des hommes et des femmes ; introduit et renforce l'exploitation des femmes au sein du ménage à travers le travail que ne comptabilisent pas les cadres macro-économiques nationaux et internationaux. Aussi les femmes luttent essentiellement contre le capitalisme national et international » (1999, p. 2). Yassine Fall cible et dénonce, au cœur des formations sociales africaines elles-mêmes, les dérives qui font que « cette lutte implique nécessairement la lutte contre l'autre aspect des relations sociales aliénées, à savoir l'oppression par les hommes, caractéristique des lois coutumières et "modernes" qui excluent les femmes de la propriété foncière, les politiques salariales discriminatoires, la violence masculine contre les femmes dans la famille, etc. » (1999, p. 3).

L'un des soucis majeurs des organisations féminines et féministes contemporaines est la production d'alternatives capables de répondre à leurs préoccupations, dans un environnement aussi difficile. Comment

---

1. *Development Alternatives with Women for a New Era.*

prétendre à la liberté dans des contextes qualifiés de « pauvres » par l'économie néolibérale contemporaine dans un continent qui regorge pourtant de richesses naturelles ? Comment rompre le cercle infernal de la « victimisation » d'un système qui pourtant « victimise » les populations, illustré par les taux particulièrement bas de développement humain ?

Sans en débattre ici, il faut souligner les multiples niveaux d'engagement des femmes sur le continent. Ceux-ci vont des engagements les plus conservateurs tentant de mieux positionner les femmes dans un ordre – patriarcal – établi, jusqu'à des revendications de rupture plus radicales. Si pour certaines, comme les participantes du Forum féministe africain d'Accra de 2006, l'exigence de rupture doit procéder de principes féministes universels, d'autres récusent ces principes qui, d'inspiration occidentale, manqueraient de sens dans les sociétés africaines (Amadiume, 1987 ; Oyéwùmi, 1997). Dans ces situations complexes et contradictoires, il arrive que certaines organisations agitent des idées de liberté sans pouvoir les faire avancer, quand d'autres plus conformistes finissent par faire prendre et appliquer, par la voie légale, des mesures positives, grâce à leur discours modéré.

L'histoire des mouvements des femmes en Afrique enregistre des résistances multiformes à toutes les séquences de domination. Cette mobilisation, déjà ancienne, a préfiguré les manifestations des mouvements contemporains (Coquery-Vidrovitch, 1994). Au sein des organisations nationalistes, les femmes ont exigé des pouvoirs coloniaux de meilleures conditions de vie, de santé et de travail pour elles, en même temps qu'elles appuyaient des revendications des partis et syndicats. Leurs marches ont soutenu les grèves des cheminots de Thiès (1947) et Bamako (1948). Ce militantisme a été noyé, voire combattu, dans les mouvements nationalistes africains. Leur implication sociale et politique a certes varié d'une classe et d'un contexte à l'autre, mais elle a été assez significative pour que l'histoire des femmes en retienne des noms et des évènements saillants. Aux indépendances, cet engagement a renforcé les associations de femmes qui ont soutenu, les unes, les partis de pères fondateurs – Union nationale des femmes –, les autres, ceux de l'opposition, les syndicats et autres mouvements de masse. Les pères de l'indépendance ont peu redistribué la parole à leurs partisans et encore moins aux femmes.

À partir de 1975, les conférences mondiales sur les femmes et d'autres thèmes d'actualité – environnement, population, droits humains, développement social, notamment – ont assurément accéléré et structuré les processus de revendications dans le monde. Elles ont propulsé les

Africaines sur une scène internationale d'où elles étaient absentes et les ont forcées à se battre pour faire entendre leurs voix et trouver leur propre voie. Comme le souligne le Forum féministe africain, « Nous avons en Afrique une longue tradition de résistance au système patriarcal. Nous revendiquons dès lors notre droit de théoriser pour nous-mêmes, d'écrire pour nous-mêmes, d'élaborer des stratégies pour nous-mêmes et de parler pour nous-mêmes » (2006, p. 3).

On a aussi vu l'émergence, dans le monde et en Afrique, et quasiment dans le même temps, d'un personnel important de « fémocrates » (Mama, 1997) ou de milliers d'ONG féminines. Le féminisme d'État a été une institution de contrôle de bien des aspirations féministes.

Le genre : au cœur ou en marge de la mondialisation ?

L'idéologie et les politiques de la mondialisation néolibérale qui nous interpellent ici ont largement contribué à dégrader la qualité de vie des populations, pour lesquelles ont été dessinés des programmes de réduction de la pauvreté. Elles ont restreint leur espace de liberté, et ce, malgré les discours autour des Objectifs du millénaire pour le développement (OMD) et des droits humains (Kabeer, 2003). Les diverses restructurations économiques survenues, ces deux dernières décennies, ont abouti à des transformations sociales profondes dont les conséquences pèsent sur les populations (Taylor, 2002 ; Bisilliat, 2003).

La mondialisation participe effectivement des expériences de survie quotidienne des populations africaines, y compris des femmes. Bien avant la mondialisation contemporaine, de nombreuses régions ont subi les conséquences désastreuses des variations climatiques (sécheresse des années 1970) et de la surexploitation des milieux (sols, forêts, eaux et mers, ressources minières). Les populations ont été affectées par le poids de la dette et des Politiques d'ajustement structurel (PAS). Les conflits civils et armés autour des ressources naturelles et du pouvoir politique ont ravagé de nombreuses régions. Les politiques néolibérales ont proposé comme « solution à la crise économique et sociale, le dégagement partiel ou total de l'État des champs économique et social » (Benradi, 2006, p. 20). En échange de l'appui des institutions internationales, les pays ont été contraints de privatiser leurs secteurs productifs : agriculture, mines, services publics. La mondialisation a, à des degrés divers, « marchandisé » les ressources, les populations et l'État, et aggravé les difficultés des classes populaires et moyennes

(George, 2001 ; Taylor *et al.*, 2002). Les pouvoirs politiques ont été soumis aux diktats de l'économie mondiale et des institutions financières internationales, sous peine de mise en crise et d'éjection de leur siège (Traoré, 1999). Ils en ont été réduits à de bien modestes tentatives de réduction de la pauvreté en lieu et place de politiques de développement. La pauvreté a été organisée sur un continent riche.

Les États ont, pour la plupart, rencontré d'énormes difficultés à créer un environnement économique capable de relever le niveau de vie national et, encore plus, « un environnement politique qui assure la promotion des droits humains ainsi que la participation des femmes et à institutionnaliser l'égalité des sexes à des fins d'équité et de justice sociale » (Taylor *et al.*, 2002, p. 11). Ils ont dû résilier les contrats de protection de droits sociaux et des libertés citoyennes qui constituaient le socle de légitimité de leur mandat. Taylor, qui analyse la « marchandisation de la gouvernance » (dans cet ouvrage), met en exergue les contradictions des politiques, les fractures sociales et l'exclusion de larges franges de populations imposées par la restructuration du marché mondial. Elle souligne combien « la description de la marginalisation et de l'exclusion des femmes est intégrée dans celle de la violence continue, de la militarisation croissante des États, de la fragmentation grandissante, de la pauvreté persistante et des inégalités creusées de manière constante » (2002, p. 14).

C'est pour avoir droit à la liberté indissociable du développement – en attendant de reconceptualiser le concept de développement – que les luttes féminines s'intensifient sous diverses formes, les unes plus conventionnelles ne remettant en cause ouvertement ni le patriarcat, ni le « gardiennage » de traditions pesantes ; les autres, plus radicales, mais tout aussi diversifiées, pour imaginer, ensemble, un développement qui ne laisse pas les femmes sur le bas-côté de la route de la croissance, avec une liberté en miettes.

Patriarcat et néolibéralisme : une sainte alliance

On n'a jamais autant parlé ouvertement, en Afrique, de démocratie, de participation citoyenne ou de parité, que depuis le début des années 1990, mais qu'en est-il vraiment ? Qu'en est-il pour les femmes, face aux épreuves qu'imposent l'alliance entre le patriarcat et le néolibéralisme, les discriminations liées à la culture et à la religion, la violence et l'exclusion, la violation de leurs droits citoyens, les difficultés d'accès aux ressources naturelles (notamment la terre), matérielles (moyens de production) et financières (crédit)? Les mouvements féminins et féministes savent d'expérience que leurs luttes s'apparentent à toutes celles qui ont émergé contre toutes les formes d'injustice. Les rapports d'inégalité entre les sexes ne peuvent être différenciés de toutes les inégalités de classe, de caste, de race. Les rapports hommes-femmes sont moulés dans des normes émanant de la culture que renforce la religion. Alors que la société, la culture, la religion, voire la loi, donnent l'autorité à l'homme, les femmes se doivent de négocier la leur. Les altermondialistes dénoncent la force du marché, la privatisation des ressources naturelles, forestières ou minières qui aurait dû faire la richesse des nations, et le déséquilibre des rapports entre l'État et le marché. C'est aussi ce que dénoncent les femmes. Gita Sen (1996), qui explore les rapports entre les femmes, l'État et le marché dans le cadre de la libéralisation des marchés, souligne le déséquilibre des rapports entre sexes, et les fractures sociales liées aux restructurations politiques et aux transformations sociales importantes de ces deux dernières décennies.

Aujourd'hui, les femmes remettent plus ouvertement en question les formes patriarcales du pouvoir politique et de l'État qui restreignent leurs droits à la citoyenneté, ainsi que le contrôle de larges ressources par les hommes. Au Sénégal, en Côte-d'Ivoire ou au Togo, les Codes de la famille continuent de mettre l'homme à la tête de la famille. Le patriarcat de marché a exporté vers l'entreprise les modèles de « domestication » des femmes en famille. Il ne voit en elles que de « petites mains pour firmes du Nord » (Servant, 2006, p. 16). Les délocalisations d'usines vers l'Afrique ou le Sud-Est asiatique touchent aussi ces petites mains. La Confédération internationale des syndicats libres (CISL) a accusé Tri-Star, une filiale de Wal-Mart, d'être cette « incroyable machine à violer les droits de salariés (en très large majorité des femmes) ». Victimes d'exploitation, d'abus multiples et de menaces de licenciement à la moindre « faute » (Servant, 2006, p. 18), les ouvrières du Lesotho ou d'Ouganda acceptent ces conditions, pour vivre. Leur activité ouvrière, agricole ou commerçante est nécessaire à l'entretien des familles.

L'accès à la terre pose l'image des femmes comme « paysannes » activement impliquées dans la production, et pas seulement épouses du paysan, ce que ne peuvent ignorer les politiques agricoles. Comme tout paysan pauvre, les paysannes éprouvent des difficultés à se faire allouer des terres de culture, de l'équipement ou des crédits comme exploitantes agricoles. « Mais le caractère culturel de l'accès à la terre par le mariage, le fait que celle-ci puisse leur être retirée par le veuvage demeure une question que seules les féministes posent. Il a fallu un projet volontariste pour qu'elles participent aux conseils des communautés rurales qui gèrent le foncier villageois» (Sow, 2004). Le droit d'usufruit de la terre leur est compté. Une fois rentabilisées, les activités provenant largement d'activités communautaires – le maraîchage par exemple –, elles finissent par en être dessaisies par les gestionnaires de ces terres.

On ne peut conclure sur ces quelques éléments, sans faire référence à la migration africaine vers les pays du Nord et aux conflits actuels en Afrique. Les politiques actuelles d'immigration vers l'Europe restreignent la liberté de circuler que les politiques néolibérales accordent si généreusement aux ressources financières et naturelles et plus parcimonieusement aux ressources humaines – immigration choisie –. Sans refaire l'histoire des migrations subsahariennes vers les pays du Nord, on doit rappeler que les mouvements de l'Afrique vers l'Afrique sont de loin les plus importants. L'inclusion rapide des femmes est l'une des caractéristiques majeures des mouvements migratoires de ces deux dernières décennies, et suscite de nouvelles problématiques sur la question des femmes. Par-delà le regroupement familial qui les a autrefois mises en route, la majorité des femmes du Sud et les Africaines, qui émigrent seules, le font pour des motifs personnels et économiques. D'autres circonstances ont pu s'y ajouter : dégradation sévère de l'environnement, insécurité dans les zones de conflits politiques ou armés (Sow, 2006). Grieco et Boyd (1998) ont produit une synthèse intéressante de la problématique des nouvelles migrations féminines. L'image des émigrées africaines des années 1970, épouses analphabètes, victimes de l'émigration, a beaucoup changé. Celles-ci partent de plus en plus seules ou en famille, sans présence obligatoire d'un conjoint. Outre les rapports difficiles avec les milieux d'accueil, les femmes ont à tenir tête aux politiques de refoulement, et à gérer de nouvelles relations au sein de la famille et de la communauté.

Les conflits armés couvrent l'actualité. Si les Africains ont somme toute le droit de se faire la guerre pour se réapproprier leur histoire, ils y ont souvent été aidés en raison d'intérêts économiques et géopolitiques gigantesques. Les conflits de l'après-indépendance ont eu plusieurs motifs connus : besoin de reconstitution des frontières héritées de la colonisation et décrétées immuables dès 1960, redistribution du pouvoir politique – à dimension régionale et ethnique mais toujours politique –, rotation des hommes au pouvoir, antagonismes régionaux divers. Ils ont surtout été suscités pour le contrôle des immenses ressources du continent, dans les deux Congo, en Angola, au Sierra Leone ou au Liberia. Ces conflits ont été déclenchés ou soutenus avec la connivence d'intérêts politiques et économiques occidentaux. Les femmes leur ont payé un lourd tribut, dans la mesure où leur corps a servi de site de lutte pour la conquête du pouvoir. Certes, dix ans d'un conflit armé d'une brutalité extrême n'ont pas introduit les violences en Sierra Leone, ni les violences domestiques ou les discriminations juridiques, politiques et économiques subies par les femmes. Mais ils les ont aggravées et ont été un révélateur du caractère habituel, voire « ordinaire », des sévices physiques et moraux, idéologiques et culturels (Sow *et al.*, 2002). Comme en témoigne une ONG féminine locale, Campaign for Good Governance (1999-2000), les femmes ont subi des déséquilibres familiaux graves, à la suite des brutalités et des déplacements lors du conflit. Elles ont été acculées à la pauvreté, avec leurs familles démantelées, conjoint et parents blessés, et habitat ravagé par la guerre. Toutes les violences physiques et sexuelles ont eu des conséquences dramatiques sur leur physique et leur psychologie.

« Avoir le droit de » : le protocole à la Charte africaine des droits de l'homme et des peuples relatif aux droits de la femme en Afrique

Ce protocole, adopté à la réunion des chefs d'État de l'Union africaine à Maputo (Mozambique) en 2003, est un acquis significatif de la lutte des femmes, malgré les réserves émises par les États, les lenteurs et les difficultés à le faire ratifier et appliquer. La volonté de le faire respecter engage de plus en plus les femmes dans des actions multiformes. Ce protocole, comme les multiples conventions internationales sur les femmes signées auparavant par les États, attestent de la vitalité des discours et des actions des femmes, dans leurs organisations de quartier comme dans leurs *lobbies* des grandes salles de conférences internationales. Zeleza en analyse la portée lorsqu'il se penche sur les nouvelles dynamiques de genre dans la politique africaine (2006, p. 20). Après tout, Ellen Sirleaf Johnson a accédé à la présidence suprême du Liberia, ce pays ravagé par une vingtaine d'années de guerre.

Mais que signifie le politique ? Est-ce seulement le recul de la dictature et de la corruption, la bonne gouvernance, les programmes de développement nationaux, régionaux ou continentaux, la résolution des conflits meurtriers qui ont émergé et dont les corps des femmes ont fait les frais de manière bien particulière ? Les droits démocratiques se cantonnent-ils au droit de vote lors d'élections transparentes, au droit d'instaurer l'alternance au pouvoir ?

L'agenda des femmes pour satisfaire leurs droits démocratiques exige d'autres perspectives. Le droit d'aller à l'école, c'est aussi celui de ne pas la quitter pour vaquer aux occupations domestiques, être mariée ou ne pas être découragée de faire des études jugées trop masculines. Les Sénégalais s'étaient offusqués, en 1984, que les femmes travailleuses revendiquent la suppression d'un article du Code de la famille. Ce dernier autorisait tout conjoint à s'opposer à l'activité professionnelle de son épouse s'il l'estimait préjudiciable à l'honneur de la famille. On retrouve, en 2005, la même objection face à la revendication de ces mêmes travailleuses de partager l'autorité légale sur leurs enfants. Les associations musulmanes ont eu beau jeu de s'y opposer en convoquant la Shari'a, et de proposer un Code islamique plus conforme à leurs valeurs sociales, remettant en question la laïcité de l'État. Les changements substantiels de la Moudawana, au Maroc, interviennent près de trente ans après la promulgation du Code de la famille au Sénégal (1973). D'autres pays n'ont pas encore de code et d'autres ont bien du mal à dépoussiérer des textes de lois conservateurs datant de la colonisation et souvent contraires à l'esprit des conventions internationales signées par les États. Il a fallu plus de dix ans, après l'adoption de la Charte africaine des droits de l'homme et des peuples (1983), pour lui accoler un protocole additionnel relatif aux droits des femmes. Code de choc face aux codes conservateurs en usage sur le continent, le protocole suit un long processus de ratification. Que réclame-t-il ?

On peut dire à grands traits qu'il est centré sur le droit fondamental des femmes à disposer de leur corps physique et mental, à contrôler elles-mêmes les décisions sur leur choix de vie (éducation, emploi, activité, sexualité et fécondité), au lieu que cette décision dépende de l'État (pour le renforcement de l'équilibre entre la population et les ressources), de la mosquée ou de l'église (pour le marquage moral des corps et des esprits). L'État africain ne s'interroge sur ce que dit le Coran ou la Bible qu'à propos de questions comme la contraception, l'avortement, l'utilisation du préservatif, le port du voile, la prévention du sida, le divorce, en un mot de ce qui devrait relever soit d'un rapport personnel à la morale religieuse, soit d'un débat sur les transformations sociales entre les politiques et la société civile autour d'un projet de société. Il refonde le patriarcat, à travers ce recours aux textes religieux qu'il a pourtant souvent manipulés. Il faut ici évoquer la convergence, à ce stade, avec les idéologies néoconservatrices des présidences américaines des républicains Ronald Reagan et George Bush père dont la politique du *Global*

Gag Rule – ou politique de Mexico (1984) – interdit au gouvernement de financer les organisations de planification familiale appuyant l'avortement dans d'autres pays. Les politiques d'abstinence sexuelle sont promues chez les jeunes, comme la fidélité auprès des couples, pour lutter contre le sida. Dans une remarquable analyse, *Global Prescriptions. Gendering Health and Human Rights* (2003), Rosalind Pollak Petchesky souligne la mise en danger de la santé sexuelle et reproductive des femmes par ces arguments religieux et économiques. Les politiques de réduction des dépenses de santé pèsent sur la santé comme les énormes profits des compagnies pharmaceutiques.

Le nouveau protocole couvre une large gamme de questions qui plaident en faveur des droits humains des Africaines. Pour la première fois, un droit africain supranational énonce ouvertement le droit des femmes à l'avortement thérapeutique lorsque la vie de la mère est en danger ou que la grossesse résulte d'un viol ou d'un inceste. Le protocole appelle à l'interdiction légale des mutilations génitales féminines. Ce n'est pas tant l'interdiction progressivement adoptée à partir du milieu des années 1990, que le motif invoqué par le protocole qui constitue un encouragement : l'intégrité physique du corps des femmes. On doit se rappeler qu'avancer les conséquences médicales de ces pratiques avait mieux convaincu les opinions que le droit à la jouissance sexuelle revendiqué par les féministes. Le protocole convie à légiférer contre toutes les formes de violence à l'encontre des femmes, notamment les abus sexuels d'ordre privé ou public. Cette clause permet de condamner la violence conjugale et le viol conjugal. Le protocole ne va pas au bout du plein exercice des droits sexuels dans des sociétés normatives en matière de sexualité.

Si la notion de quota pour l'entrée des femmes en politique progresse dans les discours et les pratiques étatiques, le protocole engage à renforcer les mesures de « discrimination positive », afin de promouvoir la participation égale des femmes aux institutions politiques et professionnelles. Il invite à assurer une « représentation paritaire équitable des femmes » dans les institutions législatives et judiciaires. Il s'agissait, pour les initiatrices du protocole, d'intégrer le plus de femmes possible dans des institutions chargées d'élaborer et de faire appliquer les lois sur un rapport d'égalité.

Dans un continent en proie à des conflits meurtriers et particulièrement violents à l'encontre des femmes – meurtres, viols –, énoncer le droit à la paix constituait une clause majeure. Le protocole reconnaît leur droit à participer à la promotion et au maintien de la paix. Ceci signifie non seulement la participation aux négociations de la paix, mais la lutte contre l'impunité des auteurs de sévices envers les femmes en temps de guerre.

Dans le large éventail de droits économiques et sociaux pour les femmes, le protocole spécifie le droit à un salaire égal pour un travail égal, et le droit à un congé de maternité dans les secteurs publics et privés. Il convie également les pays à lutter contre leur exploitation économique et sexuelle. Le protocole met l'accent sur les droits des groupes particulièrement vulnérables que sont les femmes âgées, veuves ou handicapées. Il insiste sur la reconnaissance des « femmes en détresse » : femmes pauvres, femmes enceintes ou allaitant en prison.

Tous ces acquis du protocole témoignent de la contribution des Africaines aux luttes contre l'ordre patriarcal et néolibéral, mais ils doivent encore être pleinement appliqués. La lutte reste difficile en raison de pratiques discriminatoires et des contraintes de classe que les femmes continuent de subir. Elles ont souvent intériorisé les rapports d'inégalité entre les sexes maintenus par la famille, la culture, la loi ou la religion. Au sein des bureaucraties administratives ou parlementaires où elles se fraient un chemin parsemé d'embûches, elles sont toujours confrontées à la domination masculine, ou en utilisent les formes et les termes pour arriver elles-mêmes au pouvoir.

Les associations féminines et féministes ont constitué des espaces privilégiés de prise de parole et d'action politique pour les revendications que les femmes ne pouvaient mettre pleinement en avant dans les partis politiques. La littérature récente évoque la « théâtralisation » du pouvoir politique dans l'Afrique contemporaine. Les femmes sont à la fois des « spectatrices » et les « ouvreuses » de ce théâtre. Elles y obtiennent moins pour leur droits que ces organisations qui, des associations villageoises aux groupements d'intérêt économique, aux amicales et aux associations professionnelles, ont représenté leurs espaces privilégiés et autonomes d'expression, de lutte et de conquête de quelques libertés. Ces libertés ont été discutées et revendiquées au sein des associations, et non des partis politiques, fussent-ils progressistes. Ceux-ci ont fini par inscrire du bout des lèvres la parité politique dans leurs programmes, mais rechignent sur le refus de l'application des lois culturelles et religieuses, de la polygamie, des violences physiques, des abus et harcèlements sexuels.

Dans le contexte actuel de la mondialisation des économies et de la poussée des fondamentalismes religieux et politiques, les femmes voient leurs gains que l'on pourrait considérer comme substantiels de moins en moins sécurisés. Aussi, leur faut-il poursuivre la contestation de l'ordre patriarcal et de ses idéologies, malgré les critiques d'être trop féministes. Comme l'écrit Patricia McFadden : « Nous avons besoin d'un mouvement féministe africain radical, souvent défini comme "extrême" et "trop" tout par rapport au personnel, à la sexualité, à l'académie, aux rituels et rites patriarcaux de la subordination (appelés culture), à l'hégémonie de l'idéologie et du sentiment nationaliste dans le mouvement des femmes africaines » (2005, p. 4).

Bibliographie

Afard/DAWN/Femnet, colloque *Genre et politiques néolibérales*, Rabat, 7-8 avril 2006.

African Feminist Forum, *Charte des principes féministes du Forum des féministes africaines*. http://www.africafeministforum.org, 2006.

AMADIUME (Ifi), *Male Daughters, Female Husbands : Gender and Sex in an African Society*, Londres, Zed Books, 1987.

ANTROBUS (Peggy), *Le Mouvement mondial des femmes*, Montréal, Éco-société et Enjeux Planète, 2007.

BENRADI (Malika) *et al.*, *Genre et politiques néolibérales*, colloque Afard/DAWN/Femnet, Rabat, 7-8 avril 2006, Afard, 2006.

BISILLIAT (Jeanne) *et al.*, *Regards de femmes sur la globalisation*, Paris, Karthala, 2003.

BLOCH-LONDON (Catherine), HIRATA (Helena), JEFFERS (Esther), LILLE (François) *et al.*, *Quand les femmes se heurtent à la mondialisation*, Paris, Mille et une nuits, 2003.

Campaign for Good Governance, *Sexual and Domestic Violence Report*, Freetown, rapport non publié, 1999-2000.

COQUERY-VIDROVITCH (Catherine), *Les Africaines. Histoire des femmes d'Afrique noire du XIXe au XXe siècle*, Paris, Desjonquères, 1994.

FALL (Yassine) et al., *Gender, Globalization and Resistance*, Dakar, Aaword, 1999.

Forum féministe africain, *Charte des principes féministes du Forum des féministes africaines*, Accra (Ghana), 2006. http://www.africafeministforum.org

GEORGE (Susan), « La marchandisation du monde », dans « Indignations : les scandales de notre temps », numéro spécial du *Nouvel Observateur*, Paris, octobre 2001.

GRIECO (Elisabeth) et BOYD (Monica), *Women and Migration : Incorporating Gender Into International Migration Theory*, Working Paper, WPS 98-139, Center for the Study of Population, Florida State University, 1998. http://www.fsu.edu/popctr/papers/ florisastate/1998.html

HIRATA (Helena), «Pour qui sonne le glas ? Mondialisation et division sexuelle du travail», dans Jeanne Bisilliat *et al.*, *Regards de femmes sur la globalisation*, Paris, Karthala, 2003, p. 11-26.

KABEER (Naila), *Intégration de la dimension genre à la lutte contre la pauvreté et objectifs du millénaire pour le développement*, Laval, Presses de l'Université Laval/Ottawa, Centre de recherche pour le développement international/Paris, L'Harmattan, 2003.

KERGOAT (Danièle), «Le rapport social de sexe. De la reproduction des rapports sociaux à leur subversion», dans *Les rapports sociaux de sexe*, Paris, PUF, *Actuel Marx*, 30, 2001, p. 85-100.

MAMA (Amina), *Études par les femmes et études sur les femmes en Afrique durant les années 1990*, Dakar, Codesria, 1997.

MAMA (Amina), «Preliminary Thoughts on Gender, Politics and Power in African Contexts», dans Viviene Taylor, Anne Mager et Paula Cardosa *et al.*, *Des Lézardes dans l'édifice. Perspectives critiques féministes africaines sur les femmes et l'art de gouverner*, Rapport sur la Réunion de recherche de la région Afrique sur «Restructuration politique et transformation sociale», Le Cap (Afrique du Sud), 29-30 novembre 1999, Sadep/DAWN, 2000.

MCFADDEN (Patricia), «*African Women Em-body-ing Feminism : Feminism and "Crisis"*», conférence Spellman College, Atlanta (Ga.), 3 août 2005.

OYEWUMI (Oyèronké), *The Invention of Women. Making an African Sense of Western Discourses*, Minneapolis (Minn.), University of Minnesota Press, 1997.

POLLACK PETCHESKY (Rosalind), *Global Prescriptions. Gendering Health and Human Rights*, Londres, Zed Books/Unrisd, 2003.

SEN (Amartya), *Development as Freedom*, Oxford, Oxford University Press, 1999.

SEN (Amartya), *La Démocratie des autres. Pourquoi la liberté n'est pas une invention de l'Occident*, Paris, Payot, 2005.

SEN (Gita), «Gender, Markets and States : A Selective Agenda Review and Research Agenda», *World Development*, 24 (5), 1996, p. 821-829.

SEN (Gita), GROWN (Caren), *Femmes du Sud, Autres voix pour le XXIᵉ siècle*, Development Alternatives with Women for a New Era (DAWN), Paris, 1992.

SERVANT (Jean-Claude), «Petites mains pour firmes du Nord», *Le Monde diplomatique*, Paris, janvier 2006.

Sow (Fatou), Keetaruh (Sheila), Bop (Codou) et Sarr (Fatou), *Violence against Women in Africa: the Cases of Sierra Leone, Côte-d'Ivoire, Guinea, the Democratic Republic of Congo, Rwanda and South Africa*, Addis Abeba (Éthiopie), African Union-Interights, 2002.

Sow (Fatou), «Les femmes et la terre», dans Momar-Coumba Diop *et al.*, *Gouverner le Sénégal: entre ajustement structurel et développement durable*, Paris, Karthala, 2004, p. 273-295.

Sow (Fatou), «Genre, droits humains et migration en Afrique subsaharienne», colloque international *Migration et développement*, Rome (Italie), 8-10 juin 2006. http://www.sidint.org

Taylor (Viviene) *et al.*, *Marketisation of Governance : Critical Feminist Perspectives from the South*, Le Cap (Afrique du Sud), DAWN/Sadep, Université du Cap, 2000 [édition originale, Fatou Sow, *La Marchandisation de la gouvernance*, Paris, DAWN/L'Harmattan, 2002].

Traoré (Aminata), *L'Étau*, Arles, Actes Sud, 1999.

Unrisd, *Gender Equality. Striving for Justice in an Unequal World*, Genève, Organisation des Nations unies, 2005.

Zeleza (Paul), «Madam President: The Changing Gender Dynamics of African Politics», Dakar, *Codesria, Bulletin*, 1-2, 2006.

Chapitre 16 / RÉFLEXIONS SUR LES ALLIANCES FÉMINISTES TRANSNATIONALES[1]

Paola Bacchetta

Quantité de travaux de grande qualité ont été réalisés ces dernières années sur la construction des mouvements sociaux féministes, *womanist* et *queer*, ainsi que sur les solidarités politiques qui pouvaient se développer à travers le monde. Dans ce chapitre, je présenterai des réflexions sur ces mouvements et ces solidarités politiques, comme sur les recherches effectuées à leur sujet, dans l'actuelle époque de mondialisation néolibérale. J'analyserai certaines des complexités, des enjeux, des obstacles, mais aussi des possibilités et des ouvertures qu'impliquent les *alliances transnationales potentiatrices*. J'utiliserai pour cela principalement trois sources : différentes résultats d'observations participantes et d'ethnographie que j'ai conduites dans des groupes militants féministes, lesbiens et *queer* en Inde, en France, aux États-Unis et en Italie ; des publications des groupes en question ; et finalement des historiographies militantes et académiques de ces groupes. Cependant, je voudrais d'abord clarifier quelques-uns des termes du débat.

Je distinguerai, ici, les alliances féministes *transnationales* des alliances *internationales* et des alliances *globales*. Le terme *international* présuppose des normativités nationales où les sujets dominant(e)s finissent par représenter toutes les féministes de leurs pays, un phénomène que nous pouvons appeler l'*exhibitionnisme national-normatif*, aussi bien à cause de ce qu'il donne à voir, que de ce qu'il efface. De son côté, le terme *global* implique une politique d'alliance «partout dans le monde» – alors que chaque sujet et mouvement social est bel et bien toujours situé quelque part. D'après Jacqui Alexander et Chandra Mohanty (1997, VII-XX), la notion libérale de «la sororité globale» se base sur le présupposé d'un patriarcat transhistorique – une notion réductrice

1. *Article traduit de l'anglais par Layla Ghovini.*

selon elles –, assigne le fardeau de la différence aux femmes du « Tiers Monde » et efface les contextes historiques et les rapports de racialisation et capitalistes.

Au lieu de cela, les alliances féministes *transnationales* parlent de connexions concrètes de solidarité dans et à travers les *échelles* – locales, régionales, nationales ou entre nations –, dans une myriade d'arrangements possibles. Elles tiennent compte des rapports de pouvoir historiques et contextuels, des sujets en processus (Alarcón, 1990) – qui ne s'affirment pas comme les seules et uniques représentantes du féminisme, mais plutôt comme des fragments de, et produits dans, des histoires et des contextes plus vastes.

Les alliances féministes *transnationales* présupposent des sujets politiques dynamiques qui se rassemblent et s'unissent, et donc des relations d'intersubjectivité politique. Elles obligent à se demander qui compte comme sujet politique et pourquoi, ce qui anime l'envie de rapprochement, comment est définie la capacité d'agir et quelles formes prennent les alliances. C'est seulement lorsque les deux sujets sont reconnus comme tels, qu'une intersubjectivité, et donc des alliances féministes transnationales, peuvent exister.

Ces alliances posent le problème de la théorisation du pouvoir. Il n'est plus utile de le penser à travers les schémas binaires de domination/ subordination, car ceux-ci tendent à essentialiser, à homogénéiser et à fixer chacun des termes, sans rendre compte des complexités du pouvoir, de la formation des sujets, des sujets en processus, de leur capacité d'agir et des complexités du genre dans le cadre d'une mondialisation inégalitaire.

L'une des approches les plus utiles pour penser le pouvoir globalement est la notion d'« *hégémonies éparpillées* » (*scattered hegemonies*) de Inderpal Grewal et Caren Kaplan (1994), qui montre l'existence de nombreuses configurations de pouvoirs chauds et froids, dispersées à travers le monde, à différentes échelles et dans différents registres – financier, militaire, ethnique, médiatique, technique. Je propose de lui adjoindre la notion de *coformations* pour penser les rapports de pouvoir, les sujets, les conditions et les conduites. En effet, dans la théorisation féministe dominante, le genre a souvent été conceptualisé comme un axe, un vecteur ou un système unique, ou en termes de classes de sexe binaires. Or, aux États-Unis, les féministes « *of color* » ont utilement critiqué cette réduction, cette singularisation qui efface le racisme, les sexualités et la classe sociale, tout autant que les généalogies, les sédimentations et les pratiques actuelles de génocide, de colonialisme et d'esclavage. À leur suite, les analyses féministes critiques considèrent le pouvoir comme étant organisé suivant des axes ou des vecteurs séparés, selon des systèmes qui se « croisent » (*inter-secting*) (Crenshaw, 1989), qui convergent autour de « points d'articula-tion » (Hall, 2002), qui se combinent dans « des articulations » multiformes (McClintock, 1995), qui sont « consubstantiels » (Kergoat, 2004), qui forment « des points nodaux » (Smith, 1994), ou encore qui constituent des « assemblages de pouvoir » (Grewal, 2005 ; Puar, 2007). Je pense qu'il est plus utile de conceptualiser ces pouvoirs, *non pas* comme des lignes séparées, même si elles *s'entrecroisent*, mais plutôt toujours/déjà comme des *coformations* multidimensionnelles dans lesquelles le genre, la race, la sexualité, la classe sociale, la *postcolonialité*, etc., opèrent *inséparablement*, à la fois dans les registres du discours et dans ceux de la matérialité. Ce concept nous interroge sur le pouvoir qui est invi-sibilisé lorsqu'une certaine partie du pouvoir est visible. Michel Foucault, bien qu'il se soit lui-même très fortement appuyé sur le pouvoir visible, a bien remarqué que les rapports de pouvoir étaient plus efficaces quand ils étaient cachés. Les coformations, elles, nous font sortir du binarisme visible/invisible pour donner accès à un *continuum* s'éten-dant de l'hypervisible au visible, à l'invisible et à l'effacé. Comprendre le sujet implique alors d'y penser simultanément comme sujet-effet – de multiples rapports de pouvoir *inséparables*, quoique certains ne soient pas immédiatement visibles – et comme sujet en processus – donc inconclu.

J'analyserai d'abord certaines *alliances dominantes*, qui mènent à des fermetures, c'est-à-dire à la dépendance ainsi qu'au renforce-ment de l'oppression des unes et de la position de pouvoir des autres. J'aborderai ensuite d'autres alliances transnationales qui sont politique-ment pleines de possibilités, avant de conclure sur de nouvelles ouver-tures potentielles.

Alliances dominantes

Les alliances féministes dominantes se donnent une dimension totalisante alors qu'elles produisent ou renforcent, généralement invo-lontairement, l'effacement de la subalternité et des sujets subalternes. Je vais en présenter trois formes.

Alliances intradominants basées sur la normativité-nationale

Ces alliances impliquent des sujets formés dans les secteurs domi-nants d'un État-nation, qui sont des citoyen(ne)s à part entière et qui s'unissent exclusivement entre eux et entre elles. Ainsi, l'alliance de sujets franco-français qui apparait dans l'historiographie officielle du

« féminisme en France ». Jusqu'à la récente exposition « Trente ans d'histoire des mouvements de femmes de l'immigration en France » de 2008, réalisée par l'Association des Tunisiens en France et présentée dans de nombreuses villes, il n'y avait pratiquement aucune trace *publique* des théories et de l'activisme de sujets féministes français racialisés comme subalternes. Pourtant, comme cette exposition le démontre, ce féminisme a une longue histoire. Ainsi, la Maison des femmes de Paris a réuni des groupes comme, d'une part, les « Nanas beurs », le « Mouvement des femmes noires », les « Femmes algériennes » et, d'autre part des collectifs comprenant à la fois des femmes issues de l'immigration postcoloniale et des Franco-françaises, comme le « Collectif féministe contre le racisme ».

Pour comprendre l'effacement des féminismes non franco-français, il est bon d'analyser les conditions de production des sujets dans le Nord global, formé(e)s dans les « sites chauds » de ce que Grewal (2005) appelle « les interconnectivités transnationales », où se concentrent les discours dominants, les flux médiatiques, les technologies, la finance et les populations, mais aussi leur envers : marginalité, silences et effacements.

De nombreuses démocraties néolibérales occidentales ont été formées par les bénéfices matériels du pillage, l'expérience psychologique de la domination et la possibilité de mettre au point des formes d'appartenance et de non-appartenance nationale et raciale en fonction de leurs propres critères (Chakravorty, 2000). Ce n'est donc pas que le féminisme dominant ait inventé l'oubli du colonialisme : il s'agit de l'effet d'une grille d'intelligibilité dominante partagée et – parfois – reproduite.

Un autre élément commun à la production du sujet dans les pays dominants, est l'implication dans le capitalisme consumériste. Ainsi, de même que Grewal (2005) l'établit pour le contexte étatsunien, dans le contexte français, nombre de revendications féministes ont été posées en termes de « choix » – choisir l'avortement, des groupes et journaux tels *Choisir* ou *Prochoix*. Cette rhétorique est alignée sur les stratégies de marketing capitalistes. Au contraire, on trouve rarement des discours de « choix » parmi les lesbiennes issues de l'immigration postcoloniale, dont une des thématiques majeures est : « Nous existons. »

Quatre postulats majeurs de la pensée libérale soulignés par John Gray (1990) se retrouvent dans les colonialismes et dans certaines formes du féminisme dominant : des notions particularistes de l'*individualité*, de l'*égalitarisme*, de l'*universalisme* et du *progrès*. Dans les pays postcolonialistes, l'*individu* théorisé dans la psychanalyse et inféré dans le sujet-consommateur est une entité à lui seul, séparée des autres, de préférence « cohérent » (intérieurement homogène) et doté de désirs qui peuvent idéalement être réalisés, conception qui est loin d'être universelle. Par exemple, l'anthropologue Agehananda Bharati (1985) démontre que des Hindous de caste supérieure en Inde conceptualisent le sujet idéal comme un être (un « *dividu* »), en fusion avec d'autres, supportant facilement les contradictions internes et qui, dans la phase la plus achevée de sa vie, renonce aux désirs matériels. L'*égalitarisme* occidental, basé sur la notion de contrat social, n'est pas l'unique modalité pour organiser des sociétés non oppressives et non répressives, ou pour assurer une conduite éthique, comme le prouvent beaucoup de sociétés amérindiennes (Blackwood, 1994). L'*universalisme* tel qu'il est compris en France, peut être pensé en termes de contrainte à l'uniformité obligatoire, ou de ce que Mona Ozouf (1989) appelle « l'obsession coloniale pour réduire au même ». Certains chercheurs sur le colonialisme français montrent comment la fabrication de la France et de sa « mission civilisatrice » a permis la formulation de cet universalisme particulier [2]. Le concept occidental de *progrès* (*amélioration*), comme l'a constaté Teodor Shanin (1997), fait partie intégrante des discours coloniaux de mission civilisatrice qui pensent les colonisé(e)s comme ancré(e)s dans le passé et devant être « développé(e)s ».

Alliances de sauvetage

Dans ce genre d'alliances, le sujet féministe dominant décide de libérer de son esclavage sa malheureuse sœur subalterne du « Tiers Monde ». Le sujet dominant s'imagine comme plus libéré et plus évolué que son homologue du « Tiers Monde » (Spivak, 1987, p. 134-153 ; Mohanty, 1994). Ce positionnement reproduit la situation coloniale dans laquelle les sujets colonisateurs ont imaginé leurs propres sociétés supérieures par nature, que ce soit par le récit de la mission civilisatrice pour la France, du fardeau de l'homme blanc pour le Royaume-Uni, ou du destin manifeste pour les États-Unis. Pour reprendre au féminin une phrase de Spivak (1988), ce scénario met en œuvre un récit du sauvetage colonial : « les femmes blanches sauvent les femmes brunes des hommes bruns. » La vision coloniale et néocoloniale assigne les femmes des lieux colonisés à une passivité complète, tout en attribuant la capacité d'agir – selon la phrase de Spivak aux hommes colonisateurs, mais ici par extension – à des sujets féministes occidentaux « libérés ».

---

2. *Marc Ferro, 2003 ; Alice Conklin, 1997 ; Nicolas Bancel, Pascal Blanchard et Françoise Vergès, 2003.*

Ce couple binaire «libéré(e) et supérieur(e)/victime et inférieur(e)» est produit, et reproduit en faisant l'impasse sur les constructions et les instrumentalisations coloniales du genre, de la sexualité et de la «race»-racisme. L'histoire du colonialisme est rarement enseignée dans les pays anciennement colonisateurs; il n'est donc pas étonnant que la plupart des sujets formés dans les secteurs dominants des pays ex-colonisateurs ne sachent pas grand-chose à ce propos et tendent à reproduire des récits réducteurs. Ainsi, nombre de personnes ne sachant que peu de choses sur l'Inde, «connaîtront» l'Inde par le *sati*, une pratique où une femme se jette, ou est jetée de force, sur le bûcher funéraire de son mari. Ces personnes ne sauront pas qu'il existe un mouvement féministe très dynamique en Inde, une production massive de théories féministes dans et en dehors des universités, et plusieurs maisons d'éditions féministes. Elles seront stupéfaites d'apprendre qu'il n'y a eu qu'une trentaine de *satis* depuis l'indépendance en 1947, et plus aucun depuis 1984. Si le *sati* représente maintenant l'Inde, c'est comme le montre Lata Mani (1999) parce que les Britanniques l'ont instrumentalisé dans leurs tentatives de justifier le colonialisme comme mission civilisatrice. Sous la colonisation britannique, on a assisté à une hausse du *sati* précisément parce que les Britanniques le dénonçaient. Pourtant, dans ses formes plus anciennes, le *sati* n'est pas spécifiquement une pratique de genre; il fut notamment réalisé par des ministres de sexe masculin à la mort du souverain. Il serait donc utile de comprendre la construction britannique du *sati*, sa diffusion transnationale et sa reproduction dans certains discours féministes en Occident.

Un examen minutieux des pratiques coloniales ferait apparaître que beaucoup des conditions actuelles des femmes du «Tiers Monde» ont été aggravées ou même produites par la rencontre coloniale. Comme Ashis Nandy (1983) et Mrnalini Sinha (1995) le montrent pour l'Inde coloniale britannique, Julia Clancy-Smith (1998) pour l'Algérie coloniale française, Alice Conklin (1997) à propos de l'Afrique occidentale coloniale française, Ann Laura Stoler (2002) au sujet de l'Indochine française, Anne McClintock (1995) pour l'Afrique du Sud, ou encore Evelyn Blackwood (1994) et Richard Trexler (1995) pour les États-Unis, les sujets colonisateurs n'ont pas seulement imposé leurs propres notions de genre et de sexualité à des sujets colonisés : l'effet de cette imposition a été d'empirer notablement la situation des femmes et, d'après certain(e)s auteur(e)s, des minorités sexuelles, dans les pays concernés.

La production de femmes dominantes comme déjà «libérées» par rapport aux femmes du «Tiers Monde» vues comme des victimes, est aussi étroitement liée au *niveau de vie* dans les sociétés occidentales excoloniales – dont les révolutions agricoles et industrielles ont été alimentées par le pillage et la réorientation des économies des pays colonisés. Aujourd'hui, le capitalisme transnational continue à extraire les matières premières et à déplacer la production là où le travail peut être sous-payé.

Deuxièmement, la notion de femmes du «Tiers Monde» en tant que victimes efface la longue histoire d'activisme de genre des femmes sous le colonialisme – une thématique élaborée dans le livre désormais classique de Kumari Jayawardena, *Feminism and Nationalism in the Third World* (1986), suivi par de nombreux autres ouvrages féministes.

Troisièmement, les notions de genre, d'oppression et de «libération» en vigueur dans les féminismes dominants des lieux anciennement colonisateurs sont profondément contextuelles et incorporées dans une grille d'intelligibilité particulière. Ainsi, la théoricienne *queer* Judith Halberstam (1998) aux États-Unis montre que les caractéristiques de férocité «excessives» sont comprises en Occident comme de la *masculinité femelle*. Pourtant, dans certains contextes hindous en Inde, les mêmes caractéristiques pourraient être classées sous la rubrique de la féminité normative, faisant partie intégrante de référents symboliques comme la déesse Kali. Il en va de même pour la majorité écrasante de Franco-français(es) qui trouvent le voile oppressif; pourtant, beaucoup de femmes voilées trouvent oppressive la pression sociale à exposer et déformer le corps – via les jupes courtes, les chaussures à hauts talons, les tonnes de maquillage ou la chirurgie esthétique. Définir comme universel un ensemble de notions particulières pose des questions éthiques et politiques, et doit être problématisé.

Quatrièmement, lorsque les féminismes dominants reproduisent de manière non critique des éléments de la grille d'intelligibilité dominante, ils peuvent faire le jeu de puissants acteurs étatiques contre des femmes et d'autres personnes des espaces anciennement colonisés. Par exemple, le gouvernement américain a financé les talibans en Afghanistan, à partir du début des années 1980, tout en gardant le silence sur les Afghanes jusqu'au 11 septembre 2001. Par la suite, George W. Bush, qui aux États-Unis essayait de révoquer l'avortement et d'interdire le mariage gay, s'est soudain présenté comme le premier féministe du monde, en justifiant l'invasion comme une action pour sauver les Afghanes de la burqa. Plusieurs organisations féministes étatsuniennes libérales dominantes ont très activement soutenu les déclarations de Bush contre la burqa.

La question du foulard islamique en France est liée à une situation semblable. La fixation sur le voile réitère, en termes décalés, la mission civilisatrice de la France et tend à effacer la continuité coloniale dans laquelle vivent beaucoup de femmes musulmanes en France. Elle s'opère par la réduction simpliste du voile à une seule signification (Heath, 2008). Elle néglige, par exemple, que certaines féministes du Pakistan se voilent actuellement en signe de solidarité avec les femmes rurales, que pour certaines femmes musulmanes pratiquantes, le voile prend place dans des pratiques de piété liées à ce que Michel Foucault (1984) appelle le souci de soi, ou encore que certaines lesbiennes issues de l'immigration postcoloniale en France se voilent, notamment parce qu'elles sont croyantes. La réduction du voile à un signe stable d'oppression n'est possible que dans un contexte où le seul discours audible sur l'Islam dans la grille d'intelligibilité dominante présente celui-ci, dans ses manifestations les plus variées, comme toujours nécessairement oppressif pour les femmes. En revanche, le foulard islamique génère peu de commentaires aux États-Unis, où il ne fait pas l'objet d'une législation de l'État. Les États-Unis ne sont pourtant pas moins coloniaux que la France. Leur acceptation du voile est liée au « multiculturalisme » particulier des États-Unis (qui ont leurs propres problèmes de racialisation et d'essentialisme) et à la notion néolibérale de « choix » individuel. En évoquant ici diverses lectures contextualisées du port du voile, je ne prétends pas que le voile soit toujours un symbole merveilleux pour les femmes ou les lesbiennes. J'affirme simplement qu'on ne peut pas penser que le sujet voilé est toujours-déjà un sujet non libre ; il existe beaucoup de raisons pour lesquelles des femmes se voilent ou ne se voilent pas. La fixation occidentale sur le voile et sa réduction à une oppression ont une longue histoire, qui doit être interrogée.

Alliances normatives-internationales

Cette sorte d'alliance concerne des sujets identifié(e)s aux dominant(e)s, produit(e)s chacun(e) dans différentes normativités nationales, qui créent des liens de solidarité mutuelle. Ces alliances sont mises en place par des femmes des secteurs supérieurs de leurs propres sociétés, que ce soit dans le Nord et/ou dans le Sud global.

Le lien entre certaines théories féministes et *queer* franco-françaises et étatsuniennes en est un exemple. Pendant ces trente dernières années, des textes, des discours et des corps ont circulé entre la France et les États-Unis. Des livres entiers de théorie féministe et *queer* étatsuniens sont maintenant traduits en France par des grandes maisons d'édition ; très peu parlent de la racialisation, du colonialisme et de l'esclavage. Or, si les théories dominantes qui circulent contiennent des éléments utiles pour toutes et tous, leur abondant trafic permet surtout, comme le signale N[3] Doumia (2001, p. 15), des alliances à grande échelle entre des théories féministe et *queer* oublieuses des rapports de classe, de la « race »-racisme et du colonialisme, tant en France qu'aux États-Unis. Dans ce processus, les théories qui pointent vraiment et ensemble le genre, la sexualité, le racisme, la classe et le colonialisme dans les deux pays, sont davantage marginalisées encore.

Des alliances normatives-internationales peuvent exister au sein d'un même État-nation. Par exemple, lorsque des féministes en position dominante dans un État-nation, tout en gardant leurs distances avec les féministes subalternes, racialisées, vivant déjà dans leur propre pays, s'allient avec des féministes nouvellement immigrées qui occupaient une position dominante dans leur pays d'origine, du Nord ou du Sud. Ainsi, les théoriciennes féministes Jacqui Alexander, Noire des Caraïbes et l'Indienne Chandra Mohanty (1997, xv), écrivent que lorsqu'elles sont arrivées aux États-Unis, les féministes universitaires blanches les ont trouvées « moins menaçantes que les femmes universitaires noires américaines » et « ont préféré traiter avec notre "origine étrangère" plutôt qu'avec notre racialisation aux États-Unis ».

Je vais maintenant me tourner vers certaines formes d'alliances politiquement constructives.

Alliances féministes transnationales

Des alliances féministes transnationales peuvent être formées à partir de tous les types de positionnements de sujet.

Alliances transnationales intra-locales subalternes

Il s'agit ici d'alliances qui réunissent des sujets partageant certaines situations subalternes, avec toutefois des positionnements différents, dans une configuration qui les renforce. Le *Groupe du 6 Novembre* en est un exemple. Ce groupe s'est constitué à Paris en 1999, afin de rassembler les lesbiennes issues du colonialisme, de l'esclavage et de l'immigration postcoloniale. Tout au long de son existence, le *Groupe*

---

3. *Cette personne n'utilise que l'initiale pour son prénom.*

du 6 Novembre a publié un livre et un numéro spécial du journal *Bint El Nas*, créé un site Web et des espaces d'expression – expositions d'art, festivals de cinéma –, s'est exprimé sur des radios alternatives d'immigrant(e)s. Il a participé à des conférences en France et ailleurs – comme la Conférence de l'ONU sur le racisme à Durban – et a organisé et participé à des manifestations.

Le *Groupe du 6 Novembre* comprend des lesbiennes d'Afrique subsaharienne, des Afro-caribéennes, des Maghrébines et des femmes d'origines raciales mélangées : dans sa composition même, il se dés-identifie de la normativité-nationale. Il résiste aux pratiques de division du colonialisme français, perpétuées par les traités bilatéraux de la France avec ses excolonies et dépasse ce qu'Alexander et Mohanty (1997) appellent la «fragmentation raciale» ou la mise en opposition des sujets ciblé(e)s par le racisme.

Les textes de ce groupe s'inscrivent contre l'effacement («nous sommes ici») et contre la mésidentification («nous ne sommes pas ce que vous imaginez...»), ce qui constitue une analytique rectificative. Mais ils contiennent aussi de nouvelles lectures de la production des sujets par elles-mêmes et des autodéclarations d'auteur(e)s («je suis» et «nous sommes») qui sont une condition pour la subjectivité et l'intersubjectivité.

Le *Groupe du 6 Novembre* est extrêmement complexe. Entre autres choses, il est aussi un lieu pour la *décolonisation cognitive et affective*, pour déconstruire progressivement les effets personnels et collectifs de la violence cognitive et matérielle, grâce à des discussions analytiques et à la création de liens affectifs. Et finalement, par ces interactions et ces activités, ce groupe est aussi un lieu pour la production de nouvelles subjectivités en processus et de nouvelles actions politiques.

Alliances transpositionnelles intra-locales

Ici, des sujets d'un même site, sur la base de positionnements très différents, convergent dans une configuration constructive, pour produire une collectivité qui les renforce tou(te)s, particulièrement les plus vulnérabilisé(e)s. Tous les groupes composés de sujets aux positionnements différents n'ont pas des résultats positifs : beaucoup de volonté et de travail sont nécessaires.

Une illustration en est le *Groupe lesbien contre la discrimination et le racisme* – LDR, basé à Paris. Le LDR a rassemblé certaines membres du *Groupe du 6 Novembre*, ainsi que d'autres lesbiennes issues de l'immigration postcoloniale et des militantes lesbiennes franco-françaises venant d'autres groupes. Le LDR est née d'un désir mutuel de pointer spécifiquement le racisme chez les lesbiennes en France. Le groupe s'est cristallisé à la suite d'incidents racialisés au Festival de films lesbiens de Paris, ses membres se sont ensuite rencontrées pour discuter de questions plus larges liées au racisme des lesbiennes franco-françaises et sont finalement intervenues au festival suivant.

Dans le LDR, des alliances transpositionnelles – à travers les racialisations, les classes, les identifications et désidentifications de genre, les croyances, la sexualité et les nations – sont devenues possibles grâce à une ouverture. Les lesbiennes franco-françaises se sont engagées politiquement à s'interroger profondément sur elles-mêmes et sur les pratiques du secteur dont elles font partie – les lesbiennes franco-françaises. Ensemble, les membres du groupe ont produit une poétique affective active de reconnaissance mutuelle, par-delà les positionnements variés, et un activisme politique qui prend très au sérieux l'inséparabilité du genre, de la « race »-racisme et de la sexualité. Ce faisant, le LDR est devenu un espace potentiel de resubjectivation pour *tous* ces sujets, dans le dialogue et la pratique politique commune. Ce processus de reconnaissance mutuelle comme sujets positionnés, mais aussi comme sujets politiques en processus, a permis la formation d'une intersubjectivité politique.

Alliances translocales transnationales

Dans ce type d'alliance, les sujets d'un lieu rejoignent des sujets d'un autre lieu à travers des positionnements différentiels, dans une configuration qui les renforce. Cela s'est produit lorsque des membres du *Groupe du 6 Novembre* se sont rendues à la Conférence contre le racisme de Durban et ont pu se lier avec d'autres femmes et lesbiennes ciblées par le racisme, pour dénoncer le racisme partout. À plus petite échelle, cela se produit également quand des lesbiennes ciblées par le racisme à Paris organisent des réunions, des présentations de films et des expositions du travail artistique de lesbiennes ciblées par le racisme et venues d'ailleurs d'autres pays.

Alliances transnationales transpositionelles

Ces alliances engagent des sujets de différents espaces nationaux et de toutes sortes de positionnements, tant dominantes que subalternes.

Par exemple, on la trouve dans l'alliance contre la violence politico-religieuse en Inde. En 2002, des pogroms antimusulmans eurent lieu dans l'État du Gujarat, orchestrés par des groupes nationalistes hindous. À Ahmedabad, la capitale, la violence dura trois jours entiers, faisant 762 morts, et plus de 98 000 réfugié(e)s, musulman(e)s en majorité, dans des camps aux faubourgs de la ville. De nombreuses enquêtes ont montré l'importance considérable de la violence sexuelle publique dans ces pogroms (*International Initiative for Justice in Gujarat*, 2003). Aussitôt, des organisations féministes du Gujarat et indiennes et des organisations de gauche incluant des féministes ont commencé à se mobiliser au-delà des clivages religieux pour réaliser un travail humanitaire. Ici, des féministes indiennes ont fait appel à la solidarité de féministes hors de l'Inde, y compris occidentales, comme observatrices extérieures et témoins de la situation dans les camps. Les féministes occidentales n'ont ni déterminé ni dirigé l'action ; elles ont fourni une solidarité conforme aux buts définis par les Indiennes.

Pour conclure, trois brèves remarques.

Tout d'abord, il me semble tout à fait nécessaire d'interroger la grille d'intelligibilité dominante où nous sommes situé(e)s et de reconnaître ses particularismes. Cela concerne, tant les sujets en position dominante, que les sujets subalternisé(e)s dans chaque lieu, probablement de manière différente. À partir de ces différentes positions, le colonialisme, l'esclavage, l'immigration et tous les concepts produits dans ce cadre, seraient certainement compris différemment. Les dominant(e)s seraient préparé(e)s à abandonner certaines notions qui font partie de la formation même des dominant(e)s. Pour les subalternes, le travail de déconstruction de la grille d'intelligibilité dominante inclura un processus différent, que nous pourrions appeler *décolonisation cognitive*, ou bien procédures de démêlage mental de leur propre formation comme sujets subalternes. Les sujets subalternes sont aussi formé(e)s d'un assemblage de discours où les dominant(e)s sont opérant(e)s. Pour les subalternes, il y a assurément des manières de se désidentifier d'avec les discours dominants.

Deuxièmement, pour former des alliances constructives, il serait important de reconnaître les similitudes et les différences des histoires, des contextes, des rapports matériels de pouvoir et des possibilités d'agir qui font partie intégrante de la formation de sujets situés différemment dans un même contexte local et dans différents contextes mondiaux. Il serait nécessaire de dépasser l'idée même d'un standard dominant – de genre, de «libération», de «soi», ou même d'espace et de temps. Il est impossible de comprendre précisément une situation avant d'avoir examiné ces standards d'une façon critique.

Enfin, il serait très important que tous les sujets souhaitant des alliances puissent se reconnaître eux-mêmes et mutuellement, non pas comme des entités fixes, qui se résument à leur positionalité du moment ou seraient dotées d'attitudes éternelles, mais plutôt comme de sujets complexes en processus. Autrement dit, c'est dans la reconnaissance de chacun(e) comme sujet que nous pourrions enfin commencer à construire les modalités d'intersubjectivité nécessaires à la production d'alliances féministes transnationales véritablement satisfaisantes.

Bibliographie

ALARCON (Norma), «The Theoretical Subject(s) of This Bridge Called My Back and Anglo-American Feminism», dans Gloria Anzaldua (ed.), *Making Face, Making Soul-Haciendo Caras*, San Francisco (Calif.), Aunt Lute Books, 1990, 356-369.

ALEXANDER (Jacqui) et TALPADE MOHANTY (Chandra), «Introduction : Genealogies, Legacies, Movements», dans Jacqui Alexander et Chandra Talpade Mohanty (eds), *Feminist Genealogies, Colonial Legacies, Democratic Futures*, Londres, Routledge, 1997, IX-XIII.

BANCEL (Nicolas), BLANCHARD (Pascale) et VERGÈS (Francoise), *La République coloniale*, Paris, Hachette, 2003.

BHARATI (Agehananda), «The Self in Hindu Thought and Action», dans Anthony J. Marsella, George A. De Vos et Francis L. K. Hsu (eds), *Culture and Self : Asian and Western Perspectives*, New York (N. Y.), Tavistock, 1985.

BLACKWOOD (Evelyn), «Sexuality and Gender in Certain Native American Tribes : The Case of Cross-Gender Females», dans Anne C. Herrmann et Abigail J. Stewart (eds), *Theorizing Feminism : Parallel trends in the Humanities and Social Sciences*, Boulder (Colo.), Westview, 1994, p. 301-315.

CHAKRAVORTY (Dipesh), *Provincializing Europe : Postcolonial Thought and Historical Difference*, Princeton (N. J.), Princeton University Press, 2000.

CLANCY-SMITH (Julia), «Islam, Gender and Identities in the Making of Colonial Algeria, 1830-1962», dans Julia Clancy-Smith et Frances Gouda (eds), *Domesticating the Empire*, Charlottesville (Virg.), University Press of Virginia, 1998, 154-175.

CONKLIN (Alice), *A Mission to Civilize*, Stanford (Calif.), Stanford University Press, 1997.

CRENSHAW (Kimberle), « Demarginalizing the Intersection of Race and Sex », University of Chicago, *Legal Forum*, 139, 1989.

DOUMIA (N.) (dir.), *Warriors/Guerrières*, Paris, Nomades'Langues Éditions, 2001.

FERRO (Marc) (dir.), *Le Livre noir du colonialisme*, Paris, Robert Laffont, 2003.

FOUCAULT (Michel), *Histoire de la sexualité III : Le souci de soi*, Paris, Gallimard, 1984.

GRAY (John), *Liberalisms : Essays in Political Philosophy*, Londres, Routledge, 1990.

GREWAL (Inderpal) et KAPLAN (Caren), « Introduction », dans Inderpal Grewal et Caren Kaplan (eds), *Scattered Hegemonies : Postmodernity and Transnational Feminist Practices*, Minneapolis (Minn.), University of Minnesota Press, 1994, p. 1-33.

GREWAL (Inderpal) et KAPLAN (Caren), « Global Identities : Theorizing Transnational Studies of Sexualities. », *GLQ*, 7, 2001, p. 663-679.

GREWAL (Inderpal), *Transnational America*, Durham, Duke University Press, 2005.

HALBERSTAM (Judith), *Female Masculinity*, Durham, Duke University Press, 1998.

HALL (Stuart), « Reflections on "Race, Articulation and Societies Structured in Dominance" », dans Philomena Essad et David Theo Goldberg (eds), *Race Critical Theories*, Oxford, Blackwell, 2002.

HEATH (Jennifer) (ed.), *The Veil. Women Writers on Its History, Lore and Politics*, Berkeley (Calif.), University of California Press, 2008.

International Initiative for Justice in Gujarat, *Threatened Existence. A Feminist Analysis of the Violence in Gujarat*, 2003. http://www.online volunteers.org

JAY (Martin), « From the Empire of the Gaze to the Society of the Spectacle : Foucault and Debord, dans Martin Jay, *Downcast Eyes, The Denigration of Vision in Twentieth-Century French Thought*, Berkeley (Calif.), University of California Press, 1993.

JAYAWARDENA (Kumari), *Feminism and Nationalism in the Third World*, Londres, Zed Books, 1986.

KERGOAT (Danièle), « Division sexuelle du travail et rapports sociaux de sexe », dans Helene Hirata, Françoise Laborie, Hélène Le Doaré et Danièle Senotier (dir.). *Dictionnaire critique du féminisme*, Paris, PUF, 2000, p. 35-44.

Koshy (Susan), « From Cold War to Trade War : Neocolonialism and Human Rights », *Social Text*, 17 (1), Spring, 1999, p. 1-32.

Kothari (Rajni), « Human Rights : A Movement in Search of a Theory », dans Smitu Kothari et Harsh Sethi (eds), *Rethinking Human Rights*, Delhi, Lokayan, 1991, p. 19-29.

Mani (Lata), « Contentious Traditions : The Debate on Sati in Colonial India », dans Kumkum Sangari et Sudesh Vaid (eds), *Recasting Women : Essays in Colonial History*, Piscataway (N. J.), Rutgers University Press, 1999.

McClintock (Anne), *Imperial Leather : Race, Gender and Sexuality in the Colonial Context*, Londres, Routledge, 1995.

Menon (Nivedita), « The Impossibility of Justice : Female Fœticide and Feminist Discourse on Abortion », dans Patricia Uberoi (ed.), *Social Reform, Sexuality and the State*, Londres, Sage, 1996, p. 369-392.

Mohanty (Chandra Talpade), « Under Western Eyes. Feminist Scholarship and Colonial Discourses », dans Patrick Williams et Laura Chrisman (eds), *Colonial Discourse and Postcolonial Theory*, New York (N. Y.), Columbia University Press, 1994, 196-220.

Nandy (Ashis), *The Intimate Enemy*, Oxford, Oxford University Press, 1983.

Ozouf (Mona), « La Révolution française et l'idée de fraternité », dans *L'Homme régénéré. Essais sur la Révolution française*, Paris, Gallimard, 1989.

Puar (Jasbir), *Terrorist Assemblages : Homonationalism in Queer Times*, Durham, Duke University Press, 2007.

Shanin (Teodor), « The Idea of Progress », dans Majid Rahnema et Victoria Bawtree (eds), *The Post Development Reader*, Londres, Zed Books, 1997, 65-72.

Sinha (Mrnalini), *Colonial Masculinity*, Delhi, Kali For Women Press, 1995.

Smith (Anna Marie), *New Right Discourse on Race and Sexuality : Britain, 1968-1990*, Cambridge, Cambridge University Press, 1994.

Spivak (Gayatri), « Can the Subaltern Speak ? », dans Cary Nelson et Lawrence Grossberg (eds), *Marxism and the Interpretation of Culture*, Urbana (Ill.), University of Illinois Press, 1988, p. 271-313.

Stoler (Ann Laura), *Carnal Knowledge and Imperial Power : Race and the Intimate in Colonial Rule*, Berkeley (Calif.), University of California Press, 2002.

Stora (Benjamin), « Oublier nos crimes. L'amnésie nationale : une spécificité française ? », Paris, *Autrement*, 1994, p. 227-243.

Trexler (Richard), *Sex and Conquest*, Ithaca (N. Y.), Cornell University Press, 1995.

Conclusion

Au terme de cet ouvrage, il apparaît que la mondialisation prend des formes extrêmement variées selon les moments, les ancrages locaux et les points de vue, toujours situés, à partir desquels on l'analyse. Nous avons largement documenté et démonté les mécanismes à l'œuvre et le fonctionnement concret, quotidien, économique et politique, de la mondialisation, que ce soit sous l'angle des mutations de la division sexuelle et internationale du travail, des mobilités internationales féminines, de la mondialisation du *care* et du « marché du sexe », ou bien sous celui des violences, du militarisme et des résistances – notamment féministes – au néolibéralisme.

Si l'on réalise une synthèse de ce livre foisonnant, une première caractérisation de la mondialisation fait apparaître deux grands effets étroitement liés. Sur le plan matériel, on constate un très fort creusement des inégalités de sexe, de classe et de « race ». Il s'agit, en d'autres termes, d'un renforcement des rapports de pouvoir imbriqués – à la fois conséquence et moteur d'une profonde et violente réorganisation de la division mondiale du travail et de l'accès aux ressources – qui provoque une concentration toujours plus grande des richesses.

Parallèlement à ce phénomène de concentration, comme mode de légitimation de ces transformations, on relève sur le plan idéologique une puissante renaturalisation de ces inégalités justifiées par « l'être » des personnes, leurs « identités » spécifiques ou leurs « cultures » différentes. C'est du moins l'une des analyses que l'on peut faire des discours différentialistes de promotion d'une « diversité » qui inscrivent de force les personnes dans des catégories rarement interrogées, ainsi que du développement de nationalismes et de fondamentalismes religieux virulents, qui véhiculent une conception particulièrement naturaliste des femmes, de la sexualité et des appartenances ethniques. Cette (re)naturalisation des catégories d'oppression semble relativement épargner la « classe », de plus en plus rabattue sur les rapports sociaux de « race » – alors même que l'on ignore délibérément que la majorité des « prolétaires » dans le monde sont des femmes.

Qu'en est-il lorsque l'on analyse plus spécifiquement les mécanismes et les effets sexués de la mondialisation en utilisant les outils de l'économie, de la sociologie et de la science politique ? La violente crise financière de 2009 semble avoir à peine entamé les logiques et peu modifié le fond du discours des chantres du néolibéralisme, selon qu'il faudrait poursuivre dans cette voie, car malgré les soubresauts et certains inévitables dégâts « collatéraux », le monde serait en train de devenir « meilleur ». Or, l'observation de la situation concrète des femmes, dans leur diversité de classe et de « race » – une démarche rarement adoptée dans les analyses *mainstream* de la mondialisation – montre qu'il n'en est rien. Cependant, il ne suffit pas « d'ajouter les femmes » aux analyses existantes, car décrire leur situation conduit surtout à les faire apparaître comme les grandes « victimes » de la mondialisation. Il s'est plutôt agi dans cet ouvrage de mobiliser les outils théoriques féministes, c'est-à-dire de prendre en compte les rapports sociaux de pouvoir qui façonnent les femmes et les hommes, et organisent leurs relations et leurs rapports. Autrement dit, il fallait prendre au sérieux l'apport heuristique du genre afin de créer une grille d'analyse de la complexité de la réalité sociale mondialisée.

Cet ouvrage l'atteste, une lecture par le prisme du genre permet de mieux saisir deux des principales dynamiques de la mondialisation. D'abord, la privatisation des ressources achève de détruire tout un pan de la reproduction sociale, celle qui s'effectuait partiellement hors de l'économie marchande, notamment dans le monde rural, « libérant » et expulsant des bataillons entiers de populations vers les villes globales et le monde urbain, où se concentre à présent plus de la moitié de la population mondiale. Par ailleurs, avec la rupture simultanée du « pacte social-démocrate » et des économies « socialistes » qui avaient dominé l'économie mondiale de la deuxième moitié du XXe siècle, la part du travail de reproduction sociale, assurée autrefois par l'État et des communautés semi-autosuffisantes, retombe à nouveau sur des personnes, à titre individuel, et sur des familles aux liens de plus en plus distendus. Se produisent alors – en cascade – de profondes mutations du travail de reproduction sociale, pour lesquelles le genre constitue un organisateur central. Une part de ce travail est renvoyée à la sphère familiale, l'autre étant confiée aux lois du marché, avec des conséquences considérables sur la mobilité (locale et globale) de la main-d'œuvre – essentiellement féminine – et sa gestion. Le travail de reproduction sociale devient simultanément un enjeu de limitation des dépenses publiques et de réduction des coûts salariaux. Ainsi, si les femmes apparaissent d'abord comme les premières « victimes » de la mondialisation, c'est parce qu'elles constituent une source de main-d'œuvre particulièrement rentable, tant par l'appropriation du travail qu'elles réalisent gratuitement que par l'exploitation de leur force de travail salarié.

Les femmes se trouvent donc, de fait, au cœur des logiques néolibérales d'accumulation des firmes multinationales des pays dominants, tout en représentant une source d'enrichissement pour leur propre groupe familial, leur communauté et leur pays. Et pourtant, l'immense majorité d'entre elles ressort de plus en plus appauvrie de ces transformations.

C'est ce qui explique que les femmes en tant que groupe social soient en première ligne dans les processus d'imposition – militaire, policière ou économique – de la mondialisation et des résistances qui s'organisent pour s'y opposer. D'une part, elles font les frais des conflits et des guerres qui accompagnent la mondialisation, aussi bien comme population civile dans l'ensemble désarmée que comme « butin de guerre », ou encore comme enjeu des nationalismes (ré)émergeants. D'autre part, elles sont activement impliquées dans les résistances à différents aspects de la mondialisation néolibérale, participant à divers mouvements sociaux mixtes ou créant leurs propres organisations, certaines féminines et d'autres clairement féministes. Pourtant, une des grandes questions qui traverse les analyses présentées ici est précisément celle des perspectives de lutte divergentes entre différents groupes de femmes – et d'hommes. En effet, ces divergences ne sont pas le résultat d'*identités* stables ou fermées, mais bel et bien le reflet de *positions* et d'*intérêts* de sexe, de « race » et de classe.

En ignorant ou en minimisant ces dynamiques, toute une partie des analyses existantes de la mondialisation fait fausse route. On pense en particulier aux grands récits qui, sous couvert de découvrir de nouvelles logiques postmodernes, voire postcapitalistes, annoncent, qui la fin de l'histoire, qui un choc des civilisations, qui l'apparition d'un Empire sans visage. Malgré leurs profondes différences et l'aspect séducteur qu'elles peuvent revêtir par leur simplicité, leur abstraction et leur haut degré de généralisation, ces théories ont en commun de dématérialiser les enjeux de la mondialisation. Or, rien n'est plus concret, plus matériel que le néolibéralisme. Et rien n'est plus réel et opérationnel, aujourd'hui, qu'une grille de lecture s'appuyant sur les rapports sociaux de pouvoir de sexe, de « race » et de classe, pensés dans leur imbrication profonde. Certes, cette imbrication évolue : les mécanismes de co-construction de ces rapports et leur poids relatif se modifient, mais ces transformations ne produisent nullement un magma indifférencié, ni une mosaïque de diversité communiant dans une citoyenneté mondiale pacifiée. Au contraire, face à l'apparente confusion qui préside à la mondialisation, il est plus important que jamais de démêler les écheveaux des pouvoirs et des contre-pouvoirs, et de caractériser correctement les groupes en présence dans la « grande bataille » pour l'imposition du néolibéralisme ou la mise en place d'une alternative à ce modèle de mondialisation.

Les transformations en cours sont solidement ancrées dans l'histoire longue. Leur ampleur et leur profondeur sont comparables aux bouleversements de la révolution industrielle. Certes, les changements actuels apparaissent difficiles à déchiffrer, mais ils sont au moins aussi importants à comprendre que ceux opérés au XIXe siècle. Comme à l'époque, il faut, pour les penser, faire preuve d'imagination et d'audace intellectuelle, autant que de rigueur. Nous avons heureusement plus de ressources que les analystes du XIXe siècle pour éviter les pièges des analyses univoques et monocausales – notamment grâce aux théoriciennes de l'imbrication des rapports de pouvoir, depuis les pionnières du féminisme noir jusqu'aux féministes dites « du Sud » contemporaines. Ces outils permettent de penser sérieusement le genre dans la mondialisation sans le séparer des rapports de « race », ni de classe. C'est à cet effort d'analyse collectif de longue haleine que cet ouvrage tente, modestement, de contribuer.

Achevé d'imprimer en septembre 2015 sur rotative numérique Prosper
par Soregraph à Nanterre (Hauts-de-Seine).

Dépôt légal : 2010
N° d'impression : 14727

Imprimé en France